La Sirena

FLORENCIA ETCHEVES

La Sirena

 Planeta

Etcheves, Florencia
    La sirena / Florencia Etcheves. - 1a ed . - Ciudad Autónoma de Buenos
Aires : Planeta, 2019.
    400 p. ; 23 x 15 cm.

    ISBN 978-950-49-6856-6

    1. Narrativa Argentina. I. Título.
    CDD A863

Edición a cargo de Graciela Gliemmo

Todos los derechos reservados

© 2019, Grupo Editorial Planeta S.A.I.C.
Publicado bajo el sello Planeta®
Av. Independencia 1682, C1100ABQ, C.A.B.A.
www.editorialplaneta.com.ar

Diseño de cubierta:
Departamento de Arte de Grupo Editorial Planeta S.A.I.C.

1ª edición: octubre de 2019
7.000 ejemplares

ISBN 978-950-49-6856-6

Impreso en Gráfica TXT S.A.,
Pavón 3421, Ciudad Autónoma de Buenos Aires,
en el mes de septiembre de 2019

Hecho el depósito que prevé la ley 11.723
Impreso en la Argentina

No creo que sea necesario saber con exactitud qué soy. El interés principal de la vida y el trabajo consiste en que nos permiten llegar a ser alguien diferente del que éramos al comienzo.

MICHEL FOUCAULT, *La inquietud por la verdad.*

1

Tenía sueño. Los ojos le ardían. El bostezo —el cuarto en la última hora— le salió con un aullido agudo, casi cómico. La calefacción del auto aletargaba sus movimientos. La apagó y bajó la ventanilla. El viento de los Pirineos entró de golpe, helado e impiadoso.

En circunstancias normales, Alexandre no habría salido jamás, al alba, a la ruta AP-7. Había transitado ese mismo camino cuatro veces: dos de ida y dos de vuelta. Los mapas no le resultaban suficientes y la voz de la muchacha del GPS le ponía los nervios de punta. Nada como estudiar los recorridos y los escenarios en persona. Era un profesional. Pero la niebla era un factor que no había tenido demasiado en cuenta. Sabía que antes del amanecer y en invierno el camino de Barcelona a Besalú quedaba cubierto por un banco de niebla. Sabía, también, que la imposibilidad de divisar con claridad la carretera era una molestia que podía durar una hora como máximo. Lo que Alexandre no sabía era que durante esos sesenta minutos no se veía nada. Ni un cartel, ni una señal. A duras penas, tal vez, alguna luz de los autos que hacían el camino inverso.

Las circunstancias no eran las normales. Adentrarse en la niebla que solía formarse en la frontera entre España y Francia resultaba un acto temerario, hostil; no era tarea para cualquiera. Y Alexandre Moliné no era un cualquiera.

Las manos se le agarrotaron al volante. O cerraba la ventanilla y el sopor lo exponía a algún tipo de accidente o la dejaba abierta, hasta que el frío le cortara la circulación de los dedos.

Desde niño supo bucear en las opciones escondidas, en las no evidentes. Su madre decía que había nacido con la habilidad del pensamiento lateral, su padre insistía con que era un vago y un bueno para nada. La opinión paterna siempre venía acompañada de algún chancletazo, era una manera de reforzar el concepto de libertad de expresión.

Respiró hondo e hizo memoria. En su cabeza apareció la imagen de la rotonda. Recordaba con claridad ese paso entre la ruta y la autovía. La única opción era estacionar el auto en la banquina de la curva y esperar que la niebla se convirtiera en bruma. Bajó la velocidad a cuarenta kilómetros e intentó reconocer el paisaje. Pero llegó, de inmediato, a una conclusión: no había paisaje.

La atmósfera en la que estaba sumergido se volvió apocalíptica. Maldijo en voz alta, con el cuerpo apoyado en el volante, como si el hecho de acercarse al parabrisas pudiera hacerlo distinguir lo que no se distinguía. Pensó en la posibilidad de estacionar, en prender todas las luces del auto y quedarse allí hasta que el banco de niebla se disipara, pero un vistazo a su reloj pulsera lo hizo desistir: tenía que llegar a Besalú antes del amanecer, esa era la orden que le habían dado.

Prendió la radio. Las voces de los locutores relatando las

primeras noticias del día lo hicieron sentir menos solo. De repente, como un destello, algo le llamó la atención. Unas luces tenues, a la distancia, modificaron el escenario. Bajó aún más la velocidad y comenzó a prender y apagar los guiños del auto, en una especie de pedido de ayuda desesperado. Las luces parecían las de otro vehículo que se acercaba de frente, pero en un abrir y cerrar de ojos desaparecieron. Alexandre volvió a maldecir, esta vez en voz más alta.

No tuvo tiempo de hacer nada. Lo primero que sintió fue el impacto, un golpe seco en la puerta del acompañante. La sensación le recordó por un segundo a esas tardes de la infancia en las que jugaba con su hermano mayor en los autitos chocadores del parque de diversiones de su pueblo natal. Se aferró al volante con la intensidad con la que un náufrago se aferraría a un tronco en el medio del océano y, de manera instintiva, pisó el freno.

Los neumáticos no respondieron. El hielo que tapizaba algunos tramos de la ruta la habían convertido en una pista de patinaje. El auto se volvió inmanejable, como un toro mecánico. Alexandre lo intuyó segundos antes de largar el volante y se cubrió la cara con las manos: no había nada que hacer, era el final. Su final.

El auto dio tres vueltas y quedó al lado de la ruta, girado hacia un costado; el vidrio del parabrisas se había partido en mil pedazos. En el asiento del conductor, con el cinturón de seguridad puesto y la cabeza hundida en el airbag, Alexandre intentaba respirar; abría y cerraba la boca como un pescado al que dejan mucho tiempo fuera del agua.

Había sangre, mucha sangre. Y, de repente, todo se tornó oscuro.

2

No soñar es una ventaja. Ese era mi primer pensamiento cada mañana, cada vez que abría primero un ojo y después el otro. No tenía un orden establecido. A veces el ojo izquierdo era el que inauguraba el día; otras, el derecho. Nunca los dos juntos, jamás. El primer ojo echaba un vistazo y le avisaba a su compañero que estaba todo bien, que podía abrirse tranquilo, que un nuevo día estaba arrancando y que, por lo menos, a simple vista no había nada que temer. No suelo recordar mis sueños. Sí, realmente es una ventaja: eso ejercita mi imaginación.

Todas las mañanas, cuando llegaba a la tienda de despacho de pan, doña Josefina, la dueña, arrancaba con el relato del sueño que había tenido la noche anterior. No me decía «buen día», no le interesaba si había descansado bien o mal. Su manera de saludar era esa: contar un sueño. Su sueño.

Algunas veces se demoraba. Me seguía con la mirada mientras me ponía el delantal blanco, me recogía el pelo y lo escondía bajo la cofia de algodón. Esperaba, paciente, a que me calzara los guantes de látex. Cuando me veía lista, rompía el silencio. «Tuve una pesadilla, los monstruos me han visitado esta noche», solía decir a modo de preludio.

Podía ser la historia de un asesino imaginario que se colaba por la ventana de su pequeña casa de piedra y, armado con una espada, la mataba para luego esparcir sus pedazos a lo largo del río Fluviá o el regreso de la encapuchada, una mujer sin edad que se cubría el rostro y, sin decir una palabra, sobrevolaba por el pueblo como una maldición. Yo fingía escuchar atentamente, mientras acomodaba los panes *brioches* en una bandeja de plata. Doña Josefina se entusiasmaba con su relato luego de cada una de mis actuadas expresiones de horror. No había perdido la destreza para la mentira. La ejercitaba como si fuera un músculo más de mi cuerpo: planchas para los abdominales, sentadillas para los glúteos, estocadas para los cuádriceps y sueños inventados para la mentira.

«¿Y tú qué soñaste?», preguntaba siempre doña Josefina, como si soñar fuera algo de lo que no se carece, algo que simplemente sucede en lo cotidiano como beber, comer o ir al baño. Habilitado mi turno con la pregunta, yo arrancaba y las palabras me salían como cataratas. «Soñé que la niebla matutina de Besalú era, en realidad, una nube tóxica que atrapaba al pueblo y todos nosotros nos moríamos envenenados». «Soñé que se derrumbaba el Pont Vell y ya nadie podía entrar o salir del pueblo nunca más y quedábamos abandonados, armando nuestro propio país dentro de una Cataluña nueva». «Soñé que dejaba de ser humana y me convertía en un ser hecho íntegramente de masa de pan, y que para no desaparecer tenía que cocinarme dentro del horno de leña de la panadería».

Doña Josefina me escuchaba siempre con las manos sobre su cara: con una se tapaba la boca y, con la otra, se sostenía la cabeza mientras lanzaba exclamaciones de pánico o de alegría, según mis sueños inventados lo requirieran. A veces, me parecía que ella también me engañaba. No habría sido extraño. Doña Josefina era una sobreviviente, como también lo era yo.

Mientras pensaba cuál iba a ser mi historia del día, me metía en la ducha, no sin antes mirarme desnuda en el enorme espejo, que ocupaba toda la pared de mi habitación. Me observaba de izquierda a derecha y de arriba abajo. Toda. Lo usaba para chequear mi celulitis, si mi cintura se había empezado a ensanchar, si las cicatrices seguían en los mismos lugares de siempre, si mis muslos estaban firmes o si la tensión de la piel me estaba jugando alguna mala pasada. Me quitaba la cinta con la que me ataba el pelo para dormir y sacudía la cabeza; me gustaba sentir cómo la mata, que en ese entonces era castaña y ondulada, caía sobre la piel desnuda de mi espalda. Me paraba de costado y chequeaba que mis glúteos siguieran en su lugar: altos, turgentes. Era mi rutina de frivolidad, y la repetía a diario. El espejo gigante potenciaba mi vanidad, claro que sí, pero además me recordaba quién era. Me devolvía ese yo que siempre andaba camuflado en el tiempo y las circunstancias.

Después de que el agua, no siempre caliente —vivir en un pueblo medieval tiene esos trastornos—, me limpiaba la modorra de las noches mal dormidas, me ponía la ropa de fajina, aquel nuevo disfraz. El vestido de lino azul, abotonado desde el cuello hasta las rodillas, escondía a la perfección mi cuerpo, construido para ser gozado. Unas botas de cuero con piel de oveja por dentro, un tapado de paño marrón, una bufanda tejida y un gorro de lana completaban la imagen de Charo Balboa. Esa fui entonces: Charo Balboa.

Aunque no era necesario, cuando salía, cerraba con llave la puerta de casa; una modesta construcción con dos habitaciones, un baño y una cocina tan pequeña como mis habilidades culinarias; podría no haber existido que ni me habría dado cuenta. Por unos pocos euros al mes que depositaba puntualmente en una cuenta, «el ranchito», como me gustaba decirle, se había convertido en mi morada, en mi escondite.

Don Isaac, el dueño, se había mudado con sus hijos a Barcelona. El clima helado de los Pirineos, la distancia que separaba al pueblo del centro de salud de alta complejidad y la soledad —sobre todo la soledad— lo expulsaron sin permitirle mirar atrás. Lo conocí de casualidad y tuve que mentirle. El hombre estaba convencido de que le había alquilado su casita a una mujer de ascendencia judía. El rumor sobre mi judaísmo se extendió entre los dos mil habitantes de Besalú y funcionó como la carta de presentación que me permitió ser aceptada por todos. Viví un tiempo en el corazón del barrio judío, a metros de la sinagoga, una joya arquitectónica del siglo XIII.

Don Isaac me contó la leyenda antes de despedirse de sus paisanos y de Besalú. Todavía recuerdo cómo las lágrimas se le metían en los surcos de las arrugas de las mejillas. El recorrido pausado de los hilitos de agua, que por momentos quedaban suspendidos entre la nariz y la boca, me distrajo bastante, pero no olvidé su relato. La sinagoga, que había sido construida como un mirador en uno de los extremos de la ciudad, no podía ser usada por nadie como un atajo para acortar camino. Mientras hablaba, me tomó del brazo y me llevó hasta los restos de lo que, en su momento, había sido una pared orientada hacia Jerusalén. En ese lugar, en algún punto de la historia, había estado el arca sagrada. «Siempre debe quedar con una luz encendida, allí se guardan los rollos de la Torá», dijo Isaac. Me cubrió la cabeza con su chalina y me hizo apoyar la palma de la mano en las piedras calizas de las ruinas. Por el reflejo de los rayos del sol ambarino que se filtraban entre las montañas pirineas, notamos claramente el espejismo de luz que abraza a la judería. Ambos sonreímos ante lo que parecía ser un acto de magia. Esa fue la última vez que lo vi.

El centro del pueblo estaba engalanado con un cuadrado enorme, rodeado de arcos de piedra, tiendas de recuerdos y cafeterías; en uno de los costados, lucía un cartel de chapa pintado a mano, con letras ornamentadas, que decía «Plaza Libertad». Como cada mañana, me detuve a pensar en la libertad y en su significado. A fuerza de rutina, había llegado a una conclusión: la libertad es verdadera cuando nadie espera nada de uno. En Besalú fui libre: nadie esperaba nada de mí.

—¡Charo! ¡Que te apures, niña! Hoy tendremos un día agitado, me avisaron que están viniendo unos micros de turistas —gritó doña Josefina desde la puerta de la panadería.

Me conmovía un poco su esfuerzo para hablarme en español, era el único ser humano con quien lo hacía. Para ella, el catalán era su esencia, su patria. Y yo la dejaba hacer; en definitiva, a eso me había dedicado durante toda mi vida: a dejar hacer. Sobre mi cuerpo, sobre mi mente, sobre mi alma. Aunque a veces crea que alma no tengo.

La enorme mesa de madera que ocupaba la parte central de la panadería estaba repleta de torteles, los pasteles típicos de la cocina catalana con forma de rosca. En la zona de los Pirineos, los de doña Josefina eran famosos por dos razones: la maestría secreta del hojaldre que amasaba a mano, siguiendo una receta ancestral de su familia, y por el desafío que la mujer de ochenta años le planteaba a las costumbres y al calendario. Cuando la conocí, me dijo que el *tortell* solo se comía en fiesta de Reyes, en San Antonio o en San Cristóbal, y los domingos. Pero me confesó en voz baja, como se confiesan los delitos o los pecados, que a ella no le importaban las tradiciones y que en su local el famoso *tortell* se fabricaba a diario.

Ese fue uno de los motivos por los que acepté el trabajo de ayudante de pastelería: la rebeldía de doña Josefina. El segundo motivo tuvo que ver conmigo. Nadie buscaría a una puta en una panadería perdida de un pueblo medieval, en el fondo de Girona. Y yo era una puta. Una puta que se escondía.

—Aquí tienes, Charito. Hay crema, nata, mermelada, fruta confitada y azúcar glas. Colocas lo que gustes sobre la masa y que la confitura nos quede bien linda y llamativa.

Doña Josefina estaba tan entusiasmada que se olvidó de contarme el sueño de la noche anterior. Y no era para menos. El ayuntamiento había avisado que un grupo grande de turistas latinoamericanos iba a llegar en horas del mediodía y la noticia tenía a todos revolucionados: estábamos en pleno invierno.

Las olas de frío que bajan de los Pirineos son tan intensas como extrañas. No son de viento, no son ráfagas de aire; son capas de un frío especial. Muchas veces imaginé que alguien abría la puerta de un refrigerador gigante y que esa masa helada bajaba lenta desde las montañas nevadas. En segundos, la temperatura se acomoda por debajo de cero y lacera cada centímetro de piel que no esté lo suficientemente cubierto. Es la época en la que los turistas eligen destinos más amigables y Besalú queda abandonado a la buena del ahorro que sus habitantes hayan sabido atesorar durante la temporada estival. La fábula de la cigarra y la hormiga debe haber sido inventada dentro de esos paredones construidos en 1300.

Adriá y Emma sacaron de las valijas los platos, los fuentones y las bandejas que fabrican con vidrio y armaron el estand en la toldería de la plaza. Carmé se acomodó con una manta sobre las piedras heladas, con sus decenas de modelos de anillos y collares de metal y resina. A pesar del frío, René sacó algunas mesas a la terraza de su cafetería con la esperanza de que adentro tuviera un lleno total. Todos estaban preparados para aprovechar la oportunidad. Nacieron y se criaron para estar preparados.

Bajo la mirada atenta de doña Josefina, decoré cada uno de los torteles y los dispuse en la vidriera de la panadería. La mujer frunció la cara cuando decidí armar flores con ciruelas pasas y orejones, pero mantuvo un silencio respetuoso ante mi obra maestra. Terminó cobrando dos euros más por la decoración desmesurada.

Fue Bernat, el encargado del equipo de barrenderos de Besalú, el que con sus gritos rompió el equilibrio pueblerino que se desarrollaba contra reloj. Algunos lo vieron correr por el Pont Vell, el puente de ingreso a la comarca. Dijeron que levantaba y agitaba los brazos como si lo persiguiera el mismísimo yeti. Yo solo escuché, a los lejos, un pedido de ayuda en catalán.

—¡Ay, Dios mío y la Virgen! —exclamó doña Josefina mientras me arrastraba a la calle de un brazo—. ¿Qué sucede, qué sucede?

Todos corrimos hasta el lugar desde donde venían las novedades de Bernat. Estaba parado en el medio de la plaza Libertad, contando las noticias de la misma manera que siglos atrás lo hicieron los mandaderos de los reyes: a los gritos, para llamar la atención de la tribuna. La tribuna éramos nosotros, y lo rodeamos. Algunos por curiosidad; otros, solo para ser parte del momento en el que pasa algo en un lugar donde nunca pasa nada. Yo me incluí en el segundo grupo.

—¡Qué barbaridad, Charito! ¡Tenemos que hacer algo! —me dijo espantada doña Josefina, sacudiéndome el mismo brazo del que me había arrastrado minutos atrás.

La cosa era grave. Doña Josefina me habló en catalán, como cada vez que se asustaba o se ponía nerviosa. Yo entendía, claro que entendía. Años de sexo con polacos, franceses, suecos o rusos me dejaron, además de una cuenta abultada en euros, facilidad para los idiomas. Pero me gustaba hacerme la que no entendía; la fingida ignorancia me protegía como un escudo y, además, me dotaba de un encanto desconcertante. «La Marilyn Monroe de la *fellatio*», solía decirme un cliente.

—No le entiendo, doña Josefina —le dije copiando el tono de preocupación general—. Me está hablando en catalán.

La mujer tragó saliva y asintió varias veces con la cabeza, parecía estar ordenando las palabras en su cerebro.

—Dice Bernat que cuando estaba llegando al pueblo por la ruta vieja tuvo que bajarse de su bicicleta porque en un costado había un auto accidentado y entonces vio que adentro había un hombre todo bañado en sangre.

Nada me importó menos, en ese momento, que la vida de un hombre con la impericia suficiente como para lanzarse a recorrer esa ruta del demonio en el horario en el que la niebla la hace intransitable, pero puse la cara de espanto correspondiente.

—¡Qué horror, doña Josefina! ¿Qué podemos hacer para ayudar, si es que estamos a tiempo?

No llegó a contestarme. El alcalde apareció en la plaza poniendo en funcionamiento un operativo de rescate a los gritos. Según Bernat, el hombre estaba vivo. El frío bajó de golpe. El lino de mi vestido era David frente al frío Goliat que descendía de las montañas.

—Doña Josefina, volvamos a la panadería. Tenemos trabajo para hacer y, además, usted se puede engripar con este frío —dije convirtiendo las necesidades propias en ajenas.

Con paso rápido y tomadas del brazo, recorrimos la distancia que nos separaba del refugio de masa de hojaldre y chocolatinas. Eran mis últimas horas en Besalú, aunque todavía no lo sabía.

3

El subte L1 que une las estaciones Hospital de Bellvitge y Fondo estaba repleto. Barcelona había amanecido helada y muchos de los que habitualmente recorrían algunos trayectos a pie, eligieron la incomodidad por sobre la friolera. Madres con niños sentados en las rodillas, mujeres haciendo equilibrio para no caerse de zapatos con tacos altísimos, señores con aspecto de jefes, adolescentes con *piercings* en la nariz y hasta en los labios, señoras que reclamaban la libertad de los presos políticos con un listón amarillo en las solapas de sus abrigos; todos, absolutamente todos, abrieron los ojos y giraron hacia la derecha cuando escucharon los gritos.

—¿A mí me vas a robar? ¿A mí? ¡No tenés idea de dónde vengo yo! En mi país te tiran a las vías del tren para sacarte un celular de mierda, ¿y vos te querés hacer el vivo conmigo, pedazo de boludo?

El tono al hablar, el enojo y, sobre todo, el desparpajo despejaron las dudas de los pasajeros: habían intentado robarle a un argentino.

—¡Dame mi billetera ya mismo! No lo voy a volver a repetir y agradecé que no te agarro de un brazo y te entrego a los Mozos de Escuadra. Hoy tengo un día bastante generoso, así que me devolvés la billetera y mi teléfono y se acabó la cosa.

Nadie se animó a meterse en la disputa. El argentino era alto y se notaba que debajo de la campera de cuero tenía un cuerpo trabajado en el gimnasio. Algunas pasajeras advirtieron, también, la mandíbula marcada, los labios carnosos y unos ojos verdes que combinaban muy bien con la melena oscura y brillante.

El destinatario de los gritos era petiso y tenía los ojos tan abiertos que parecían cubrirle la totalidad de su rostro. De una boca casi sin labios salían unos balbuceos en voz muy baja; cada vez que atinaba a levantar el tono, el vozarrón del argentino cubría cualquier atisbo de defensa que pudiera asomar.

—Me harté, amigo. Esto es Europa, el primer mundo, y no vamos a permitir que cualquier vago venga a quitarle las cosas a la gente de bien. Me devolvés todo ya mismo —insistió mientras, decidido, le metía las manos en los bolsillos del abrigo—. Acá están mis cosas. La próxima vez no te dejo un hueso sano, eh. Esta vez tuviste suerte, chorro de mierda.

El subte frenó de golpe en la estación Plaza Cataluña. El argentino, como si fuera un vendedor ambulante, mostró sus pertenencias. En una mano, una billetera de cuero negra; en la otra, un celular *smartphone*. Con un movimiento rápido se bajó del subte. Algunos pasajeros aplaudieron ese acto, que consideraron de justicia ciudadana; otros se rieron con gesto de asombro mientras el ladrón intentaba explicar lo que había sucedido. Nadie le entendía, hablaba en polaco.

Ciro Leone se abotonó hasta arriba el cuello de la campera en un intento vano de cubrirse la garganta del viento que se colaba por los dos últimos escalones de la salida del subte. Cruzó la plaza Cataluña y entró al bar vasco, se había antojado de pinchos con cerveza.

En el mostrador, expuestos en platos de cerámica, los pinchos formaban una especie de pequeñas obras de arte de colores: rodajas de pan de masa madre y, por encima, queso, jamón ibérico, langostinos, tortilla de papas, gírgolas, tomates asados. Y algunos completaban el cuadro con copos de mermeladas.

—Llevame a la mesa cuatro pinchos de tortilla y cualquier cerveza alemana que tengas —dijo Ciro mientras abría la billetera de cuero que todavía llevaba en la mano.

Separó diez euros y se los dio en la mano a la camarera, que no le sacaba los ojos de encima. Eligió, como siempre, la mesa del fondo. Desde ese lugar tenía una vista total del salón y, además, por la ventana podía mirar el ir y venir de los turistas que tomaban esa calle para hundirse en la Rambla. No paraba de sorprenderse ante la fragilidad de la gente: mujeres con bolsos abiertos, hombres con celulares que asomaban de los bolsillos traseros de los pantalones, niños pequeños jugando a ser fotógrafos con las cámaras de fotos profesionales que los padres usaban para entretenerlos, adolescentes exponiendo sus *tablets* como si fueran hojas de papel. Ciro era una máquina de detectar el error; con un simple golpe de vista, divisaba la falla y se colaba con elegancia y desenfado.

Se sacó la campera y la colgó en el respaldo de la silla. Abrió la billetera y desplegó el contenido sobre la mesa: un carné de conducir; una tarjeta de servicios de salud;

una tarjeta de crédito; un documento plastificado de identificación; dos *tickets* de compra de El Corte Inglés; trescientos veinte euros, a los que les restó los diez con los que acababa de pagar el almuerzo, y una foto doblada.

Se quedó mirando unos minutos cada uno de los objetos. La foto le llamó la atención: un hombre y una mujer abrazados y sonrientes, de fondo se veía la Torre Eiffel. La mujer era rubia, con la cabeza llena de rulos y una sonrisa extraña, a medio hacer; el hombre le pasaba un brazo por los hombros y sacaba la lengua en una mueca que pretendía ser graciosa. Se lo veía más joven y un poco más gordo que hacía un rato en el subte. Era polaco, según sus identificaciones. Ciro se metió los billetes en el bolsillo y volvió a guardar todo lo demás en la billetera.

—Tu comida, guapo —dijo la camarera. Apoyó la bandeja sobre el hueso de su cadera.

Ciro le clavó la mirada con gesto deslumbrado, una técnica que se le daba muy bien. La chica se puso colorada, le gustó sentirse descubierta como si fuera una de las nuevas maravillas del mundo. Eso creía.

—¿A qué hora salís de trabajar? —preguntó Ciro.

—En un rato, después del servicio del mediodía —contestó la chica. Con la mano libre se tocó el pecho, podía sentir el corazón latiendo al galope.

Ciro asintió con la cabeza y puso toda su atención en los pinchos que tenía ante sus ojos. La camarera se retiró a tiempo, no quería ver el exacto momento en el que era reemplazada por un pedazo de pan con tortilla.

4

«¿Dónde está la bolita? A ver si alguien se anima a señalar dónde está la bolita...». La frase altisonante copaba los oídos de todos los que paseaban por la Rambla. Voces graves, agudas, más intensas, menos profundas, de hombres, de mujeres y hasta de adolescentes retumbaban en un *loop* que arrancaba cerca de las diez de la mañana y se extendía hasta altas horas de la noche. Para muchos, esas mesitas cubiertas con manteles de paño verde o rojo, comandadas por señores que con destreza intentaban esconder pequeñas bolitas de vidrio bajo los movimientos rápidos de cubiletes de colores, eran una postal típica del bello paisaje catalán. Para otros, una estafa para los incautos. Las mesas de «los trileros», así los llamaban.

Diana Ferrán estaba teniendo un mal día. Su atuendo era el indicado: *jeans* apretados, zapatillas de marca, un bolso dorado que le colgaba del hombro, anteojos oscuros cubriendo gran parte del rostro, un tapado de paño hasta los tobillos, el cabello largo trenzado con pericia como si fuera una de las protagonistas de la serie *Vikingos* y una remera blanca, con la palabra del momento escrita en el medio del pecho: «Feminista». Ese era el estilo que había estudiado cuidadosamente, no solo en las revistas de moda, se había pasado largas tardes mirando a las turistas deambular por el Paseo de Gracia. Sin embargo, tanta preparación no estaba funcionando.

El trabajo de Diana era fácil, siempre lo había sido. Solo tenía que acercarse a una de las mesas de los trileros y hacerles un par de preguntas bobas en un español forzado, simulando ser francesa, inglesa o alemana. Luego de la respuesta, también boba, sacaba de su bolso una billetera cargada de euros. Apostaba veinte euros primero y ganaba; cincuenta después, también ganaba, y por último, tiraba sobre el paño un lustroso billete de cien. El triunfo estaba asegurado.

Los trileros la aplaudían y arengaban. Los turistas se acercaban con curiosidad y, sobre todo, con el deseo de convertirse en los próximos ganadores. La cosa parecía fácil: seguir con la mirada atenta el movimiento de los vasitos, poner el dinero apostado sobre la mesa y señalar bajo cuál de ellos había quedado escondida la bolita. Lo que no sabían era que Diana no era turista —no era francesa, ni inglesa, ni alemana—, que los euros que apostaba eran falsos y que formaba parte de una de las diez bandas de trileros que funcionan en la Rambla de Barcelona. Por cada turista que perdía su apuesta —siempre perdían—, ella ganaba un diez por ciento de lo recaudado. Diana era una timadora, eso tampoco lo sabían.

—¡Ey, guapo! ¡Aquí, aquí! Ven a darme uno de tus abrazos —gritó sacudiendo una mano, mientras con la otra sostenía un vaso de café de Starbucks.

Ciro afiló la mirada y sonrió en cuanto la reconoció. Habían tenido una aventura de varias semanas. Diana prefería definirla como romance, le gustaba andar diciendo que el argentino estaba enloquecido por ella. A Ciro no le molestaba el rumor, que un poco de verdad tenía: Diana lo había enloquecido.

Cruzó la Rambla esquivando a un grupo de niños de una escuela, que paseaban junto con su maestra, una señora gorda que les gritaba como si estuviera al mando de un ejército, en medio de una guerra. Sin decir una palabra, tomó a Diana por la cintura y le estampó dos sonoros besos en las mejillas.

—¡Qué cara, Diana! —exclamó Ciro con preocupación.

—Estoy cansada, mi querido. No me funciona más este trabajo. Hago mis apuestas falsas, le pongo toda la energía, pero los pocos turistas que se acercan desconfían y no largan ni un puto euro —relató mientras revolvía dentro del bolso dorado—. Mira estos banderines, me la paso arrancando esta mierda de los comercios y de las bocas del subte.

Ciro ya los había visto por todos lados. El ayuntamiento había largado una campaña para advertir sobre la estafa que más de cien trileros realizaban a cielo abierto en las zonas más turísticas de la ciudad. Diana sostenía uno de los carteles ante los ojos de Ciro. «No es un juego, es una estafa», decía con letras negras sobre un fondo amarillo.

—Ya ni se puede trabajar en esta ciudad de mierda —se lamentó la mujer—. ¿Qué pretenden, que me convierta en una puta?

—Mal no te iría, eh —dijo Ciro con expresión pícara.

Ella lo miró y se metió en la boca la punta de la trenza. Con la lengua empezó a juguetear con su pelo, sin quitarle los ojos de encima. Ciro largó una carcajada confusa, una mezcla de gracia y excitación sexual.

—A ti te hago precio, mi argentino hermoso. Cincuenta euros el polvo.

Él pensó en el contenido de la billetera que acababa de robar en el subte. Sabía que con la Diana podía tener sexo gratis, pero era una amiga y la quería ayudar, por lo menos para que esa noche tuviera una buena cena o una buena línea de cocaína.

—Muy bien —dijo—. Vamos al Gótico, Dianita. Caminá adelante y mové el culo como vos sabés hacer. Si me la mantenés dura hasta que lleguemos, te pago cien euros.

Diana cumplió. Mientras sus caderas se movían de un lado a otro quitándole la respiración a más de uno en la Rambla, su boca se curvaba en una sonrisa enorme. No podía creer el golpe de suerte: tener sexo con el ladrón más guapo de Barcelona y que le pagara por algo que, gustosa, habría hecho gratis. «A veces la vida es bella», pensó. Pero a pocos metros de la estación Liceu, el encanto se rompió. Diana, como una Cenicienta que no llegó a tiempo a probarse el zapato de cristal, fue la primera en darse cuenta; los años viviendo en la calle y de la calle no habían sido en vano.

—¡Bajemos por las escaleras del metro, hay que salir ya mismo de la Rambla! —gritó sin dejar de mover las caderas.

Ciro sabía que escapar por Liceu era imposible. Cuatro policías de los Mozos de Escuadra bloqueaban la boca del metro. Una mujer portuguesa gritaba y señalaba a Diana.

—¡Fue ella, la del bolso dorado! Aprovechó una distracción en el Starbucks y me robó la *tablet* que estaba sobre mi mesa —dijo en un español aprendido en la escuela.

Diana, también a los gritos, negaba las acusaciones sin dejar de apretar el bolso contra su pecho. Muchos turistas se acercaron. Algunos filmaban la situación con sus teléfonos celulares, otros intentaban entender qué estaba pasando.

El primer impulso de Ciro fue dar media vuelta y caminar tranquilo en dirección contraria. En Argentina, había aprendido que nunca hay que correr cuando la policía está cerca. Sin embargo, no pudo desentenderse del asunto.

—Caballero, debe haber un error —dijo desplegando su mejor sonrisa y forzando la tonada argentina—. La señorita no es ninguna ladrona, es mi novia y somos turistas.

El policía lo miró con desconfianza y le pidió los documentos. Ciro, muy desenvuelto, mostró su DNI argentino. En su interior, rogaba que el hombre no chequeara demasiado; la identificación se había vencido hacía años. Otro de los policías se acercó a Diana y también le pidió los documentos. Ella buscó la mirada de Ciro, necesitaba su aprobación, y él asintió con un mínimo movimiento de cabeza.

La portuguesa no entendía muy bien lo que hablaban, pero no dejaba de gritar y señalar el bolso dorado.

—Aquí tiene —dijo Diana mientras extendía la documentación.

—Usted no es turista —indagó el policía.

—Sí soy —insistió Diana.

Un tercer policía llegó a la escena corriendo. Estaba acalorado y le faltaba el aire. Apoyó las manos en las rodillas, como si viniera de correr un maratón, y con el resto de aliento que le quedaba dijo:

—Es ella, es ella. La gente de la cafetería me acaba de mostrar el video de las cámaras de seguridad y se ve claramente cómo esta mujer guardaba en su bolso una *tablet* que estaba sobre la mesa de la ventana.

Ciro cerró los ojos y se mordió los labios. No llegó a ver el momento exacto en el que Diana, en una reacción desaforada, empezó a correr por la Rambla tratando de huir. En cuanto se dio cuenta de lo que pasaba, intentó seguirla pero no pudo. Dos Mozos de Escuadra lo agarraron y no lo dejaron moverse ni un centímetro. La impericia de Diana y la billetera robada al polaco del subte, que la policía encontró en el bolsillo de la campera de Ciro, fueron suficiente: ambos quedaron detenidos.

5

Dejamos la plaza Libertad caminando a paso lento, el ritmo de la caminata lo imponía doña Josefina. Estaba ansiosa porque llegaran de una vez por todas los micros de turistas, tenía ganas de empezar a despachar las confituras. Las tareas de ambas estaban bien repartidas: doña Josefina se ocupaba de hornear los torteles, distribuidos en placas enormes de metal, para venderlos con la temperatura justa, y yo era la encargada de meterlos en unas bolsas de papel amarillo y de cobrar. Siempre me manejé bien con el dinero, una especie de bendición.

Doña Josefina estaba convencida de que había sido ella la organizadora de las ocupaciones. Me encargué muy bien de que creyera semejante cosa, otro de mis poderes: hacer que todos crean que deciden sobre mis acciones. A los golpes aprendí que los esfuerzos que provienen de mi cuerpo deben ser gestionados por mí personalmente. Y amasar, barrer la harina del piso, mezclar la fruta con el azúcar para formar un dulce y empaquetar la mercadería reclamaban esfuerzos de mi parte, cuyos resultados no iba a dejar en manos de otra persona.

La temporada baja en Besalú se sentía como infierno. La costumbre de obtener dinero rápido en una noche o en apenas unas horas hacía que el hecho de esperar para cobrar el salario me resultara desconcertante. Era la primera vez en mi vida que tenía un trabajo decente. Me gustaba mucho la palabra «decente», tenía tan poco que ver conmigo que la usaba habitualmente como si fuera un disfraz. No solo el color o el corte de cabello, la ropa o el maquillaje nos definen; las palabras que adoptamos en relación con nuestra conducta nos construyen como ese alguien que no somos. Y en Besalú fui mujer decente.

—¡Qué barbaridad, Charo! —dijo doña Josefina. Se agarraba con una mano la cabeza y con la otra metía una placa en el horno gigante—. Espero que puedan salvar a ese muchacho. ¿Será que estaba viniendo para el pueblo?

—No creo que a nadie se le ocurra venir a esta hora, con esta niebla y este frío —contesté fingiendo interés en el tema.

Nos quedamos en silencio mirando por la ventana que daba a la calle. La llovizna se había convertido en aguanieve y el aguanieve, en copos gordos y blancos.

—Empezó a nevar… ¡Qué desgracia! —dijo.

Odiaba y odio la nieve, la detesto. Durante mis años de mujer no decente invertí gran parte de los dólares que gané con mi cuerpo en huir de la nieve. Mi calendario fue un verano permanente. En cuanto el sol se demoraba en salir y mi piel empezaba a sentir el escozor de alguna brisa fresca, armaba una valija pequeña con mis prendas favoritas y me subía al avión que aterrizara en el verano de algún país. No evitaba el frío, evitaba la nieve.

La nieve siempre me trajo desgracias. La noche que me secuestraron nevaba y mucho; lo recuerdo muy bien, a pesar de que tenía apenas quince años. El cerebro, mi cerebro, funciona de manera bastante extraña. En un costado, archiva las evocaciones del bar en el que me emborracharon; las imágenes borrosas de Ariel violando a mi amiga Leonora; las manos, como garras, que me metieron en el baúl de un auto; el olor a sangre y orina, y aquella voz ronca que me dijo: «Quietita, pendeja. Perdiste». En otro costado, guarda el paisaje más hermoso que vi en mi vida; una especie de foto que, muy de vez en cuando, aparece como una ensoñación: el volcán Tunik en la Patagonia. Argentina, mi patria. La tierra en la que una mujer, mientras yo estaba desnuda, atada con una cadena, temblando de miedo y tirada en un sillón, sentenció: «Todas tus soluciones desaparecieron. No están más. Cornelia está muerta y los muertos no regresan, nena. Nunca». Y, sin embargo, aquí estoy. Fui bendecida con el don de la supervivencia.

Acomodé en el mostrador las bolsas de papel amarillo, una arriba de la otra, en una pila perfecta junto a la caja registradora; chequeé el cambio que doña Josefina había dejado para arrancar el día —sesenta euros en billetes y monedas— y me senté en una banqueta alta de madera a esperar a los clientes.

Los gritos de Adriá me hicieron pegar un salto. Hasta doña Josefina, que era sorda para lo que le convenía, se asomó desde la puerta de la cocina de la tienda. El niño pasó corriendo por la vereda empedrada, como un huracán con voz de pito.

—¿Qué le pasa a este demonio, Virgen de Dios? —preguntó doña Josefina arrugando la nariz.

Adriá era el único niño del pueblo, tal vez por eso se le permitían algunas licencias; aullar era una de ellas. Desde

2006, no se producían nacimientos en Besalú, probablemente porque todos los días allí eran iguales. Nadie se tomaba vacaciones ni días libres. Quienes decidían formar una familia elegían lugares con climas menos hostiles. Es posible que eso no haya cambiado.

Me levanté de la silla. Tardé unos minutos en enfundarme en mi abrigo y le pedí prestados unos guantes a doña Josefina. Yo no tengo guantes, cuesta acostumbrarse a vivir en invierno.

Adriá estaba en la plaza Libertad conversando a los gritos, no sabe hacerlo de otra manera, con los vecinos de la feria. Me acerqué y escuché las novedades. El operativo de rescate había dado resultados positivos. Bernat y un policía, el único del pueblo, habían bajado hasta la ruta en la, también única, camioneta municipal.

Los gritos de Adriá quedaron opacados por la llegada de Bernat, que fue recibido en la plaza como un héroe nacional. Respiré hondo y miré hacia arriba, no pude evitar el gesto; por suerte, el gorro de lana con visera camufló mi hartazgo. Sin embargo, me puse a escuchar con atención. Hace años, un cliente me dijo que el cuerpo humano tiene dos orejas y una boca, para escuchar el doble de lo que se habla. Tomé la recomendación al pie de la letra, mientras guardaba los mil dólares que me pagó por la maravillas que hice en su cuerpo con mi boca, pero esa es otra historia.

—Fue una odisea —dijo Bernat—. Pasamos el banco de niebla, por suerte la memoria no me falla y rápidamente me pude ubicar. Cuando llegamos el auto estaba ahí, tirado al costado de la ruta, tal cual lo había visto yo.

Carmé interrumpió el relato con un entusiasmo desmedido:

—¿Y? ¿Estaba el hombre adentro?

—¡Claro que sí, Carmé! Medio muerto, ¿a dónde se iba a ir? —contestó Bernat y siguió con su relato. Ponía las pausas en el lugar exacto, para generar la expectativa necesaria. Nunca en su vida le habían prestado tanta atención, no se lo veía dispuesto a desaprovechar el momento—. Bueno, nos acercamos y estacionamos la camioneta. El hombre seguía en la misma posición, en el asiento del conductor, con la cara hundida en esas bolsas blancas que tienen los autos modernos ahora.

—El airbag —acotó un joven del pueblo, ostentando su inglés y los conocimientos que le daba internet.

—Eso, sí, sí. Con el oficial tuvimos que treparnos a la camioneta porque estaba de costado, toda abollada y con los vidrios rotos. Abrimos la puerta y sacamos al hombre en cuestión.

Los vecinos, que cada vez eran más, aplaudieron la hazaña. Bernat estaba transitando su momento de gloria con estoicismo.

—Fue muy difícil —dijo—. El cuerpo era peso muerto…

—¿Está muerto? —interrumpió doña Sibila con cara de espanto.

—No, de ninguna manera —negó Bernat—. Está vivo, gracias a mí y al oficial, por supuesto. Entonces lo cargamos en la camioneta. Era un reguero de sangre. Me parece que se abrió la frente del golpe, pero respiraba. Eso sí, respiraba bien fuerte.

—¿Y ahora dónde está? —preguntó doña Alicia.

—Lo llevamos al Hospital Sant Julià. La doctora Dolors está haciendo las primeras curaciones, hasta que llegue una ambulancia y lo lleve a Barcelona.

Se escuchó un suspiro colectivo de alivio. Algunos de los vecinos se acercaron a palmear a Bernat; otros se fueron yendo de a poco, a seguir con lo que estaban haciendo: preparar la mercadería para la llegada de los turistas. Yo volví sobre mis pasos. Sin saber por qué, pasé de largo por la puerta de la panadería de doña Josefina y caminé hasta la salita de primeros auxilios.

Las cuestiones de salud y las emergencias se atendían en lo que había sido la iglesia del antiguo Hospital Sant Julià. El hospital, en realidad, no era un hospital y la doctora Dolors no era doctora. Eso me gustaba de Besalú y de algunos de sus habitantes: creían lo que se les cantaba, se me parecían mucho.

Me quedé un rato mirando la fachada. Los arcos y capiteles tallados en piedra resultaban abrumadores. Nadie sabía si eran originales o si habían sido reconstruidos después del medioevo. En los archivos históricos del pueblo, no había documentación sobre ese edificio; otro detalle que me atraía del lugar.

A pesar de que en la puerta había un timbre y un cartel que decía que había que esperar para ser atendido, entré sin cumplir las indicaciones. A mi modo. No vi a nadie detrás del pequeño escritorio de la entrada. Doña Soledad, la recepcionista, estaba en el fondo ayudando a Dolors, la enfermera. En razón de verdad, jamás la escuché decir que era médica, pero tampoco oí que corrigiera a quienes la llamaban «la doctora». Me caía bien por eso.

Me acurruqué detrás de una columna y pude ver lo que sucedía. Sobre la camilla, estaba el hombre que Bernat y el oficial habían rescatado. Había sangre en el piso y en una sábana que ambas mujeres habían dejado tirada en un rincón. Dolors, vestida con un ambo color verde, ajustaba en el brazo del hombre una sonda de suero, mientras doña Soledad, con una gasa húmeda, limpiaba la sangre seca del rostro del accidentado. «Dolors y Soledad», pensé. No pude evitar sonreír ante la ironía de los nombres de las mujeres que intentaban salvarle la vida a ese desconocido.

En uno de los rincones de la sala, pude ver una silla; sobre la silla, había una mochila negra. Eso fue lo primero que me inquietó. En puntas de pie, para no hacer ruido, salí del escondite que me proporcionaba la columna y me acomodé a un costado de la puerta, del lado de afuera.

Mi infancia adinerada y mis años de lujos me adiestraron bien el ojo: puedo reconocer a distancia los objetos de marcas costosas y también cualquier chuchería de imitación. No cabían dudas: la mochila no era cualquier mochila. Era de tejido técnico, con ribetes de piel *saffiano*. Tenía dos correas ajustables, elementos metálicos de acabado y cierres en paladio oscuro. La última vez que había visto una igual colgaba del hombro de un cliente. Recuerdo que me encerré en el baño de la habitación en la que teníamos pautado el encuentro y busqué información en mi celular: salía mil cien euros y era de la marca Prada. Gracias a eso, al pobre diablo le aumenté quinientos euros la tarifa. Mi cuerpo no valía menos que una mochila.

Debajo de la silla, Dolors y Soledad habían acomodado unos borceguíes de nieve y, hecha un bollo, la ropa del paciente. Todo estaba manchado de barro o de sangre.

—¿Qué haces aquí, Charo?

La voz de Dolors me sobresaltó. Se había dado vuelta de golpe y no me dio tiempo a esconderme mejor. No tuve otra opción que desplegar mi papel.

—Perdón, doctora, si la molesté. Vine hasta acá porque me quedé muy preocupada por este hombre y doña Josefina quería saber si necesitaban algo.

Mientras hablaba me acerqué a la camilla y lo pude ver de cerca. Era un hombre de unos veinticinco años, no muy alto, pero con un cuerpo macizo. Por debajo de las lastimaduras y moretones de la cara, se podía ver una piel picada por la viruela; en el pecho, cerca del hombro, tenía un tatuaje viejo y bastante decolorado. No pude distinguir si era una serpiente, un dragón o un tigre alado.

—No, querida, muchas gracias. Ya lo limpiamos, lo estamos hidratando y por suero le puse medicación. Están viniendo para llevarlo a un centro de complejidad en Barcelona. Aquí, mucho más no podemos hacer. Está bastante delicado, tiene varios huesos rotos. No tengo manera de saber si hay lesiones internas, pero no lo descarto... Charo, Charo, ¿tú estás bien? —dijo Dolors, que tal vez percibió que algo me pasaba. ¿Por mi gesto o la tensión de mi cuerpo? Nunca lo supe.

—¿Lo pudieron identificar? ¿Tiene documentos? —pregunté con curiosidad genuina.

El anillo me había helado la sangre. A pesar de estar prácticamente oculto por la hinchazón de la mano derecha, lo pude reconocer. El accidentado tenía un anillo de plata en el dedo índice. Un anillo que ya había visto en otras manos.

—Sí, se llama Alexandre Moliné. Eso dice su registro de conducir, pero en su mochila también tiene un pasaporte a nombre de un tal Adalberto Calixto. Es extraño.

Tuve que hacer un esfuerzo para no mostrarme ni sorprendida ni aterrada. Me mordí el labio inferior hasta que sentí el gusto metálico de la sangre. Una estrategia que tenía bien aprendida: generar un dolor para opacar otro. El verdadero Adalberto Calixto estaba muerto y yo lo sabía mejor que nadie. El nombre de Alexandre Moliné nunca lo había escuchado.

Como pude, me recompuse y me ofrecí para ordenar las pertenencias de Alexandre Moliné. Ni Dolors ni Soledad se negaron. Incluso, Soledad me sugirió que metiera todo en una bolsa grande de residuos; me indicó que la sacara del mueble en el que guardaban los artículos de limpieza.

—Voy a ordenar todo afuera, así no las molesto —dije con la voz más aniñada que encontré en mi repertorio.

Ninguna de las dos me contestó. Tomé ese silencio como una aprobación, y llevé la mochila Prada, la ropa ensangrentada y los borceguíes al sector de la recepción.

De un manotazo, despejé el escritorio y abrí la mochila. Apenas metí la mano, la sentí; estaba fría, con la dureza inconfundible. No tuve que mirar para saber que se trataba de un arma. La corrí a un costado con cuidado, no iba a dejar mis huellas digitales marcadas. En el bolsillo de mi abrigo, estaban los guantes de doña Josefina. Me los puse. Volví a meter la mano y saqué un sobre grande de papel madera, las puntas estaban dobladas y se lo veía bastante maltrecho. Lo despegué con cuidado para no romperlo aún más. En cuanto desplegué el contenido sobre el escritorio, supe que mi vida en Besalú había terminado.

6

Se acomodó en el sillón de cuero de dos plazas y miró con desprecio a las mujeres que tenía frente a él. Una de ellas estaba vestida con una bombacha y un corpiño de encaje de mala calidad, de un verde estridente; se contorsionaba al ritmo de una música que sonaba únicamente en su imaginación. La otra, que llevaba puesto un *short* de *lycra* negro —nada más—, esperaba que su compañera terminara el *show*. La bailarina de pelo rojo, demasiado drogada, cerraba los ojos y movía los brazos; su boca, con una mueca que intentaba ser una sonrisa, temblaba: los labios parecían querer contener, al mismo tiempo, dientes y mandíbula descontrolados.

El Egipcio suspiró con hastío y tomó un trago largo del pico de la botella de *whisky* que sostenía entre sus piernas. En cuanto el líquido pasó por su garganta, se levantó de golpe y lanzó la botella contra la pared. Los vidrios estallaron, las gotas color ámbar salpicaron a todos y el olor intenso del alcohol inundó el lugar.

—¡Hijos de puta, los voy a mandar matar a todos! ¡La puta que los parió! —gritó con esa voz ronca que le salía de las entrañas cada vez que se enojaba.

La chica del *short* negro se acurrucó en el piso, contra el sillón. La bailarina quedó congelada, con los brazos en alto y los ojos desorbitados. La música se había apagado de golpe en su cabeza. Se la veía como una casa con la luz encendida, pero sin nadie adentro.

La habitación era espaciosa: ocho metros de largo por diez de ancho. Contra una de las paredes, había una cama *king size*, cubierta por sábanas blancas de lino, y una heladerita pequeña que hacía las veces de mesa de luz. Del otro lado, se lucía el sillón de cuero marrón, un Chesterfield original. Y en el centro, sobre una gran alfombra artesanal, hecha con diferentes cuadrados de piel de vaca, habían ubicado una mesa con sillas para cuatro comensales.

—¿Qué pasa, señor? ¿Lo puedo ayudar en algo? —preguntó el guardiacárcel mientras corría, apenas, el telón de pana roja que el Egipcio había ordenado colgar del lado de afuera de las rejas para resguardar su intimidad.

—Vos no me podés ayudar en nada. Vos sos una cucaracha que solo sirve como esclavo de los mandados —dijo con odio el Egipcio—. Decile a tu jefe que me mande buscar. Tengo que hablar con él. Si en cinco minutos no volvés con una respuesta que me agrade, te hago cortar la pija, ¿entendiste?

El muchacho no llegó a contestar; tampoco llegó a comprender demasiado la amenaza del hombre, que gritaba con una tonada indefinida, una mezcla de español y expresiones típicas de la Argentina, el país en el que había vivido muchos años. Pero supo que no debía perder ni un segundo de los minutos de gracia que le había dado el preso VIP.

El Egipcio se quedó dando vueltas por la celda como un animal enjaulado. No le alcanzaba con tener televisión y acceso a internet; tampoco le parecía suficiente que su heladera estuviera llena de buen champán, ni que un cocinero preparara viandas exclusivas para él. Ni siquiera valoraba que el patio de recreación común de los presos fuera vaciado para que un *personal trainer* le diera clases de ejercicio tres veces por semana. ¿De qué servía todo eso si las putas eran de cuarta categoría y el *whisky* que le ofrecían tenía gusto a orina?

—¿Qué hacen acá, marranas de mierda? —preguntó mientras se abotonaba la camisa y con las manos intentaba dominar unos rulos indómitos.

Las dos mujeres cruzaron una mirada rápida y se quedaron en silencio. No sabían qué contestar.

—¿Qué les pasa? Además de ser mercadería de descarte, ¿son mudas?

La chica del *short* negro atinó a taparse la cara con las manos, fue la manera que encontró de disimular el miedo y las lágrimas. La bailarina tomó otra decisión: se agachó y, en cuatro patas, gateó hasta donde estaba el hombre; cuando intentó bajarle el cierre del pantalón, recibió un cachetazo que la lanzó medio metro hacia atrás. Quedó despatarrada contra la reja de la celda, con los ojos tan abiertos que se le notaron aún más las pupilas dilatadas.

—¡Riberto, vení para acá urgente! —gritó el Egipcio.

No había terminado de decir la frase que la cara angulosa de Riberto se asomó por el cortinado rojo.

—Sí, señor.

El Egipcio sacó las llaves de la celda de uno de sus bolsillos y, de una patada, corrió a la bailarina, que seguía en la misma posición que la había dejado el cachetazo.

Riberto entró y paseó la mirada por la estancia: había vidrios rotos en el piso y una mancha de *whisky* en una de las paredes. Cuando vio a las dos mujeres, de manera automática se masajeó la entrepierna.

—No seas ansioso, imbécil —dijo el Egipcio con la primera sonrisa del día.

Siempre le causaba gracia advertir la desesperación de la mayoría de los hombres ante una mujer semidesnuda. En definitiva, gracias a eso se había hecho millonario: vendiendo el calmante para los desesperados. Aunque en este caso, las dos mujeres que tenía ante sus ojos no valían ni diez euros y, aunque los valieran, Riberto no podría pagarlos.

—Escuchame, Riberto. Llevate a estas dos. Es un regalo para vos y para los muchachos. Compartan, eh, no hay que ser egoísta con los compañeros.

El muchacho sonrió con lascivia y sin dientes. Agarró a una de las chicas de los pelos y a la otra de un brazo. Ninguna de las dos gritó. No lloraron ni se resistieron. Estaban acostumbradas.

Al guardiacárcel le temblaron las manos cuando tuvo que ponerle las esposas al Egipcio.

—Discúlpeme, señor. Es que el jefe me dijo que le ponga los ganchos para no causar malestar con los otros reos. En cuanto lleguemos a la oficina yo se los saco, se lo prometo.

—Nunca más vuelvas a decir «el jefe» delante de mí. Decí «mi jefe», ¿entendiste? Yo no tengo jefe. Y apurate, dale, terminemos con esta pelotudez, que los reos no tienen ningún malestar conmigo. Soy el único que les tira cigarrillos, algún *whisky* y, de vez en cuando, algunas putas. Deberían ponerme a cargo del servicio penitenciario, manga de inútiles.

Cruzaron el pasillo que atravesaba todo el penal. El Egipcio esposado, adelante, y el guardiacárcel, con el arma desenfundada, atrás. El muchacho sabía que al preso VIP había que cuidarlo, muchos reclusos se la tenían jurada. Aunque a fuerza de euros había logrado armar un pequeño ejército que lo protegía, dentro de las paredes del penal también existían quienes no se dejaban tentar por los sobornos y planeaban convertir los viejos rencores en venganzas.

No era la primera vez que Khalfani Sadat estaba preso. Incluso, su apodo «el Egipcio» se lo había regalado su primer compañero de celda, allá lejos, en Ciudad Juárez. No había sido demasiado original, teniendo en cuenta que Khalfani había nacido en El Cairo. Sin embargo, supo que ese iba a ser su apodo, su nombre de guerra, cuando ese muchacho, acusado también por los crímenes de mujeres en la frontera mexicana, le gritó desde un pasillo: «¡Egipcio, compadre, venga a tomar un tequilita!».

Ahora las cosas eran distintas. Había pasado una vida desde aquella redada que lo había hundido en el agujero mexicano. Se había jurado una y mil veces no volver a caer detenido, y no se perdonaba haberse fallado a sí mismo de una manera tan atroz. Cada noche, antes de cerrar los ojos, mirando el techo descascarado de su celda, hacía una lista mental de los errores que había cometido: dejar la Patagonia argentina para florearse en Puerto Madero; dejarse ver en la zona de la Triple Frontera; trabajar con pueblerinos que creían que estaban para más, como la familia Alonso; convertir en su mano derecha a un hombre que había traicionado a todo el mundo y, por último, enamorarse. Eso fue determinante: enamorarse perdidamente de una sirena. La Sirena, la mujer con veneno entre las piernas.

El jefe del penal lo esperaba como siempre: sobre su escritorio, había una caja de habanos Cohiba y una botella de *whisky* del bueno.

—Egipcio, querido, siéntate. Fúmate un habanito tranquilo. Me han dicho que estás un poco nervioso... ¿Qué ocurre, mi amigo?

La voz del jefe Donato Melliá parecía la de un hombre sereno, la de alguien que sabe cómo manejar el poder y, sobre todo, a los poderosos. Pero nunca supo muy bien cómo tratar a Khalfani Sadat. Cuando le avisaron que el famoso Egipcio iba a estar bajo su órbita, tuvo una mezcla de sensaciones. En primer lugar, supo que iba a terminar de pagar su casa; el Egipcio era un hombre generoso y su generosidad se contaba en euros. Al entusiasmo inicial, se le sumó una preocupación: ¿cómo hacer para que ninguno de los otros reos con poder y con dinero pagaran por izquierda para matarlo?

Khalfani Sadat tenía una larga lista de enemigos. Durante su poderío, había masacrado sin piedad a cuanto rival se le había puesto enfrente. Además, se lo conocía por librar sus batallas más cruentas sobre los cuerpos de las mujeres de sus contrincantes: violaciones, palizas, quemaduras con ácido. Hasta se rumoreaba que había metido en redes de trata a algunas hijas y hermanas de hombres que habían osado cruzarlo.

Por eso mismo, luego de noches y noches de darle vueltas al asunto, Donato Melliá tomó la decisión de armar un ejército. Con la ayuda de los jefes de otros penales, falsificaron informes para que los jueces trasladaran al suyo a varios detenidos. Buscaron lobos solitarios, ese tipo de delincuente que no le debe nada a nadie y que suele trabajar por su cuenta. Cuando llegaron, se los puso al tanto de su nueva actividad. Solo uno se negó a pertenecer al ejército del Egipcio. Su cabeza apareció dentro de un inodoro del baño principal del penal. Ningún otro se animó a dar un no como respuesta.

Khalfani Sadat había sido detenido en Sudamérica, en uno de los puntos más calientes de la región, la Triple Frontera, cuando intentaba pasar desde Argentina a Paraguay con un pasaporte falso. En otras circunstancias, lo habría hecho sin problemas, como tantas otras veces, pero algo había fallado y los contactos aceitados con las fuerzas de seguridad se habían dado vuelta.

Melliá intentó averiguar qué había sucedido, no creía que semejante pez gordo hubiese caído como si fuera un narco de poca monta. Pero no llegó a conseguir ninguna información completa; cada una de sus fuentes le contaba una parte de la historia y, cuando juntaba los pedazos, no lograba formar un relato coherente. Algunas lealtades, por miedo o por dólares, sostenían el recurso que había mantenido al Egipcio a salvo durante tantos años: el silencio.

Desde Argentina, le dijeron que habían desbaratado una red de trata internacional de mujeres con base latinoamericana en la Patagonia, que la mano derecha de Khalfani lo había traicionado antes de pegarse un tiro delante de un policía de elite, y no mucho más. Días después, por un contacto en Migraciones, se enteró de que la orden internacional de captura de Khalfani Sadat había salido junto con la de una mujer: Nadine Basset, alias «la Sirena». «Se esfumó», le contestaron cuando preguntó por el paradero de la mujer.

La causa madre contra Sadat estaba radicada en España. El hombre, además de Egipcio, también era ciudadano español. La extradición salió en tiempo récord. Nadie quería tenerlo dentro de sus fronteras; por lo bajo, supo que no lo querían en ningún penal. «Yo estoy preparado para alojar al Egipcio», dijo Donato Melliá mientras pensaba en qué iba a gastar el dinero que mensualmente destinaba al crédito bancario de su casa. Ya no iba a ser necesario seguir pagando esa cuota.

Antes de tomar asiento, el Egipcio le clavó los ojos. Era un hombre capaz de manejar las miradas como nadie. El odio, el desprecio, el asco, la ira; todo lo manejaba desde las cuencas oscuras de su rostro.

—Las putas y el *whisky* vienen cada vez peor —dijo mientras se acomodaba en la silla, frente al jefe del penal.

—Amigo querido, lo del *whisky* se soluciona hoy mismo. Lo de las mujeres es más complicado...

—No me importa —interrumpió el Egipcio—. Y no soy tu amigo. Soy tu cliente.

Melliá suspiró y encendió un habano.

—No son muchas las mujeres que quieren venir a dar servicio a una cárcel... Ya deberías saberlo.

—¿Y desde cuándo importa lo que las mujeres quieren o dejan de querer? —dijo el Egipcio, y también prendió un habano.

Ambos se quedaron un buen rato saboreando el tabaco cubano. El jefe rompió el silencio.

—Tienes razón, haré lo posible para subir el nivel de las putas.

—Hay otra cuestión de la que quiero hablar —arrancó el Egipcio, dando por terminada la conversación sobre las mujeres. Nunca dedicó más de cinco minutos a tratar temas que le parecían secundarios, los usaba como excusas para medir la sumisión de quien tenía enfrente.

—Te escucho.

—¿Cuál es el criterio de selección que usaste para elegir a los monos de los que me rodeás?

A Melliá lo sorprendió la pregunta.

—Bueno, cuando me avisaron que te traían a este reclusorio, tuve que armar un ejército para cuidarte. No eres un preso fácil, mi estimado —dijo Melliá, sirvió dos medidas de *whisky* y arrastró uno de los vasos por el escritorio—. Me contacté con colegas de otros penales y conseguí que me mandaran hombres con causas pequeñas para ofrecerles la posibilidad de beneficios en sus condenas, pero sobre todo tuve en cuenta que no hubiesen tenido participación en bandas contrarias a la tuya.

—¿Cuántos son? —preguntó el Egipcio con interés.

—Y… tengo dos en cada una de las celdas que rodean la tuya. Ahí ya son seis. Después puse a otros dos que te rodean en el comedor y que te siguen cada vez que vas al baño. Y uno que se infiltra en las banditas para escuchar si alguno anda preparando alguna emboscada para pasarte a mejor vida. Son nueve en total.

—¿Quién es el que se infiltra?

El jefe Melliá caminó hasta la cajonera de madera, acomodada en un costado de su oficina. El primer cajón estaba cerrado con llave, lo abrió. Volvió al escritorio y puso frente al Egipcio una carpeta de tapas de cartulina celeste. Adentro estaban los legajos criminales, los datos y las fotos de los miembros del ejército.

Luego de unos minutos de mirar con atención los distintos pliegos, el Egipcio separó una de las fichas.

—¿Es este? —preguntó.

—Sí, ese mismo.

Alexandre Moliné, veinticinco años. Nacido en la provincia de Tarragona. Sus antecedentes incluían robos a mano armada en la vía pública y en moradas. Estaba siendo investigado por el asesinato de un vendedor callejero de drogas, hecho que había tenido lugar en las afueras de Madrid, cinco años atrás.

—Lo tenemos detenido en esta unidad desde hace tres años. La condena es por los robos, lo del homicidio está en veremos. Un tipo duro, pero obediente. Tiene buena conducta y se adaptó sin problemas al régimen carcelario.

—Acá dice que de joven estuvo en un instituto de menores… —acotó el Egipcio, señalando una de las hojas del informe.

—Sí, sí. Tal vez por eso sabe bien cómo le conviene comportarse entre rejas. No es tonto, sabe cerrar la boca y abrir los oídos. Lo pusimos a escuchar porque, además, no se hace notar. Tiene bajo perfil.

El Egipcio se concentró en la foto de Alexandre Moliné. La cabeza cubierta con un pelo finito, que no llegaba a tapar la frente demasiado ancha; ojos achinados de color oscuro; una boca de labios carnosos y la piel llena de picaduras de una viruela añeja; el cuello, tan ancho como sus mandíbulas, le daba un aspecto amenazante.

—Necesito que lo saques de este agujero por cuarenta y ocho o setenta y dos horas —dijo el Egipcio sin levantar la mirada de la foto.

—¿Qué? —dijo Melliá, y tosió. Se había atorado con un trago de *whisky*—. Eso es imposible. Puertas adentro, lo que quieras; afuera, nada.

—Cincuenta mil euros *cash*, uno arriba del otro. Te van a venir bien para pagar la universidad de Adelita.

A Donato Melliá se le heló la sangre, la garganta se le puso seca y sintió cómo el corazón se le aceleraba de golpe. Por cuestiones de seguridad, en su oficina no había fotos de su familia; jamás nombraba a su mujer y, menos aún, a su hija Adela. El hombre que tenía enfrente no solo había pronunciado el apodo de su hija de quince años, sino que, al mismo tiempo y sin sutileza, se había tocado la entrepierna al hablar. El jefe Melliá intentó disimular el miedo.

—Con la familia no, Khalfani. Todo tiene un límite —dijo.

—Yo no tengo límites —respondió el Egipcio encogiendo los hombros. Vació su vaso de *whisky* de un trago y se levantó de la silla. La reunión había terminado.

Mientras el guardiacárcel lo escoltaba hasta su celda, el jefe Melliá hizo dos llamados. El primero, a su mujer: «Rocío, que la niña no vuelva sola del colegio, ni ande sola por la calle», ordenó. El segundo, al guardiacárcel encargado del ala norte del reclusorio: «Tráeme urgente a la oficina a Alexandre Moliné». ¿Cómo iba a imaginar que, dos días después, el reo elegido por el Egipcio iba a sufrir un accidente en la ruta AP-7?

7

Lo que más le costó dejar fue la campera de cuero. No era el objeto en sí, eran los recuerdos. La tarde que la vio en la vidriera de una tienda de lujo, mientras caminaba por el Paseo de Gracia, no dudó: quiso saber qué tan bien le quedaba. Ciro Leone nunca fue frívolo, ni un adorador de las prendas caras; en el fondo, sabía que su atractivo físico no necesitaba de tanto disfraz, pero la campera se le metió entre ceja y ceja. Como no iba a pagar cuatrocientos euros, no solo porque no los tenía, sino porque le parecía inaudito que un pedazo de cuero fuera tan costoso, hizo lo que sabía hacer: cambió con maestría la etiqueta y salió por la puerta del local vestido como un rey, por apenas cien euros.

—La campera, el cinturón y los pantalones los deja en esta bolsa grande, y las pertenencias menores, en esta más pequeña —recitó con monotonía el encargado del ingreso de reos en la cárcel—. En ese baño, se coloca este pantalón y esta camisa. Cuando termine, me lo comunica. Su abogado lo espera en la sala de visitas.

Ciro hizo caso. El pantalón del uniforme del penal le quedaba corto, no pudo evitar reírse al imaginar que todos los presos eran petisos. Las mangas de la camisa apenas le llegaban a la mitad del antebrazo.

El abogado lo esperaba sentado en una sala grande, ocupada por mesas de fórmica blanca. El lugar se parecía bastante a los quinchos de los clubes donde se llevaban a cabo los terceros tiempos de los partidos de *rugby* que Ciro había jugado durante su adolescencia en Buenos Aires.

Se acomodó en una silla dura y miró a su abogado de arriba abajo. Estaba vestido con un traje marrón con manchas oscuras en la solapa, una camisa de un blanco percudido y una corbata color mostaza. El pelo le llegaba hasta el final del cuello, se lo había peinado hacia atrás con gomina; sin embargo, tenía un rostro afable, bastante aniñado, que lo hacía parecer confiable.

—Mi nombre es Martiniano Cantabria. Me puede decir doctor Cantabria o Martiniano, como le quede más cómodo. Me manda su amigo Serafín. Me pidió que me pusiera a su entera disposición, él se va a hacer cargo de mis honorarios.

Ciro Leone supo, en ese mismo instante, que los honorarios a los que se refería el abogado los iba a terminar pagando él, trabajando como trilero. Serafín Clariá era el jefe de una de las bandas de trileros de la Rambla de Barcelona. Ciro recordaba haberlo visto en el medio de la montonera de gente que se había juntado cuando lo detuvieron. Serafo, como le decían, había intentado convencerlo en varias oportunidades para que formara parte de su red. No había tenido suerte. El argentino no tenía ganas de pasarse horas haciendo apuestas falsas a cambio de tan poco dinero de ganancia.

Su madre solía decirle que los problemas se solucionan de a uno por vez, y el problema más inmediato de Ciro era recuperar la libertad. En silencio, aceptó la propuesta tácita que le estaba haciendo Serafín Clariá.

—Gracias, doctor, la verdad es que yo no tengo nada que ver con lo que se me acusa. Yo no soy un ladrón de billeteras en el metro. ¡Qué delirio pensar semejante cosa! Debe haber un malentendido, sin dudas.

El abogado sacó de un maletín de cuerina un cuaderno y una birome mordisqueada en la punta, y lo miró expectante.

—Señor Leone, esa es la verdad… Bueno, su verdad. Probemos entonces con la mentira, porque su verdad no me la creo. Necesito saber todo para poder ayudarlo.

Ciro agachó la cabeza y suspiró resignado.

—Ok, ok. Sí, robé esa billetera, pero no lastimé a nadie, ni puse en riesgo la seguridad de los pasajeros. Fue un pequeño embuste para sobrevivir. Acepto pagar una multa o alguna otra cosa, pero meterme preso me parece demasiado.

—Usted tiene dos ciudadanías, ¿es así? —preguntó el abogado.

—Española y argentina. Nací en Buenos Aires.

—Bueno —dijo el abogado mientras tomaba nota—. Voy a usar eso para que no le pongan una estampilla y lo manden a Buenos Aires de una patada. Estuve investigando y por suerte no tiene antecedentes, eso también me va a ayudar.

—Nada de nada. Soy un ciudadano ejemplar que cometió un error —dijo Ciro, levantando las palmas de las manos.

—Bueno, pero se va a tener que quedar en este penal unos días. No hay otra opción. Se me porta bien. No me arme disturbios, que la mala conducta se paga caro.

Ciro asintió y se despidió de Martiniano Cantabria con un apretón de manos. El guardiacárcel que lo custodiaba lo esposó con los brazos hacia adelante, tenía orden de conducirlo hasta la celda que le habían destinado.

Cruzaron el pasillo, estaba limpio y olía a desinfectante. A los detenidos por delitos menores los alojaban en el ala derecha del penal, que tenía celdas más amplias, compartidas, a veces, por dos o tres personas, y acceso a baños privados. Contaban, además, con la posibilidad de hacer hasta tres llamados telefónicos por día. La situación de quienes estaban acusados por delitos graves era bien distinta. El control era más exhaustivo y las restricciones al contacto con el afuera, mayores. Sin embargo, ambas áreas estaban separadas solo por un pasillo. No había entre ellas rejas ni puertas.

—Tiene suerte —dijo el guardiacárcel, a metros de la celda destinada a Ciro Leone—. Por lo menos hoy, va a estar solo en la jaula. Esta mañana liberaron a uno que estaba aquí por una riña callejera.

—Bueno… suerte, lo que se dice suerte, tuvo el pibe al que soltaron —contestó Ciro, mientras caminaba sin dejar de mirar y memorizar cada rincón.

—¿Argentino?

Ciro asintió con la cabeza. Cuando estaba nervioso o preocupado, la tonada porteña le ganaba a la española. Sus años en Madrid y en Barcelona no habían logrado domar el espíritu de su tierra.

—Hemos tenido un par de argentinos —siguió hablando el guardiacárcel—. Buena gente, tranquila. Son un poco altaneros, pero nada que un par de días sin refrigerio no pueda solucionar.

Algunos gritos, sofocados por el sonido agudo de la sirena de emergencias, interrumpieron el análisis demográfico del guardiacárcel. Algo estaba pasando en el área de los presos peligrosos. Ciro se dio vuelta de golpe y llegó a ver la cara de hartazgo del muchacho que lo trasladaba. Era joven y amable, virtudes que dentro de una cárcel de máxima seguridad duran poco tiempo.

—¿Qué pasa? —gritó Ciro. La sirena complicaba cualquier tipo de comunicación.

—No pasa nada, pura rutina…

Una voz ronca salió del *handy* del guardiacárcel, que enseguida respondió:

—Sí, sí, jefe. Aquí Leonardo Casal, en zona. Estoy trasladando a un detenido por el ala derecha, cerca del pasillo que conecta… Hola, hola. Sí, se entrecorta. Lo escucho… Muy bien, jefe, estoy disponible.

Los gritos se convertían por momentos en aullidos de guerra. La sirena no paraba de tronar. Los pocos presos del primer tramo de la zona de buena conducta estaban asomados entre los barrotes, querían saber qué estaba pasando del «lado malo», como le decían.

Todo sucedió en unos pocos minutos. Tal como le dijeron el primer día de trabajo, apenas tres meses atrás, el guardiacárcel tenía una prioridad: cumplir órdenes. Y esta vez, el jefe lo había mandado al patio grande del reclusorio, a colaborar con sus compañeros. El guardiacárcel empujó al detenido y lo obligó a caminar delante de él.

—Antes de ir para tu celda, tenemos que hacer una parada técnica, nos queda de camino —dijo.

Ciro asintió resignado. Cruzaron un pasillo largo, una especie de tubo de cemento en el que los gritos que se colaban desde el patio retumbaban hasta hacer imposible escuchar otra cosa. Sintió la mano caliente del guardiacárcel en su espalda, notó que los dedos le temblaban. La sirena seguía sonando y los gritos, ahora, se mezclaban con estallidos que parecían disparos. El pasillo desembocaba en una sala amplia y vacía, las manchas de humedad de las paredes las hacían parecer dibujadas. En el fondo, un portón enorme estaba abierto de par en par. De allí venía la luz y se veía el cielo. «El patio», pensó Ciro.

La peor pesadilla para Ciro Leone siempre había sido caer preso, pero ahora que se había concretado, lo único que sentía era curiosidad. No tenía miedo, quería saber qué estaba sucediendo. Respiró hondo, largó el aire lentamente y se dejó llevar hasta el portón.

—Quédate de este lado, no salgas —dijo el guardiacárcel—. Le alcanzo unos gases lacrimógenos a un compañero y seguimos nuestro camino.

El muchacho salió y dejó a Ciro solo, en la sala vacía. De un lado, había una puerta pequeña con reja, por la que habían entrado; del otro, el infierno.

El olor a quemado se hacía más intenso. Lo que fuera que se estuviera quemando generaba un humo blanquecino, leve, que provocaba picazón en las fosas nasales y en los ojos. Ciro Leone tenía una gran capacidad de observación, que había desarrollado en las calles de Barcelona; locales con medidas de seguridad endebles y turistas poco cuidadosos de sus pertenencias lo habían convertido en un *sommelier* de los detalles. Con una mirada rápida, podía detectar lo que necesitaba; objetos que, en la foto que sacaba con sus ojos, se le aparecían como si fueran fluorescentes.

Caminó por la sala. En el ángulo que formaban dos de las paredes, encontró algo que podía serle útil: un fierro bastante oxidado, ancho y de medio metro de largo. A pesar de tener las muñecas esposadas hacia adelante, logró empuñarlo como si fuera un arma improvisada. Desanduvo sus pasos y, sin saber por qué, cruzó el portón.

El patio era enorme, una especie de coliseo romano donde decenas de hombres corrían, se golpeaban, vitoreaban a los más fuertes y pateaban a quienes caían. En el medio, ardía una fogata de colchones, sábanas y almohadas. Dos presos se encargaban de alimentar el fuego con las prendas carcelarias que sus colegas les acercaban. Todos ignoraban al grupo reducido de guardiacárceles que se dedicaban a evitar que se mataran entre ellos. No parecían querer frenar la barbarie, solo la mantenían dentro de los márgenes de lo permitido.

Sin soltar el fierro, Ciro corrió entre la muchedumbre, hasta una de las esquinas del patio. Había divisado a la distancia al guardiacárcel novato, que había cometido el error de dejarlo solo en la sala. El chico estaba desorbitado: apuntaba con su arma a cualquiera que se le acercara, pero no se animaba a disparar. El pánico no le borraba el único rapto de lucidez: matar a un preso en esas circunstancias era el equivalente a terminar ardiendo en la pira de colchones.

Ciro no llegó hasta donde estaba el guardiacárcel. Una mano se aferró a uno de sus tobillos y lo hizo tropezar. Tarde y casi sin reflejos, usó los codos para amortiguar la caída, pero no pudo evitar que su cabeza se estrellara contra el piso de piedra. El grito de Ciro se mezcló con otros tantos. Hizo un esfuerzo para no desvanecerse y se concentró en mover brazos, piernas y manos para chequear que cada uno de sus huesos siguiera en su lugar.

Quedarse tirado en el medio del patio era una opción arriesgada. Boca abajo y usando los antebrazos, intentó arrastrarse hacia una de las paredes. No pudo. La mano que lo había hecho caer seguía atenazando su tobillo. Se incorporó y miró hacia atrás. Tuvo que abrir y cerrar los ojos un par de veces para cerciorarse de que lo que veía no era producto de su mente. Una mujer se abrazaba a su pierna con desesperación. Una mujer que llevaba puesto un conjunto de ropa interior verde. Con el pelo largo, de un color rojo mal teñido. Se veía sucio, y algunos mechones estaban pegados al rostro. Tenía los ojos hinchados, era imposible saber si era a causa del humo o del llanto.

—¿Qué hacés acá? ¿Quién sos? —le gritó Ciro, mientras se la sacaba de encima con una patada.

—Una puta. Sácame de aquí, me van a matar —contestó la mujer.

«A todos nos van a matar», pensó Ciro. Sin embargo, prefirió hacer silencio y actuar. Se levantó del piso y le dijo a la chica que usara su cuerpo como escudo. Con las manos esposadas, no podía hacer mucho más; solo usarlas para esgrimir el hierro como si fuera una espada.

La chica se aferró a uno de sus brazos con desesperación. Era extremadamente flaca; parecía una adolescente, aunque sus arrugas y su mirada aparentaban tener más de una vida.

—Mi nombre es Josefa, Josefa Eloy —gritó la mujer—. Si no salgo viva, avísele a mi madre, Magdalena Eloy. Vive en Badalona…

Ciro la interrumpió:

—Callate y caminá. Vamos a salir de este patio, te voy a llevar a la zona buena. No sé por qué me metí en esta mierda. Hoy es tu día de suerte. —Las palabras le salían a borbotones, pero su atención estaba puesta en los presos distraídos, aquellos que no estaban concentrados en pelearse entre sí. Esos eran los peligrosos, a esos había que evitarlos mientras se acercaban al portón de salida—. Nadie te va a matar.

—A mi amiga la mataron —dijo Josefa. Ya no gritó, murmuró.

Ciro tenía a la mujer tan apretada que logró escucharla.

—¿Dónde está tu amiga? —preguntó, sin dejar de prestar atención a la huida.

Josefa señaló la fogata enorme de colchones, el dedo le temblaba tanto que parecía bailar entre el humo. Ciro se quedó helado, no pudo evitar mirar lo que la chica señalaba. Vio el fuego, la estopa, las plumas, una mata de pelo negro y un pie chamuscado debajo de una manta en llamas. Con el hierro en las manos y con Josefa colgando de un brazo, vomitó.

8

El jefe del reclusorio, Donato Melliá, seguía sentado en su escritorio, pero en lugar de un vaso de *whisky*, entre sus manos, sostenía su propia cabeza. Estaba harto de los presos, de las amenazas, de los jueces, del olor rancio que se colaba por su nariz y en su ropa, de la indecencia de los hombres a los que tenía a cargo, de su propia indecencia.

Muchas veces fantaseaba con renunciar a su cargo, con meter a su mujer y a su hija en un avión y arrancar una nueva vida en París o en Bélgica, o en cualquier otro lugar del mundo en el que sus decisiones solo tuvieran que ver con qué comer, qué beber o qué mirar en Netflix. Pero sus reflexiones siempre quedaban como un ejercicio de la imaginación. El poder que ostentaba lo protegía como una fortaleza construida con huesos y sangre de los otros, una fortaleza en la que podía albergar la sangre y los huesos de los propios.

Cambió de posición y, antes de atender el teléfono que sonaba, vació el vaso de un trago.

—Jefe, hoy están muy nerviosos los muchachos —dijo del otro lado de la línea un guardiacárcel—. Pedí un par de refuerzos para que jueguen un rato más.

Melliá asintió con una mueca y miró su reloj.

—Quince minutos, no más, ¿entendido? —preguntó, y cortó sin esperar respuesta.

Una vez al mes y con su autorización, el patio central del reclusorio se convertía en lo que todos llamaban «la hora del juego». Una idea particular que, por lo bajo, le había contado el jefe de una cárcel de Turquía durante un congreso de intercambio. El divertimento consistía en largar a los reclusos más violentos a un espacio grande; durante una hora, se les permitía arreglar sus problemas de la única manera en la que sabían y podían hacerlo: a los golpes. Pero como todo juego, tenía sus reglas y condiciones: estaban prohibidas las facas, los palos, los fierros y cualquier elemento punzante o cortante. La riña era fiscalizada por los guardiacárceles, que tenían la orden de intervenir con armas disuasorias en caso de desmadre. En el reclusorio, los presos habían instaurado una variante llamada «la quema»: además de colchones y almohadas, hacían arder las pertenencias del enemigo.

Mientras el salvajismo de los lúmpenes tenía su apogeo en el patio central, el resto del edificio estaba en orden. Los reos que hacían uso de su derecho a estudiar se concentraban en la biblioteca; los que trabajaban seguían en el taller de oficios y los guardiacárceles no afectados al operativo tomaban café en una sala de descanso. El jefe Melliá había comprobado que, gracias a esa hora de juego, la conducta en el penal había mejorado mucho. Toda la agresividad contenida estallaba como un volcán en ese rato y, después, los presos volvían mansos a sus actividades.

Dos golpes tímidos en la puerta lo sacaron de sus reflexiones.

—Adelante —dijo Melliá.

—Permiso, señor, me avisaron que usted me mandó llamar.

Si hubiera que describir a Alexandre Moliné, se podría decir que era un hombre de forma rectangular: hombros del mismo ancho que sus caderas, brazos cortos pero morrudos, un cuello tan macizo que hacía parecer a su cabeza más chica de lo que era, piernas largas de muslos trabajados. Su rostro era amenazante: ojos achinados, boca gruesa y una piel llena de las marcas que deja la viruela. Sin embargo, las pocas veces que sonreía, sus rasgos adoptaban un gesto infantil que hacía que el conjunto fuera menos desagradable.

—Pasa y toma asiento —ordenó Melliá. Del cajón de su escritorio sacó una carpeta celeste y la dejó a un costado. Moliné siguió con atención el movimiento. Había nacido para estar alerta—. Estuve repasando tu legajo y estás jodido. Solo con la condena de los robos te vas a pasar un par de años más en este agujero. ¿Lo tienes claro?

—Sí, muy claro. Han pasado tres años y me porto bien. Me he metido en el proyecto de oficios y ya casi soy carpintero. Todo eso me suma puntos de buena conducta…

El jefe apoyó los antebrazos en el escritorio para mirar más de cerca al reo y bajó el tono de su voz.

—Tu buena conducta depende de lo que yo firme en los papeles que van al juzgado. ¿Eso también lo tienes claro?

—Sí —contestó Moliné sin dejar de sostenerle la mirada.

—Muy bien, mi amigo. Nos vamos entendiendo. Los dos años que te quedan pueden ser un paraíso o un infierno. Eso, aunque parezca mentira, no depende de mí. Depende de ti.

—Eso también lo tengo claro, jefe —contestó—. Es lo mismo que me dijo cuando me trasladaron de la cárcel de Tarragona para espiar si alguien acá adentro quería joder al Egipcio…

—Y cumplí. Te moví de la zona de peligrosos y estás en una celda privada en el lado bueno. Gozas de más llamados telefónicos de los que deberías. De vez en cuando, dejo entrar a la puta esa que te follas, y hago que ni me entero cuando te engancho fumando marihuana detrás del taller de carpintería. ¿Cumplí o no cumplí?

Alexandre Moliné asintió en silencio. Después de aquel primer y último pedido, tres años atrás, nunca más había sido invitado a la oficina del jefe. Supo que su trabajo estaba bien hecho cuando uno de los hombres que planeaba acuchillar en el comedor al Egipcio apareció muerto en un baño y, horas después, alguien dejó en su celda, misteriosamente, una botella del mejor *whisky* que había probado en su vida.

—Sí, jefe, cumplió—dijo—. No entiendo qué es lo que pasa ahora.

—Pasa que te necesito otra vez. Bueno… te necesitamos. El Egipcio y yo.

Desde muy chico, Alexandre era la persona a la que siempre necesitaban. Más de una vez su madre lo hizo faltar al colegio para evitar las palizas a las que la sometía su padre. El hombre trabajaba de noche como sereno en la playa de estacionamiento de un supermercado, la única manera de aguantar el sueño y el frío era con alcohol. A las doce, como una Cenicienta abandonada por el hada madrina, arrancaba con los primeros tragos que tomaba directamente del pico. A veces era orujo; otras, algún licor barato o algún vino que los repositores hurtaban de las góndolas.

Cuando llegaba el horario de salida, lejos de toda predicción, Ramón Moliné no estaba borracho: estaba violento. Caminaba las cuadras que lo separaban de su casa y abría la puerta de una patada. La madre de Alexandre, doña Lina, se había acostumbrado a clasificar, según el golpe del pie en la madera, qué tan violento se iba a poner su marido. Buena parte de las mañanas eran patadas tibias, agónicas, que apenas lograban despegar la puerta del marco. Pero cuando la despertaba el ruido seco y profundo del puntapié bien dado, no tenía otra opción que meterse en la habitación de su hijo mayor para susurrarle la orden: «Hoy no vas a la escuela, niño, que tu padre me va a matar. Te necesito». Y Alexandre se quedaba junto a su madre. Ramón era incapaz de zurrar a su mujer en presencia de sus hijos.

Años después, fue su padre el que dijo necesitarlo: estaba viejo y postrado en una cama. Una enfermedad degenerativa solo le había dejado la posibilidad de hablar y, de vez en cuando, mover un poco los brazos y las manos. Lo mandó llamar por su madre, que arrastraba como podía un cáncer de mamas, y lo hizo sentar a los pies de lo que meses después sería su lecho de muerte: «Alex, hijo mío, me queda poco en esta tierra y ni un cobre en los ahorros. Te alimenté, te vestí y eduqué durante toda mi vida. Ahora, dejo mi vida y la de tu madre en tus manos. Sobre la mesa están las deudas a pagar, te necesito». Y el hijo lo ayudó. Consiguió un arma en el mercado negro y puso en marcha el único recurso que encontró de hacer dinero rápido: el robo.

Ramón y doña Lina murieron con dos meses de diferencia: primero él, luego ella. No llegaron a ver a su hijo en prisión.

—¿Qué necesitan de mí, jefe? —preguntó resignado.

Melliá sonrió como solía hacerlo cada vez que ganaba una batalla: con la mitad de la cara. Solo los ojos chispeaban.

Una voz ronca, de tonada indefinida, sonó a sus espaldas. Alexandre giró y se encontró cara a cara con Khalfani Sadat, el Egipcio.

—Yo necesito algo. Con eso basta y sobra —dijo.

Desde la última vez que lo había visto, Khalfani estaba más gordo y tenía el pelo más blanco y tupido, pero su imagen seguía siendo igual de amenazante. Ostentaba el porte de las personas nacidas o fabricadas para amedrentar.

—Lo escucho —respondió Alexandre.

El Egipcio lo rodeó, no dejaba de mirarlo de arriba abajo. Sin decir una palabra, tomó asiento junto a él. En sus manos traía un sobre de papel madera. Lo miró en silencio un buen rato, hasta que lo abrió. Sacó tres fotos, y se detuvo un buen rato en cada una. A Alexandre le pareció percibir una pequeña sonrisa en la cara del Egipcio cuando miró la última.

Le pasó la primera. La fotografía estaba impresa a color y se notaba que había sido tomada de la portada de una revista vieja: era un plano medio de una chica de unos quince años; morocha, de pelo corto, y ojos claros. Vestía una remera de mangas largas color celeste; alrededor del cuello, tenía un pañuelo rosa con círculos azules, atado con un nudo prolijo. En la parte inferior, se leía el título de la nota que ilustraba la foto: «Sigue en la Patagonia la búsqueda de Cornelia Villalba».

El Egipcio dejó que Alexandre incorporara los detalles y le alcanzó la segunda foto. La imagen era inquietante: una mujer joven de no más de veinte años, de piel blanquísima, pelo largo de un rubio dorado que le cubría los hombros como si fuera un manto; estaba totalmente desnuda. A pesar de la delgadez y las pocas curvas, había en su mirada, en su boca entreabierta, y en la posición de sus manos sobre las caderas un erotismo atroz. Alexandre tuvo una erección.

La tercera foto era bien distinta. La misma mujer estaba vestida con una pollera tubo negra hasta las rodillas y una musculosa de encaje blanca, que dejaba entrever sus pezones oscuros. El pelo se veía más claro que en la foto anterior; atado en un rodete sobre la coronilla de la cabeza, le daba un toque sofisticado. Se notaba el paso del tiempo entre una foto y otra. En la última, el cuerpo tenía las curvas esperadas por cualquier hombre; el escote desbordaba, sensual. Otro detalle llamó la atención de Moliné: la adolescente, la joven y la mujer nunca reían, aunque el gesto desafiante se mantenía a pesar de los años.

Alexandre hizo lo que el Egipcio esperaba que hiciera: volver a la primera foto, la de la revista.

—¿Es la misma persona? —preguntó sin dejar de compararlas.

—Sí —contestó Khalfani—, la misma. Probablemente ahora esté cambiada, esa mujer es un camaleón. Pero fíjate que a pesar de los años, sus rasgos y sus ojos no cambian demasiado. De todas maneras, junto a estas fotografías hay unos papeles con detalles del lugar en el que se está escondiendo. Quiero una tarea limpia, sin estridencias.

Khalfani Sadat respiró una bocanada de aire y, sin largarlo, se quitó un anillo de plata del dedo índice y se lo alcanzó a Alexandre.

—Busca a la mujer de las fotos y le muestras este anillo, asegúrate de que lo vea bien —ordenó.

—Muy bien. Y luego de mostrarle el anillo, ¿qué quiere que haga con ella?

El Egipcio sonrió.

—Quiero que la mates.

9

Cuando vi las tres fotos el estómago se me acalambró. Las personas que están a un paso de la muerte deben sentir lo mismo cuando, como dicen, ven pasar su vida entera como si fuera una película. Las acomodé en orden cronológico sobre el escritorio de la recepción de la sala de primeros auxilios y me vi. Esa era yo, todas las posibles hasta ese momento.

Llorar nunca se me dio bien, manejo cierta destreza en el arte de evitar los sentimentalismos. Pero no pude evitar el impulso de acariciar con la yema del dedo índice, en primer lugar, la imagen de Cornelia Villalba. El gesto puso en funcionamiento mi memoria. Lo primero que recordé fue la tarde en la que compré el pañuelo rosa con círculos azules que luzco en la foto; me había escapado del colegio con Leonora, mi amiga de entonces, para refugiarnos en la feria de los artesanos de la Recoleta. Una rebeldía que me costó el enojo de mis padres y los pocos pesos que tenía ahorrados.

Nadine Basset era la mujer de la segunda foto. También la acaricié. Ya me había olvidado de cómo se veía mi cuerpo antes de los implantes mamarios. Sigo pensando que no eran necesarios. Una mujer sin tetas puede ser bella y cotizar bien en el mercado sexual, pero el Torero, el hombre con el que andaba en esa época, no pensaba lo mismo. Me anestesió mientras dormía y, cuando me desperté en la clínica de su confianza, lo primero que vi fue su rostro de niño travieso y luego escuché su voz, cuando me dijo al oído: «Ahora eres rubia y tetona, como me gusta a mí».

Ante la tercera foto, no me alcanzó con acariciarla. La agarré con ambas manos, como si pudiera romperse, y observé cada detalle. La Sirena, esa también había sido yo. O seguía siendo, en ese momento no lo sabía.

Junto con las fotos, en el mismo sobre, había unas hojas escritas a mano. En una, se daban detalles bastante mentirosos, por cierto, de mis sucesivas identidades; pura mierda. Las siguientes eran una especie de bitácora de quiénes y cómo me habían encontrado.

El pasaporte del que me había hablado Dolors unos minutos antes también estaba dentro de la mochila del tal Alexandre Moliné. Me demoré en abrirlo apenas unos segundos; hubiese necesitado más tiempo para tomar coraje, pero, como siempre, el tiempo nunca fue un lujo que pudiera permitirme. Verde oscuro y, en dorado, la imagen de un águila parada sobre un nopal, devorando una serpiente. El símbolo nacional mexicano. En la foto cuadrada con fondo blanco, estaba el gigante, mi gigante. Leí sus datos varias veces, como si no los supiera de memoria; una estrategia para aminorar la angustia que sentí cuando vi la cara a la que tanto empeño le había puesto en olvidar. Apellido: Calixto. Nombre: Adalberto. Nacionalidad: mexicana. Sexo: masculino. Nacido en Distrito Federal.

Nada decía el pasaporte sobre las dos veces en las que me salvó la vida. Tampoco de aquella vez en la que nos despedimos en la Patagonia argentina y me dijo: «Hasta acá llegamos». Ni del disparo del arma calibre 22 con la que se descerrajó la cabeza delante de un equipo de elite de la policía argentina, con el único fin de que yo tuviera tiempo para escapar. Sin embargo, que el pasaporte de Adalberto estuviera en poder de un hombre armado y con fotos para identificarme era toda una señal, y que, además, llevara en su mano el anillo de plata de Adalberto, un mensaje. Y solo una persona en el mundo era capaz de semejante jugada.

Años atrás, Adalberto me había preguntado qué era lo que yo sabía hacer. «Salvarme», le contesté, como si eso fuera un talento heredado del útero materno. No lo era. Aprendí a salvarme, dejando mi sangre y la de otras mujeres en el camino. Salvarme era una herramienta, era mi superpoder, y lo sigue siendo.

Metí todo en el sobre, ya iba a tener tiempo de leer con tranquilidad qué tan lejos habían llegado mis enemigos. Lo escondí en mi espalda, entre el elástico de mi pantalón y mi piel. Tardé solo un segundo en decidir qué hacer con el arma. La guardé en el costado de una de mis botas, pegada al tobillo. Por costumbre, también me llevé los ochocientos euros que Alexandre Moliné tenía en una billetera pequeña. No los necesitaba, pero al dinero no hay que dejarlo huérfano, me enseñó una compañera de ruta. Siempre fui una alumna muy aplicada.

La mochila negra y la bolsa con la ropa ensangrentada quedaron acomodadas en el escritorio. Largué el aire, me alisé el pelo y me recuperé un poco. Debía trazar un plan.

Dolors y Soledad seguían junto al herido, una a cada lado de la camilla. Lo miraban como quienes esperaban la llegada de la muerte. Tal vez ellas no sabían que a la muerte, a veces, hay que ayudarla un poco. Suele ser un tanto tozuda.

—¿Cómo va todo? —pregunté con verdadera curiosidad.

—Creo que lo estabilizamos con este suerito, pero no podemos hacer mucho más. Me informaron del ayuntamiento que ya está viniendo una ambulancia de urgencia —contestó la médica que no es médica. Luego se dirigió a la secretaria devenida en enfermera—. Soledad, necesito un café, estoy agotada.

—Yo también, todavía estoy temblando. No recuerdo haber visto tanta sangre en mi vida —contestó Soledad.

—Intenté hacer café en la cafetera de la sala de espera, pero no hay más cápsulas —mentí. Soledad frunció el ceño, y yo seguí hablando para que no tuviera tiempo de pensar—: Si les parece, vayan a tomar un café al bar de don Encino. Puedo quedarme con el hombre.

—De ninguna manera —dijo Dolors con tono despectivo. Sentí ganas de cachetearla, pero disimulé—. Mi deber es velar por el enfermo.

—Yo voy —acotó solícita la secretaria.

—El mío con crema y sin azúcar —dije.

Dolors mostraba la actitud de un general ante su tropa. Miraba a Moliné como si con los ojos pudiera hacerlo caminar, parecía no querer desperdiciar ni un segundo la ostentación del título usurpado.

—¿Alguna vez pensaste en estudiar y recibirte realmente de médica? —pregunté cuando Soledad, por fin, nos dejó solas.

—Eh... Bueno, no es necesario —dijo.

—Esto que está pasando es un problemón. Mira si este hombre se muere... Acá todos creen que tú eres médica. Tal vez por eso, nunca pidieron una médica de verdad para el pueblo. Eres la responsable.

—Yo nunca dije que era médica —se defendió con voz aguda—. Acá cada uno cree lo que quiere, yo no tengo la culpa.

—Sí, claro, claro, Dolors, pero tú los dejas creer —me acerqué y le puse una mano en el hombro. Mi técnica pasivo-agresiva no fallaba nunca—. Yo te entiendo, es duro luchar contra el fracaso. Mi sueño era ser bailarina. Desde niñita fantaseo con los escenarios y los aplausos, pero nunca sucedió. Mi cuerpo se niega a seguir el ritmo de la música. Lo único bueno de mi fracaso es que no pone en riesgo la vida de nadie —dije y le acaricié la espalda.

Dolors temblaba y transpiraba. Su camiseta estaba húmeda a la altura de los omóplatos.

—Voy al baño. No te muevas de aquí —dijo sin mirarme. Sonreí con disimulo.

En cuanto cerró la puerta, me acerqué a Moliné. Tenía los ojos cerrados y respiraba con dificultad. Se notaba el esfuerzo que hacía para sobrevivir. Tomé su mano y tironeé de uno de sus dedos; estaba hinchado, pero no me importaba. Necesitaba recuperar el anillo de plata, aunque tuviera que cortárselo. No fue necesario, la sangre que manchaba su mano ayudó a que cediera. Logré sacarlo y lo puse en el pulgar de mi mano derecha.

Sin perder tiempo, abrí los dos placares empotrados en la pared. El primero estaba vacío; el segundo, no. Tratando de no desacomodar la pila de sábanas y toallas, agarré con ambas manos un almohadón. Era pequeño, pero no necesitaba más. Cuando dos personas se enfrentan durante mucho tiempo, terminan pareciéndose, al punto de que, a veces, es imposible distinguirlas. «El Egipcio y yo somos casi idénticos», pensé mientras apretaba el almohadón contra la cara de Alexandre Moliné.

10

Adelita era la luz de los ojos de su padre. Había nacido con más dones de los que Donato Melliá se hubiese atrevido a desear o a imaginar. Desde muy pequeña, había recibido todo lo que una niña puede soñar, y más. Si pedía una muñeca, le acercaban dos o tres; si se encaprichaba con el color rosa, todo su guardarropa quedaba convertido en una especie de *marshmallow* gigante. Cuando descubrió que existía Mickey Mouse, la subieron a un avión y volvió de Disney con dos valijas llenas de peluches del ratón. Sin embargo, Adelita no era una adolescente caprichosa o malcriada, como todos habían augurado por lo bajo. Por el contrario, resultó ser tranquila, estudiosa, buena hija, amiga generosa y amante de los animales.

La casa de los Melliá parecía un zoológico. «El zoo de los desahuciados», solía decir Donato, un poco en serio, un poco en broma. Pájaros de alas rotas, gatos atropellados por autos o motos, perros con sarna y hasta una tortuga con el caparazón rajado desfilaron por el departamento espacioso de la calle del Tresmall, en Badalona. Adelita se refugiaba en los animales para escapar de las personas.

Siempre estuvo dañada y, aunque supo mantener el dolor en secreto, las heridas seguían latentes. Solo los animales, sentía ella, la querían por lo que era y no por cómo se veía. Desde la escuela de primera infancia, fue víctima de todo tipo de burlas; a medida que fue creciendo y su cuerpo fue ganando kilos, las burlas se convirtieron en crueldades. Pero los animales estaban ahí, para hacerla sentir valiosa.

Como todas las mañanas, Donato Melliá se había sentado en un sillón, en el balcón de su departamento. Había preparado un café en la Nespresso que su mujer le había regalado para su cumpleaños y, mientras paladeaba el amargor de a pequeños sorbos, miraba el mar. Muchos años atrás, antes de que Adelita naciera, con su mujer habían decidido alejarse del centro de Barcelona; esa vista no se la hubiesen podido permitir en el Mediterráneo turístico. En Badalona era felices. Dejó la tacita de café en una mesita de hierro y vidrio, y se acodó en la baranda. Estaba amaneciendo.

Donato cerró los ojos y respiró profundo, le gustaba sentir el aire costero entrando en sus pulmones.

—¡Papááá! ¡Paaapi, aquí estoy!

Los gritos de su hija Adelita lo sacaron de la ensoñación. Lo saludaba agitando los brazos desde la playa, dos pisos más abajo. Donato sonrió y, con una mano en alto, le devolvió el saludo. Ella, a sus quince años, también tenía su rutina mañanera: antes de que el sol empezara a calentar, pegaba un salto de la cama, caminaba entredormida hasta la cocina y metía en una bolsa de plástico bolitas de miga de pan o pedazos de galletas trituradas. Luego cruzaba a la playa para alimentar a las gaviotas. Ella juraba que las aves la esperaban cada día en la orilla.

Hacía tiempo que Adelita solo se vestía de negro. Como las ropas de las tiendas de moda no tenían talle para su cuerpo, había optado por comprar varios metros de género negro. Una modista le confeccionaba el vestuario: pantalones anchos, camisolas, vestidos túnica, que combinaba con botas bajas en invierno y sandalias en verano. Con la resolución de no frustrarse más en los *shoppings*, donde sentía que la miraban con asco, llegó también la decisión de trenzar su pelo negro y brillante, y guardar para siempre en una caja de madera los pendientes, pulseras y collares. Solo usaba un relojito de oro que había sido de su madre.

Donato y Rocío habían llevado a su hija a varios médicos especialistas en obesidad, pero todos los intentos fracasaron. Adelita no estaba interesada en modificar su cuerpo, no entendía que su aspecto fuera motivo de rechazo y tampoco se esforzaba por exigir respeto. En definitiva, no quería que la respetaran; ella quería que la quisieran.

—¿Qué sucede, cariño? —preguntó Rocío, acariciando con una mano la espalda de su marido, mientras con la otra sostenía su taza de café. También ella se acercó a la baranda del balcón y sonrió cuando vio a Adelita esparciendo migas de pan por la arena.

—Nada, estoy disfrutando del mar. En un rato me doy un baño y salgo para el reclusorio —contestó.

Su hija estiró una mano y dos gaviotas picotearon de su palma, mientras otra esperaba sobre su hombro. Rocío largó una carcajada. De repente, la risa se le congeló y abrió los ojos como si con ese gesto pudiera ver más de lo que estaba viendo. Cuando reaccionó, su marido ya no estaba a su lado. El impacto fue tan grande que no llegó a percibir en qué momento Donato había salido corriendo y, como un loco, había bajado la escalera del condominio.

Rocío Larrazábal vio todo lo que había ocurrido en la playa. Dos hombres encapuchados. El auto azul. Un tercer hombre apuntando con un arma a su hija. Adelita cayendo. La arena tiñéndose de sangre. Y las gaviotas, decenas de gaviotas, volando espantadas hacia el mar.

Cuando Rocío llegó a la playa, encontró a su marido arrodillado sobre la mancha de sangre. No había tenido tiempo de sacarse el pijama, ni de agarrar el arma reglamentaria que, por seguridad, guardaba en un cajón con llave. Donato Melliá lloraba y aullaba al mismo tiempo. Parecía un perro herido.

—¿Dónde está la niña, Donato? ¿Dónde está la niña? —repetía Rocío a los gritos, girando enloquecida alrededor de su marido. Tampoco ella se había cambiado; el camisón de gasa celeste se enroscaba entre sus piernas y los pies descalzos se hundían en la arena—. Llamemos a la policía ahora mismo, Donato. ¡Que te muevas! ¡Vamos, que no hay tiempo! Se han llevado a la niña —dijo sollozando.

Donato se levantó y tomó a su mujer por los hombros. La sacudió con violencia, no le se ocurría otra forma de tranquilizarla. Por el rabillo del ojo, pudo ver que una mujer que estaba haciendo *running* por la orilla había frenado su carrera y se acercaba a paso firme.

—¡Deje a la mujer, hombre! ¡No la trate de esa manera! —gritó la deportista.

—¡Fuera de aquí! No se meta donde no la llaman —respondió Donato, sin soltar a Rocío.

—Oiga, señora —insistió la muchacha—, mi nombre es Laura y trabajo en la cafetería La Buona Note. Si quiere denunciar a su marido, usted me busca y le salgo de testigo.

Rocío asintió, le agradeció y le pidió que los dejara solos. En otras circunstancias, hubiese aclarado que su marido no era un violento, que nunca jamás le había levantado la mano y que no tenía tiempo para ocuparse de la mirada de los otros, pues su hija estaba en riesgo. La deportista se acomodó la visera y, al trote, se fue hasta la orilla del mar.

—Mi amor, debemos calmarnos —susurró Donato. La voz le temblaba, y tenía los ojos llenos de lágrimas y odio.

—No puedo. Se llevaron a la niña. Vayamos ya mismo al destacamento policial, no demos más vueltas —contestó Rocío, histérica.

—No, no daremos aviso a nadie. Yo sé de dónde viene esto, yo me ocupo.

Rocío se zafó de las manos de su marido de un sacudón y, con las suyas, se tapó la cara. No podía dejar de llorar.

—¿Qué está pasando? Dime la verdad —insistió, y le lanzó una mirada que Donato nunca le había visto. Era la mirada de una mujer capaz de cualquier cosa. A pesar de la resistencia, la abrazó.

—Voy a traer a Adelita de nuevo a casa, te lo juro por mi vida. Necesito que no digas nada, ni se te ocurra hacer una denuncia. Necesito que confíes en mí.

Rocío volvió a alejarse del cuerpo de su marido. Acomodó detrás de las orejas los mechones de pelo que se habían salido de la hebilla de carey que tenía en la nuca.

—Una sola cosa te voy a decir, Donato Melliá. Si a mi hija le sucede algo malo, yo te mato con mis propias manos. ¿Te queda claro?

Donato Melliá miró unos segundos la mancha de sangre que se distinguía sobre la arena y luego clavó la vista en su mujer. Nunca en la vida dos advertencias le habían resultado tan claras.

11

Atravesó la puerta principal, la primera reja de contención y el segundo portón de seguridad en tiempo récord. El apuro no le había dado margen para ponerse el uniforme, apenas si había logrado vestirse con un pantalón de gabardina verde y un buzo negro. En la cintura, eso sí, llevaba el arma reglamentaria.

Apoyó el dedo pulgar en el sensor de seguridad. La luz roja se apagó y se encendió la verde. Los cinco segundos que demoraba el proceso le parecieron siglos. Pateó la reja y entró como una tromba. El Egipcio dormía en la cama de dos plazas y media que se había hecho llevar especialmente; tenía un colchón fabricado para sus dolores crónicos de espalda y unas almohadas inteligentes que aliviaban las contracturas en las cervicales. Khalfani Sadat dormía del lado derecho, boca abajo. Una sábana azul cubría su cuerpo hasta la cintura.

Donato Melliá metió las manos en la parte trasera del pijama del Egipcio y tiró con toda la fuerza que su ira le permitió. Fue mucha. El cuerpo robusto del hombre quedó unos segundos suspendido en el aire, hasta caer despatarrado a un costado de la cama.

—¡Hijo de mil putas! —gritó Melliá—. ¡Te voy matar!

Rápido de reflejos, el Egipcio abrazó las piernas de su contrincante y lo volteó. Forcejearon unos minutos en el piso, hasta que Melliá sacó su arma de la cintura y lo apuntó a pocos centímetros de la cabeza. La inteligencia del Egipcio y, sobre todo, su instinto de supervivencia radicaban en saber cuándo la balanza se inclinaba en su contra y frenar a tiempo. Levantó las manos, sin dejar de mirar el caño del arma.

—¿Qué pasa, amigo? ¿Te levantaste de mal humor? —preguntó agitado.

—Tienes media hora para liberar a mi hija —dijo Melliá, y con la mano que le quedaba libre, le revoleó su teléfono celular—. Llama a quien tengas que llamar desde mi teléfono. Media hora, ni un minuto más.

El Egipcio miró el teléfono que había caído sobre sus piernas y negó con la cabeza.

—Estás equivocado, amigo. No sé de lo que me estás hablando —dijo con calma—. Entiendo que sospeches de mí, pero soy muy bueno tasando personas y tu hija vale mucho más que esa lacra inútil de Alexandre Moliné. Tengo mis códigos… No me llevaría algo tan preciado a cambio de la vida de esa basura, de esa poca cosa que es Moliné.

—No entiendo… —murmuró Melliá, confundido.

—¿Cómo? ¿No te han avisado lo que pasó con Moliné? —dijo el Egipcio con una media sonrisa. La balanza empezaba a torcerse a su favor.

—No —respondió Melliá.

—Tu empleado de elite —dijo con ironía— tuvo un accidente en la ruta y murió antes de completar su trabajo. Estamos en cero, mi amigo, hay que volver a empezar.

A Melliá se le puso la cara roja, lo invadió una mezcla de furia y ganas de vomitar.

—No vamos a volver a empezar nada, hijo de puta. No te creo una puta palabra. Si en media hora no recibo un mensaje de mi hija diciendo que está libre, tu vida acá adentro va a parecer el infierno. Me voy a encargar de eso personalmente.

El Egipcio agarró el teléfono celular que Melliá le había arrojado minutos antes. Con una lentitud digitada, marcó un número. Del otro lado, lo atendieron al instante. Sin sacarle los ojos de encima al jefe penitenciario, dijo:

—Pase lo que pase, digan lo que digan, no larguen a la chica hasta que yo me vuelva a comunicar. Tal vez me tome un tiempo. Voy a estar de vacaciones en el infierno.

12

No temía por su vida. Tampoco la amedrentaban los tres hombres encapuchados que la rodeaban dentro de ese auto que olía a desodorante de canela. Ni siquiera le importaba saber por qué para alejarse de la playa tomaron el camino menos directo y más complicado. Lo único que a Adela le preocupaba era la gaviota que agonizaba sobre su falda.

Minutos antes, cuando escuchó el disparo y sintió el apretón de cuatro manos —dos en un brazo y dos en el otro—, el pájaro cayó en la arena. Temblaba y movía las alas con desesperación. Sus ojos vieron cómo la arena se teñía de sangre e hizo lo único que podía hacer: intentar rescatarlo. Con toda la fuerza de la que fue capaz y de un tirón, logró zafarse y levantar a la gaviota. La apretó contra el pecho y se dejó arrastrar por los dos encapuchados hasta el auto. No opuso resistencia, su atención estaba puesta en salvar esa vida que se esfumaba entre sus brazos.

—Quiero que me lleven a una veterinaria. Yo sé dónde hay una que se especializa en aves —exigió.

El hombre que estaba sentado en el asiento del conductor se dio vuelta y cruzó una mirada sorprendida con el encargado de custodiar a Adela en el asiento de atrás.

—No pongas ese gesto —dijo la chica—, que a pesar de la capucha esa te veo bien los ojos. Una veterinaria, no pido nada extraño.

El conductor se arrancó la capucha de lana y la puso entre sus piernas, y la miró por el espejo retrovisor. Contabilizaba los últimos diez años de su vida a partir de las mujeres que había secuestrado. En la puerta de madera de su habitación, tallaba con la Victorinox una cruz por cada una de ellas: ya iban ciento ochenta y seis. Sin embargo, lo que estaba sucediendo en el auto que le tocaba manejar era algo inédito: la presa que acababa de cazar no lloraba, no gritaba, no pedía ayuda, no rogaba por sus padres; solo reclamaba atención veterinaria para un pájaro que había recibido el disparo destinado a amedrentarla.

Desde el primer momento en el que había recibido la foto de Adela Melliá, la situación se le hizo extraña. No se parecía en nada a las jóvenes bellas que habitualmente eran su objetivo. Esta tenía muchos kilos de más y ningún atractivo a la vista, aunque admitió que sus ojos eran muy bonitos y parecían lanzar destellos con el enojo.

Nicolau sostuvo con una mano el volante y con la otra, de un solo movimiento, sacó el arma de la cintura, giró el cuerpo y apuntó a la niña con el brazo estirado y en diagonal.

—¡Te callas de una vez! —gritó—. Esto no es una vacación. Si sigues hablando, me vas a obligar a taparte la boca con un trapo.

Adela abrazó a la gaviota y, por primera vez desde que la habían secuestrado, se puso a llorar.

A cincuenta kilómetros del auto en el que se llevaban a Adela Melliá, su padre Donato estaba en la disyuntiva más dramática de su vida: matar de un balazo en la cabeza al hombre que tenía enfrente o acatar sus órdenes. Evaluó en pocos segundos —no contaba con más tiempo— las consecuencias. Si se dejaba llevar por las ganas y le volaba los sesos al Egipcio, las posibilidades de rescatar a su hija bajaban considerablemente. Podía poner a toda la Guardia Civil, e incluso al poder político, a buscarla pero, a pesar de su experiencia en lidiar con las mafias, no tenía claro quién estaba en la vereda de quién. En cambio, si dejaba con vida a su enemigo y colaboraba con sus planes, tal vez esa misma noche Adelita dormiría en su cama.

Por su cabeza desfilaron las imágenes de Rocío embarazada de esa hija que tanto les había costado engendrar. El nacimiento de Adelita, los primeros pasos, la vez que dijo «papá» y el regalo que había recibido para su último cumpleaños: una escultura con forma de caballo, hecha con alambres, caracoles e hilos. Su hija tenía la habilidad de convertir con sus manos objetos simples en belleza.

Donato Melliá bajó el arma. El Egipcio lo miraba sonriente y con el celular en la mano.

—Así me gusta, mi amigo. Entre caballeros las cosas tienen que ser razonables…

—No hagas que me arrepienta, que todavía tengo el arma en mi mano —interrumpió Melliá—. ¿Cuál es el trato?

Khalfani Sadat se levantó del piso, le costó bastante. La humedad carcelaria hacía que los dolores de rodillas y de espalda empeoraran cada día más. Sentía como si sus articulaciones se llenasen de óxido a medida que pasaban las horas. No pudo evitar una mueca de dolor. Se estiró el pijama arrugado y se acomodó el pelo.

—La Sirena por tu hija Adelita.

Donato tenía algunos datos sobre esa sirena que obsesionaba al Egipcio; sin embargo, no entendía las motivaciones del hombre, tampoco le importaban demasiado. La vida de su hija estaba por delante de cualquier cosa. Decidió seguirle la corriente, sin dejar de poner sus condiciones.

—Antes que nada quiero una prueba de vida de Adela. No quiero fotos, ni audios de WhatsApp, ni notas de puño y letra. Quiero hablar con ella en tiempo real.

Mientras hablaba, decidió no decir más «mi hija» ni «Adelita». Tenía que negociar en frío, a distancia. Había recuperado la compostura; en definitiva, negociar con delincuentes era su trabajo.

—Uno de los secuestradores disparó y en la arena quedó una mancha de sangre —dijo Melliá.

El Egipcio lo miró con una mezcla de sorpresa y satisfacción. El juego había empezado.

Nicolau salió de la ruta de tierra y estacionó el auto debajo de unos árboles frondosos. Había manejado hasta las afueras de Blanes, el primer punto de la Costa Brava. Si hubiese podido elegir, habría pactado el punto de encuentro más cerca de los Pirineos, pero las órdenes habían sido claras: «Llegas con el encargo hasta Blanes y desde ahí nos ocupamos nosotros».

Los tres hombres se bajaron del auto, pero antes le advirtieron a Adela que, si gritaba o intentaba hacer una locura, la iban a atar, a amordazar y a meter dentro del baúl. El hombre que los había contratado les había dicho que no maltrataran a la chica salvo que fuera necesario. Adela no les prestó atención, su foco estaba puesto en el pájaro, que apenas se movía.

—Qué extraño este pedido... —susurró uno de los hombres mientras prendía un cigarrillo apoyado en el capó.

—Nuestro trabajo no es entender, es obedecer —dijo Nicolau, y miró el reloj con impaciencia—. Vamos a esperar en este lugar no más de media hora.

—¿Y luego qué? —preguntó el tercer hombre.

—En este punto vamos a entregar a la gorda. Incendiaremos el auto y después cada uno seguirá su camino. Y olvidaremos todo, como siempre.

Adela supo que la gaviota había muerto: el corazón agitado del ave había dejado de latir de golpe. Le dio un beso en la cabeza y dos besos en cada una de las alas. Fue durante ese último beso cuando cayó en la cuenta de que esos tres hombres que veía por el parabrisas del auto eran sus captores.

Lo primero que pensó fue en escapar. Solo tenía que abrir la puerta —ni siquiera habían bajado el pestillo— y correr. Descartó la opción antes de terminar de evaluarla: su sobrepeso no le permitiría avanzar ni siquiera dos metros sin agitarse y, además, en cuanto abriera la puerta, los tres hombres abortarían la fuga. Lo segundo que se le ocurrió fue pasarse al asiento de adelante, poner en marcha el auto —habían dejado la llave en el arranque— y salir a toda velocidad. También desechó esa idea: no sabía manejar. No llegó a pensar una tercera posibilidad, Nicolau abrió la puerta y le indicó que bajara. Adela abrazó a la gaviota muerta y se dio impulso para salir del auto.

—Escucha muy bien lo que te voy a decir —le dijo Nicolau con voz firme—. Te voy a pasar el teléfono celular y vas a decir que estás bien, que no estás herida y que nadie te maltrata. Yo voy a apoyar mi arma en tu cabeza. Si dices una palabra de más, una sola, disparo y vas al reino de los cielos con ese pájaro de mierda. ¿Está claro?

Los ojos de Adela se llenaron de lágrimas. Por primera vez desde la captura tuvo miedo; la vida de la gaviota la había tenido entretenida, pero ahora le tocaba luchar por la suya. Se mordió el labio inferior y extendió la mano que tenía libre. Nicolau le dio el teléfono y al mismo tiempo apoyó el caño del revólver en su frente. Era un hombre de palabra.

Cuando Adela escuchó la voz de su padre, las lágrimas le saltaron como pequeños chorros de agua; un nudo en la garganta le impidió devolver el saludo. No le dijo «Adelita» ni «princesa», tampoco «mi amorcito»; le dijo como nunca jamás le había dicho: «Adela». Supo que lo que sucedía era mucho más grave de lo que había pensado hasta ese momento: su padre tenía miedo. Tragó saliva y decidió hacer lo que sus captores le habían pedido.

—Hola, papi. Estoy bien y nadie me ha maltratado. —Del otro lado su padre le hizo una pregunta breve, y Adela respondió—: No, no estoy herida. Mataron a una gaviota, mi gaviota...

La respuesta de Donato fue una orden: le dijo que se quedara tranquila, que hiciera caso y le prometió que lo antes posible iba a estar otra vez en su casa. Adelita no pudo despedirse: Nicolau le arrebató el teléfono y cortó la comunicación. Antes de que pudiera guardar el celular en el bolsillo de su campera, vio que un auto de alta gama, de color blanco, se acercaba. Sonrió aliviado.

Adelita dejó de llorar, la promesa de su padre la tranquilizó. Él nunca le había fallado y sabía que esa no iba a ser la primera vez. El auto blanco que estacionó a metros de ellos y, sobre todo, quien lo manejaba le llamaron la atención.

Una mujer alta se bajó y dejó la puerta del conductor abierta. No iba nadie con ella. Estaba vestida con unos *jeans*, un pulóver rojo escote en V y una botas bajas, que le llegaban hasta las rodillas. Adela calculó que debería tener la edad de su madre, unos cincuenta años. Llevaba el cabello oscuro bien corto, con la nuca despejada; no tenía una gota de maquillaje y, sin embargo, la belleza estaba ahí, agazapada.

Nicolau se acercó a ella y la abrazó. Adela no pudo ver cuál fue el motivo por el que la mujer, con un movimiento rápido, sacó un pequeño revólver de su cintura y apuntó a la cabeza del hombre. Los compañeros de Nicolau también desenfundaron las armas y la apuntaron de lejos.

—Ey, ey, ¿qué pasa, francesa? ¡Tranquila! —exclamó Nicolau con las manos en alto—. Solo toqué tu culo para saber si todavía lo seguías teniendo en su lugar, no hice nada grave.

Ella, sin dejar de apuntarlo, sonrió.

—Es cierto, no me parece demasiado grave, pero te recomiendo que no vuelvas a intentarlo, *s'il vous plaît*.

Todos bajaron las armas al mismo tiempo, como en una especie de coreografía tácita en la que la tensión dirigía las acciones de cada uno; el último cuadro siempre era con las armas en alto, el lenguaje que manejaban a la perfección.

—Este es el encargo —dijo Nicolau señalando a Adela, que miraba desorbitada, con los ojos hinchados y con la gaviota muerta entre sus brazos.

La mujer se acercó y la observó de arriba abajo. Adela le sostuvo la mirada, estaba acostumbrada a que la escrutaran con asco. Sin embargo, la expresión de la mujer era nula, indescifrable.

—Vas a subir a mi auto y te vas a quedar tranquilita…

—Sí, ya lo aprendí. Si grito o hago algo raro, me van a atar y a amordazar y a meter en el baúl —respondió, nerviosa.

La mujer largó una carcajada.

—No, *ma chérie*. En primer lugar, yo no tengo tanta paciencia y además no creo que tu cuerpo entre en el baúl del auto. Si no te estás tranquilita —dijo y levantó el arma sin dejar de mirarla—, vas a quedar más frita que el pajarraco ese que tienes en brazos.

Adela asintió con la cabeza. No recordaba haber acatado tantas órdenes como en las últimas dos horas.

13

El Egipcio guardó su celular en la pequeña caja de lata. Demoraba cada movimiento, le producía placer el esfuerzo que hacía Donato Melliá para contenerse.

—Como has visto, mi amigo, soy un hombre de palabra. Me pediste hablar con tu hija y hablaste con tu hija. Ya sabes que no está herida y que está buenas manos —dijo con sarcasmo.

—Sadat, dejemos de dar vueltas. Vamos a lo concreto. ¿Qué tengo que hacer para recuperar a mi hija? —preguntó Donato, tratando de ocultar la ansiedad.

—Ya te lo dije. Quiero a la Sirena.

—Pásame los datos que le diste a Alexandre Moliné, que yo me encargo de terminar el trabajo que él no pudo hacer, y asunto concluido.

El Egipcio se levantó de la silla y fue hasta el estante de la pared, a buscar una botella de *whisky* recién abierta. La puso sobre la mesa, en el medio.

—Querido amigo, Donato, lo estuve analizando mejor —dijo mientras servía bebida en los dos vasos—. Fue una torpeza de mi parte mandar a ese inútil a matar a la Sirena.

No sé en qué estaba pensando, el encierro me nubla la inteligencia. Pero el destino está de mi parte y ese accidente fue providencial. No era Alexandre el que merecía matar a la Sirena...

—Bueno, bueno, muy bien —lo interrumpió Donato, harto de los rodeos del Egipcio—. Voy a buscar a alguien más preparado y en menos de cuarenta y ocho horas esa Sirena va a estar convertida en atún. Insisto, dame los datos que tengas y me ocupo de esto ya mismo. Ahora dime de una vez... ¿quién es la Sirena? —dijo Donato con curiosidad.

Con una dosis de alcohol en el estómago y los ojos vidriosos, el Egipcio empezó a hablar.

—Hace muchos años, en otra vida, estuve refugiado en la Patagonia argentina, un bonito lugar. Gente amable. Precaria, pero amable. Me recibieron con los brazos abiertos en un pueblucho llamado El Paraje. Bueno, más que con los brazos abiertos, con los bolsillos abiertos. Ahora que lo veo a la distancia, te diría, mi amigo, que fue casi un intercambio. Yo necesitaba refugio y ellos, a alguien que les diera un empujoncito para salir de esa existencia gris. —Khalfani se acomodó en la silla, le gustaba estar cómodo para escuchar su propio relato—. Entre pitos y flautas, así dicen los argentinos, que significa entre una cosa y la otra, me consiguieron una casa decente en la montaña. Durante un tiempo me dediqué a recorrer el lugar, a descubrir el paisaje y a comer carne a la parrilla, el famoso asado, hasta que me aburrí y empecé a conocer gente. Policías, familias, alguno que otro de la Justicia, y tejí mis contactos... Soy muy bueno para tejer los contactos, bueno, eso ya te quedó claro. —Hizo un breve silencio, como quien rememora con nostalgia el tiempo pasado, y siguió—: En la zona detecté muchas whiskerías con mercadería de baja calidad...

—¿Mujeres? —interrumpió Donato.

—Si acaso se las puede llamar mujeres... Pero sí, eran mujeres. Estaban vencidas, sin entusiasmo, sin ganas. Para los lugareños estaban bien, no conocían cosas mejores, pero yo había detectado que en esa zona el capital turístico estaba creciendo mucho... Hoteles, posadas que se llenaban de norteamericanos, de europeos y de latinoamericanos de mucho dinero, porque hay gente de dinero en Latinoamérica, mi amigo. No se vaya a creer, eh... Al latino le gusta gastar el dinero, son gente de darse gustos. Y ahí es donde yo vi el negocio.

—La prostitución —acotó Donato.

—El placer. Mi negocio es el placer —dijo el Egipcio con una media sonrisa y se sirvió otro trago. Se volvió a acomodar en la silla, la espalda había comenzado a molestarle, y agregó—: De a poco y con paciencia, yo soy un hombre de mucha paciencia, empecé a conseguir chicas del lugar, jóvenes, bonitas, con ganas de progresar, de tener su platita. Algunas habían arrancado en el negocio, pero otras querían empezar para tener un ingreso. Yo las recibía a todas con los brazos abiertos. Me gusta mucho la mujer emprendedora, mi amigo, hay que estimular esas cosas.

—Khalfani, me sé de memoria tus antecedentes y tus causas en Latinoamérica, sobre todo en Argentina. Son por trata. No intentes engañarme con adornos y pavadas, que yo no soy Dios para juzgarte. Vamos al grano.

El Egipcio levantó una mano y frunció el entrecejo.

—Muchas cosas se dicen de mí. Hay mucha difamación y mucha gente que no comprende mi trabajo. Es cierto que en algún momento tuve que tomar decisiones difíciles, pero el mundo es de quien toma las decisiones. Alguien tiene que hacerlo —dijo y rio con sarcasmo—. Bueno, lo cierto es que los clientes pedían emociones nuevas. Viajaban al fin del mundo para vivir una aventura, y este Egipcio que tienes ante tus ojos, también es el rey de las aventuras. Y así arranqué a conseguir chicas muy muy jovencitas…

—Menores de edad.

—Detalles, amigo. No seas tan agarrado a las leyes. Sigo, no me distraigas. Te decía que pude conseguir chicas jovencitas de distintos lugares de Argentina, un país grande y generoso. Las estrenaban mis turistas favoritos y después las hacía rotar por otras provincias, y si valían la pena, las sacaba para este continente maravilloso que es Europa. Y acá viene el nudo de nuestra cuestión, amigo. Una de esas chicas nuevecitas que puse en el mercado se llamaba Cornelia Villalba, fue mi peor error y mi mejor acierto. Me la trajo al negocio una familia que trabajaba para mí en El Paraje, los Alonso. Era una chica de unos quince años, de una familia acomodada de Buenos Aires. ¡Imagínate el escándalo que se armó! Policías, periodistas… Intervino hasta el mismísimo ministro de Seguridad de ese momento. Me salió muy cara esa decisión de los Alonso… No cualquiera puede tomar decisiones, recuerda esta frase, mi amigo. Es que no la podía soltar ni la podía matar, así que la puse a enfriar.

Donato puso cara de no entender lo que decía su interlocutor, entonces Khalfani le explicó:

—Enfriar, en mi jerga, significa dejarla quietita. Decidí no meterla en el mercado hasta que las aguas se calmaran. Pero resulta que un cliente, un gran cliente muy aventurero, me preguntó si yo tenía algo que ver con la chica esa que salía en los diarios y que él estaba dispuesto a pagar una fortuna por estrenarla. Y bueno… hicimos negocio ahí mismo. La chica valía cada centavo, y además le cobré un recargo interesante por el riesgo. Imagínate, amigo, hice eso mientras a Cornelia Villalba la buscaba toda la Argentina.

Donato empezó a vislumbrar por dónde podía venir su parte. No le faltaban ganas de moler a golpes al proxeneta que tenía enfrente, pero había tomado nota de lo que le acababa de decir el Egipcio: no cualquiera sabe tomar decisiones y, si él tomaba una decisión errada, el pago iba a ser la vida de Adelita.

—¿Y qué pasó con esa Cornelia Villalba? —preguntó.

Khalfani Sadat tragó saliva y mantuvo unos minutos el silencio, mientras buscaba las palabras para continuar.

—Creció. Cornelia Villalba creció. La puse a trabajar solo en lugares de extrema confianza y la chica no defraudó. Aprendió rápido que para sobrevivir hay que saber callar, y nunca me puso en aprietos. Una gran chica. Con el tiempo, recibí una oferta interesante de una red de amigos que trabajaba aquí, en España, con chicas latinoamericanas y la mandé a este continente. Cobré muy buen dinero y le perdí el rastro. Dejó de ser cosa mía.

—¿Y entonces? —preguntó con impaciencia el jefe Melliá.

—El destino nos volvió a juntar.

Se levantó de la silla e hizo unos movimientos de elongación de su cintura. Se agachó con esfuerzo y sacó una caja de plástico de debajo de la cama. Donato se acercó. Dentro de la caja, había una pila de papeles amarillos, recortes de diarios y fotos. El Egipcio sacó la foto a colores de una chica y se la dio a Melliá.

—Ella es Nadine Basset. Con ese nombre trabajó años aquí, en España. Nadine Basset es Cornelia Villalba.

En la foto, Nadine Basset no estaba sola; estaba con el Egipcio. Él, sentado en un sillón amplio de cuero negro; ella, sobre una de sus rodillas. La chica lucía un cabello rubio artificial pero elegante, lacio hasta el principio del cuello. Un vestido entallado, de color verde esmeralda, lograba que la piel blanquísima se destacara. El pecho estaba medio cubierto con una gargantilla, una lluvia de perlas que se perdían en el medio del escote. A pesar de la sonrisa, Donato notó que los ojos de Nadine parecían decir otra cosa. No era una mirada triste, ni asustada. Nadine Basset miraba con odio. La mirada del Egipcio en la foto también le llamó la atención. Un brazo estaba apoyado en el borde del sillón y, con el otro, rodeaba la cintura estrecha de la chica; la cara vuelta hacia ella, una semisonrisa, y los ojos de un hombre fascinado y orgulloso de ese objeto que lucía. Donato sabía que para Khalfani las mujeres eran eso: objetos bellos y preciados para exhibir. Decidió no hacer comentarios al respecto y se limitó a dejar la foto sobre la cama. El Egipcio siguió revisando su caja y le alcanzó otra fotografía.

—Entre esa niña que secuestraron en la Patagonia argentina y la mujer sentada en mi falda, sucedieron otras cosas. Cuando Cornelia Villalba llegó a España, todos la conocían como «Barbi». Supe que trabajó muy bien y anduvo con un narco local, el Torero.

Donato había escuchado hablar del Torero. Recordaba fugazmente su paso por el reclusorio y su muerte confusa en Galicia días después de haber sido liberado. Miró la segunda foto y allí estaba nuevamente Nadine Basset. Se la veía distinta, no tan exuberante; parecía más una jovencita de buena familia que una prostituta: cabello largo trenzado hasta la cintura, un vestido blanco con un encaje que no permitía ver ninguna parte de su cuerpo y un rostro fresco sin una gota de maquillaje. Aunque el odio de sus ojos estaba ahí, intacto.

—A Nadine la volvió a meter en mi vida un hombre que supo ser mi mano derecha, mi arma letal, como mi hermano... Un hombre que me traicionó, Adalberto Calixto, pero esa es otra historia. Según me contó Adalberto, no lo recuerdo bien, en esa época yo estaba muy pegado a la cocaína y en un arranque de venganza contra el marrano del Torero, mandé matar a todo el harén de golfas que tenía a su alrededor. La cosa es que Adalberto no pudo cumplir la orden en su totalidad y dejó con vida a Nadine y a una compañera suya, otra golfa.

A medida que el relato avanzaba, Donato notó cómo el odio que había percibido en los ojos de la chica pasaba a los del Egipcio. Le conocía sus arrebatos de furia, sus iras de animal enjaulado, pero eso era distinto. Ahí había algo que le salía de las entrañas. Decidió seguir escuchando en silencio, calibrando qué beneficio podría llegar a obtener de este Egipcio al que no reconocía.

—Adalberto me contó muchas mentiras, pero yo siempre fui un hombre con muchos contactos, mi amigo. Supe que habían estado en Argentina y que Nadine había tenido un hijo. Dejé pasar el engaño. Cuando la volví a ver, se me olvidó todo. Era bonita, pero tampoco era gran cosa... He visto mujeres mejores, pero su rostro me recordó el rostro de mi madre. —Respiró despacio, nombrar a su madre siempre le resultaba demoledor—. Basira Farrah, así se llamaba. Murió molida a golpes por mi padre, allá lejos, en el desierto de mi Egipto querido. Mi madre fue la única mujer que valió la pena, la única, mi amigo. El resto de las mujeres son escoria. Recuerda bien esto que digo, con el tiempo me vas a dar la razón. Sé mucho sobre las mujeres, sé todo, mi amigo. Y de repente, mi amigo Adalberto me puso ante los ojos a Nadine. La chica me dijo que quería trabajar y que, además, quería manejar el negocio de la trata. Decía que nadie como ella podía buscar mujeres y que sabía cómo manejarlas para que hicieran mucho dinero. Imagina semejante cosa... ¡Una mujer en el lado de poder de mi negocio! No se me ocurre locura más grande y, sin embargo, le dije que sí.

—¿Por qué? —preguntó Donato.

—Porque tenía el rostro de mi madre. Mi madre fue una sirena en el desierto. Y ahí mismo, sin dudar, supe que Nadine Basset era mi sirena. La Sirena.

14

«Es hora de armar un plan», pensé mientras Dolors y Soledad intentaban, sin éxito, revivir a Alexandre Moliné. A pesar de que sabía que estaba muerto, me había asegurado bien de esa cuestión, colaboré con las maniobras de reanimación, con la desesperación, con los gritos y hasta con una que otra lágrima. Cuando Dolors, la médica que no es médica, anunció con el gesto y el tono de voz que ameritaba la situación que el sobreviviente del choque había muerto, apoyé las manos sobre mi pecho e improvisé una plegaria. Ambas mujeres se sumaron al rezo.

En menos de quince minutos, todo el pueblo estaba al tanto de las novedades, el mecanismo de difusión de noticias funcionaba a la perfección; cada uno de los habitantes era el eslabón de la cadena que los mantenía informados para que todos pudieran hacer lo que deseaban hacer: estar, ser parte. Y así fue. En la puerta de la salita de primeros auxilios, estaban casi todos. Cada uno tenía una versión de la historia que se iba alimentando con las versiones de los demás, hasta formar una historia colectiva tan alejada de la realidad que con el tiempo iba a terminar por ser el relato definitivo. Aproveché el desconcierto y la pequeña multitud para caminar hasta mi casa sin ser vista.

Lo primero que hice fue calentarme un café. Necesitaba tener la cabeza despejada, no podía fallar. Con la taza humeante que me calentaba las manos, recorrí con la mirada cada uno de los objetos que me habían acompañado durante el último tiempo. Me detuve en cada cosa como si las estuviera viendo por primera vez, con la nostalgia del paraíso perdido. Porque mi vida en Besalú ya estaba perdida.

En un placar de la sala guardaba mi valija, era grande y la única que tenía. La abrí sobre la cama y, sin prisa, acomodé la ropa que completaba mis diferentes identidades: los pantalones de gabardina, los pulóveres de lana, las remeras de manga larga y las botas cortas y sin taco de Charo Balboa; los vestidos escotados de colores brillantes, las medias de red y los zapatos de taco alto de Nadine Basset; las faldas entubadas, las camisas de seda y los *blazers* de la Sirena. Un poco de cada una de ellas huyó conmigo, supe que las iba a necesitar. A todas ellas.

En el baño, me quedé frente al espejo un buen rato y decidí cambiar mi color de pelo. Otro rato me lo pasé eligiendo entre los tres tintes que había en mi botiquín. Elegí el negro, bien oscuro.

El tiempo que demoré en empacar, cambiar mi imagen, tomar un baño y vestirme con ropa cómoda fue en realidad la excusa para no sentarme a meditar cuáles serían mis próximos pasos. Una llamada al teléfono de línea dilató, todavía más, la decisión.

—Hola, hola. ¿Charo?

Doña Josefina tenía la costumbre de llamar a mi casa y preguntar si era yo la que atendía.

—Sí, doña Josefina, en un ratito voy a la tienda. Me sentía algo descompuesta y vine a mi casa a descansar un poquito —dije con mi voz más moribunda.

—Bueno, bueno, se murió el accidentado. Parece que la doctora no lo pudo salvar, pobrecito —dijo ella—. Dicen que ya avisaron a Barcelona y se lo van a llevar. No sé a dónde, pero se lo llevan. ¿Tendrá acaso familia? Imagino que sí.

Mientras doña Josefina elucubraba, yo también. La cadencia de su voz me servía para acomodar las ideas, por eso la dejé seguir.

—Seguro que tiene hijos, seguro. ¡Qué desgracia tan grande! Anoche soñé con la muerte, Charito. Tenía forma de mujer y bajaba desde la montaña a la gran ciudad. Se escapaba de un gigante de nieve o algo así, pero se iba, sí, sí. Y en el camino encontraba armas para matar al gigante. Un sueño raro, porque la muerte no necesita eso, ¿no? La muerte es más poderosa. La muerte no necesita armas. La muerte es un arma, pero bueno. Los sueños son raros...

—Doña Josefina —la interrumpí—. Me estoy sintiendo muy mal, creo que no voy a poder ir a trabajar hoy. Yo sé que vienen los turistas, ¿usted le puede pedir ayuda a algún vecino?

—No me queda otra opción, Charo —dijo entre dientes y cortó la comunicación sin despedirse.

Noté que doña Josefina se había quedado enojada, y me gustó que nuestra última conversación hubiese sido en esos términos: yo fingiendo y ella encabronada, como le gustaba decir. Nuestra relación había sido tan particular que no hubiese sido justo terminarla con unos besos y unos abrazos más melosos que sus torteles. Ni ella ni yo éramos tan cutres. Nos destacábamos por no tener las emociones adecuadas.

Recorrí despacio los ambientes de la casita, ninguno de los objetos me iba a servir para la nueva vida que estaba por emprender. Era una persona llena de comienzos y sin ninguna despedida. Nunca se me dio bien despedirme. Lo mío siempre fue desaparecer, crear a mi alrededor un aura de ausencia sorpresiva. Ser una especie de prestidigitadora de mi propia existencia.

Cerré la valija con mi ropa y en una cartera grande de cuero acomodé mis maquillajes, una linterna, una botella pequeña de agua mineral y cuatro barritas de cereales. Siempre llevo agua y comida en la cartera, el síndrome de la secuestrada quedó en mi cuerpo en forma de vituallas de emergencia. Con una tijera corté el forro de la cartera y escondí el arma que le había robado a Alexandre Moliné. No era muy buena para disparar, pero siempre supe que, si está en riesgo la vida, los talentos ancestrales surgen como por arte de magia. También metí el sobre con las fotos y esa especie de legajo sobre mi vida.

Sobre la mesa estaba el anillo de plata de Adalberto, el hombre que cambió su vida por la mía. Todavía tenía en la parte de atrás la sangre seca de Moliné. Gracias a ese anillo tuve la certeza de que mi vida, otra vez, estaba en peligro. Lo lavé con agua tibia y detergente y lo pasé por una cadena también de plata. Me la colgué al cuello. Sentí el frío del metal sobre mi piel y la seguridad de tener un amuleto que me venía del pasado.

Por último, el libro, mi libro: una edición del *Ulises* de James Joyce. Nunca lo leí completo. Una vez lo intenté y me quedé dormida. Pero ese libro siempre fue para mí como un oráculo: elijo una página al azar, cierro los ojos, señalo con el dedo índice una línea, la leo en voz alta y trato de usarla como concepto, como guía, como si fuera una carta de tarot o unas monedas del I Ching.

Lo encontré una tarde tirado bajo un árbol, en el parque del Retiro de Madrid. La noche anterior había llovido y el libro estaba bastante maltrecho: las hojas del medio, mojadas, con manchones de barro; la cubierta y la contratapa tenían todas las puntas mordisqueadas, como si los ratones hubiesen abandonado un botín luego de saborear un rato el cartón plastificado. Me lo llevé y lo cuidé como si fuera una mascota. Puse servilletas de papel entre las páginas para que absorbieran la humedad y, después, con mis uñas esmaltadas rasqué hasta quitar todo el barro seco. Durante años estuvo en cada mesa de luz, junto a las camas que me tocaron encender.

Antes de acomodarlo en un costado de la cartera, me senté frente a la mesa de la sala y puse en práctica el ritual que tenía abandonado: páginas, frase, dedo. En voz alta, leí: «¿Qué es un fantasma? —preguntó Stephen—. Un hombre que se ha desvanecido hasta ser impalpable, por muerte, por ausencia, por cambio de costumbres». Antes de cerrar el libro, marqué el párrafo con un lápiz; de esa manera se sumó a la lista de otros párrafos marcados. Las palabras quedaron resonando un rato en mi cabeza.

Corté el gas y la luz, arrastré mi valija grande hasta la puerta y colgué la cartera de mi hombro derecho. «Una mujer también puede ser el fantasma de Joyce», pensé antes de cerrar, por última vez, la puerta de mi casa en Besalú.

15

El reclusorio que alojaba al Egipcio era una cárcel modelo. Una de las pocas en las que se había logrado un índice bajo de conflictividad entre los reos y ninguna fuga; solo dos motines que apenas llegaron a ser una revuelta. Había espacios donde los presos más violentos y con mayores prontuarios en sus espaldas lograron aprender oficios e, incluso, estudiar y un alto grado de reinserción social satisfactoria. Más de una vez fue usada como ejemplo de los políticos de turno y la prensa había publicado varios informes destacando logros. Sin embargo, rejas adentro, la barbarie funcionaba tan aceitada como en los peores penales de Latinoamérica.

La pericia del jefe Donato Melliá había dotado al depósito de bandidos, como le gustaba decir, de una pátina marketinera imbatible. Con su metro noventa de altura, cuerpo delgado, rostro de mandíbula firme y unos ojos pequeños que, cuando era necesario, lograban ser amenazantes, Donato Melliá conseguía infundir temor sin ni siquiera intentarlo. En definitiva, era él quien tenía las llaves del infierno, el cancerbero de la vida de los otros.

Antes de instalarse en la sala de cámaras de seguridad del penal, Melliá había pasado un buen rato en su oficina, donde se preparó un café cargado y se vistió con su uniforme. Pantalones y chaqueta de gabardina color verde oliva y borceguíes negros. No tenía demasiado tiempo, cada segundo que pasaba era un segundo en el que su hija Adelita estaba en riesgo. Necesitaba tomar el control. Si el Egipcio era un hombre de paciencia, él no iba a ser menos. Por eso, se obligó a dilatar ese café hasta que se convirtió en ácido en la garganta.

—Robledo, necesito que me pases las imágenes de la hora del juego de esta semana —ordenó Melliá mientras se acomodaba en una silla frente a uno de los veinte monitores que mostraban cada movimiento dentro de las distintas zonas de la cárcel.

Con dedos rápidos, Robledo buscó el material y le dio *play* a la máquina de reproducción. Las imágenes en blanco y negro le imprimieron a la secuencia un aspecto de película épica en la que todos corren, golpean y saltan sin un fin demasiado claro. Muchos de los presos tenían la boca abierta, gritaban. A pesar de que la filmación no tenía audio, esos gritos mudos se colaban en la imaginación del jefe. Más de una vez se había acercado a ver en persona el resultado de su plan para direccionar la violencia contenida.

—Para ahí, Robledo. Congélame esa imagen —dijo señalando la pantalla.

Uno de los detenidos que aparecía en la filmación le llamó la atención. Con el gesto de una mano, corrió a Robledo de la consola y pasó las imágenes cuadro por cuadro.

Era un muchacho joven y tan alto como él, muy distinto al resto de los reclusos. Tocó un botón y agrandó la imagen.

—Robledo, ven aquí y mira esto. ¿Ese hombre está esposado? —preguntó.

—Sí, jefe —contestó Robledo con la cara pegada al monitor—. Y tiene un fierro en las manos.

Melliá le dio *play* al video. Efectivamente, a pesar de las esposas, el hombre lograba sostener con firmeza un fierro a la altura de la cintura. Caminaba contra las paredes del patio, atento a cada movimiento que sucedía a su alrededor; y eran muchos. Sin embargo, su actitud corporal no era de miedo; era de alerta. El humo que desprendía la fogata que los presos habían encendido en el medio del patio hacía que por momentos las imágenes no fueran claras.

—Hay que cambiar la cámara de lugar o no dejar que hagan fogatas —dijo Melliá. Robledo asintió con la cabeza y tomó nota de la orden en un cuadernito que tenía sobre el escritorio.

En el video, el muchacho, sin soltar el fierro, corrió en dirección a una de las esquinas del patio, pero no logró llegar. El viento desplazó la humareda y permitió ver con claridad cómo caía de bruces al piso. Melliá volvió a congelar y a agrandar la imagen.

—¿Eso que tiene el muchacho colgado de su tobillo es una mujer? —preguntó el jefe sin dejar de mirar el monitor.

—Sí, jefe. Es una de las putas del Egipcio. No sé cómo terminó en el patio.

Melliá se agarró la cabeza con ambas manos y largó el aire con bronca. Por unos segundos se dedicó a respirar despacio para tranquilizarse. Su mujer Rocío le había enseñado esa técnica aprendida en sus clases de yoga.

El muchacho logró levantarse haciendo fuerza con sus piernas, sin soltar el fierro. Antes de ver cómo se sacaba de encima a la chica, el jefe Donato Melliá ya había tomado una decisión.

—Ya está, Robledo. Archiva este material. Necesito un informe sobre lo que pasó con la mujer del video, y averíguame el nombre del muchacho del fierro. —Miró el reloj de su muñeca—. En diez minutos quiero esos datos en mi oficina.

El comedor del lado bueno era espacioso y contaba con un lujo que dentro de una cárcel valía mucho: un ventanal amplio. A pesar de que tenía rejas de ambos lados del vidrio, la luz natural entraba y, durante algunas horas, los rayos del sol cubrían la mitad de las mesas. El ventanal estaba detrás de la mesada donde dos cocineros y un guardiacárcel llenaban los platos de loza. Muchas veces la fila avanzaba lenta, sin prisa; los presos preferían demorar el momento de llenar sus estómagos a cambio de que la luz natural los bañara por completo.

Era la sexta vez que Ciro Leone comía en ese lugar —tres almuerzos y tres cenas—, y en cada plato, en cada bocado, la comida le parecía más abundante, más sabrosa. Rafael Samudio, uno de los presos más antiguos del lado bueno, largó una carcajada cuando Ciro, luego de tragar una cucharada de guiso de arroz, le comentó su apreciación.

—Ni se te ocurra, sácate esa idea de la cabeza. El ser humano tiene maneras muy extrañas de resignarse y creer que la mierda es buena. Es una de las maneras más atroces, más cobardes —le dijo Samudio, con la vista clavada en la ventana.

Ciro tomó nota mental de lo dicho por Samudio, aunque no pudo evitar que sus papilas gustativas se rebelaran a tamaña lección de vida.

—Leone, levántate —dijo uno de los celadores—. Te llama el jefe.

—Termino de comer y voy —respondió ante la mirada atónita de sus compañeros de mesa.

El golpe en la espalda no se hizo esperar. La mano gigante y pesada del celador se descargó contra los omóplatos de Ciro.

—Levantate y caminá, boludo —dijo imitando la tonada argentina—. ¿Se dice boludo, no, Leone?

Ciro no contestó. Se paró y puso ambas manos hacia adelante, para que el guardia lo esposara. Otra de las cuestiones que en la cárcel se aprenden rápido: la sumisión.

Cruzaron todo el reclusorio por el pasillo central, hasta llegar a la zona de la Jefatura. Incluso, unos metros antes de entrar en el área protegida, se podía percibir la diferencia. El olor rancio, mezcla de humedad, sudores, adrenalina y limpieza deficiente, desaparecía como por arte de magia y era reemplazado por un aroma a desinfectante de pino, con un dejo al tabaco de los habanos de buena calidad que solo en esa zona se fumaban.

—¿Sabés qué pasó para que me llame el jefe? —le preguntó Ciro al guardiacárcel mientras esperaban en la antesala de la oficina.

—Alguna cagada te habrás mandado, boludo —contestó muerto de risa. Desde que había aprendido a decir «boludo», lo repetía a cada rato, sobre todo si su interlocutor era argentino.

Antes de que Ciro Leone pudiera hacer un repaso de sus pocos días preso para entender en qué momento se había mandado la supuesta cagada, la puerta de madera se abrió.

—Quítale las esposas y te retiras —dijo Donato Melliá, sin dejar de mirar de arriba abajo al reo que tenía frente a sus ojos.

No se parecía en nada a los reos con los que estaba acostumbrado a tratar. La ropa carcelaria no hacía mella en su porte; el encierro, el catre duro y el tedio tampoco habían logrado apagar el brillo de su piel ni la chispa de su mirada. Donato pensó que Ciro Leone podría ser tranquilamente uno de esos cantantes pop con los que su hija Adelita tenía empapelada su habitación. Con disimulo, se tocó la boca del estómago; pensar en su hija le provocaba un dolor, mezcla de acidez y desesperación.

Donato Melliá caminó hasta el armario en el que guardaba los legajos de cada uno de los detenidos del reclusorio. A pesar de que la información estaba computarizada, le seguía gustando manejarla a la vieja usanza: carpetas de cartulina celeste pálido, hojas lisas, fotos sostenidas con ganchitos plateados y la posibilidad de hacer anotaciones personales en cada ficha. Anotaciones que, por distintas razones, no convenía que estuviesen en el sistema digitalizado, a la vista de cualquiera.

La carpeta de Ciro Leone no tenía demasiadas cosas. En otras épocas, probablemente ni siquiera hubiera estado preso, pero el cambio de rumbo en la política de seguridad de la ciudad estaba convirtiendo los penales en alojamientos para rateros de poca monta. Y Leone era eso: un ratero de poca monta.

—Siéntate —dijo Melliá.

Ciro se acomodó en la silla dura que el jefe tenía frente

al sillón mullido que usaba. Era la técnica para que desde el principio su interlocutor se sintiera incómodo. Melliá abrió la carpeta y sacó las tres hojas que completaban el legajo. Las leyó en voz alta:

—Ciro Leone, treinta y ocho años, argentino, nacido en la ciudad de Buenos Aires. Vive hace quince años en España y tiene ciudadanía española, heredada de su madre. En su país no tiene antecedentes penales y aquí, en España, no tenía hasta ahora. Se lo acusa de hurtar con malicia y argucia una billetera a un ciudadano polaco y se investiga la posibilidad de que forme parte de una red de trileros.

Donato Melliá levantó la vista. Ciro lo escuchaba con atención.

—¿Esto es así? —preguntó.

—Podríamos decir que sí —contestó.

—Ajá, sigo. Testigos lo acusan de manejar una red de prostitución en las zonas bajas de la ciudad y se sospecha que ha mantenido una relación con una chica menor que apareció asesinada hace un tiempo…

Ciro Leone se levantó de la silla como si la madera ardiera.

—Niego absolutamente esa última parte. No sé de qué me habla. No soy proxeneta y las mujeres con las que me relaciono están todas vivas. —A medida que las palabras salían de su boca, el tono de voz subía—. Quiero que traigan a mi abogado ya mismo. Y al cónsul argentino en Barcelona, al embajador, a quien sea.

Donato Melliá largó una carcajada.

—Querido, en primer lugar no me grites. Y vuelve a tomar asiento.

El muchacho obedeció. En cuanto volvió a la silla dura, Melliá le acercó la carpeta con las hojas que terminaba de leer.

—Repasa la acusaciones —volvió a ordenar.

Ciro intentó concentrarse en las letras, no pudo evitar que las manos le temblaran. A medida que se enfocaba en las descripciones de sus antecedentes, notó algo extraño.

—Lo que usted acaba de leer no está —dijo luego de mirar con atención las tres páginas, de un lado y del otro—. Solo dice lo del hurto en el metro y lo de los trileros.

Melliá asintió con una media sonrisa.

—Exacto, exacto. Noto que sabes leer muy bien. Nada dice allí de que seas un proxeneta o un sospechoso de femicidio, pero como por arte de magia, todo eso podría aparecer escrito y formar parte de una investigación. O podría suceder algo mejor: todos tus antecedentes penales en Europa podrían desaparecer.

Ambos permanecieron en silencio. Ciro, cayendo en la cuenta de que estaba siendo extorsionado; Melliá, adivinando la desesperación del muchacho.

—¿A cambio de qué? —preguntó Leone.

—Bien, veo que además de saber leer, sabes entender. Eso es muy importante para mí. Ahora, vamos a ver si sabes escuchar y, sobre todo, si sabes cumplir.

16

Chantal había logrado mantenerse limpia durante años. Secuestrar, lastimar y, a veces, matar se había convertido en una torta gigante de chocolate que, a fuerza de comerla y comerla, terminaba siendo empalagosa. La violencia empalaga. La muerte empalaga.

Su primera víctima fue un hámster; su primera coartada, el silencio. Odiaba a su hermano adoptivo. Odiaba su optimismo, su sonrisa bobalicona. Odiaba ese hoyito que se le marcaba en la mejilla cada vez que hablaba y esa manera de arrugar la nariz cada vez que pedía algo. Odiaba que esos gestos no siempre involuntarios consiguieran en segundos todo lo que a ella le había costado una vida. Una vida corta. Una vida de tan solo ocho años.

El hámster se llamaba Frère Jacques, en honor a la clásica canción de cuna, pero en la familia le decían «Jac». Dormía en una jaula inmensa, llena de viruta de madera. Se la pasaba horas y horas corriendo en una rueda de metal hasta que, agotado, se acurrucaba en un rincón y se quedaba ahí, quieto, con los ojos abiertos y el corazón desbocado.

La madre adoptiva de Chantal consideró que era una buena idea que ella, a la que nunca nadie había cuidado, se encargara de alimentar a Jac. Durante una hora tuvo que escuchar todos los caprichos alimenticios de la mascota: agua mineral disponible a toda hora; peras y manzanas cortadas de un tamaño no mayor a la falange del pulgar; un puñado por día, no más de un puñado, de frutos secos y cada noche dos hojas de una planta que cultivaban específicamente para que Jac incorporara clorofila. Su hermano era el encargado de sacarlo de la jaula un rato por la mañana y otro por la tarde, y de limpiar las heces. Aunque esa tarea duró lo que Jérémie tardó en arrugar la nariz.

El día que Chantal tuvo que, además de alimentar a Jac, limpiar una bola de virutas de madera mojada de orina, tomó la decisión. Sacó con cuidado al hámster de la jaula, se sentó en una de las reposeras del pequeño jardín de la casa y, con un chiflido tímido, llamó a Dodó, el perro bull terrier de su nueva familia. Nunca olvidó, a pesar de los cuarenta y dos años que pasaron desde ese momento, la sensación de plenitud que la inundó cuando vio a Jac convertido en un bulto de pelos y sangre. Dodó se hizo un festín ante sus ojos. Sonrió satisfecha, se frotó las manos y hasta imaginó que en la mejilla se le había armado un hoyito igual al de su hermano.

Mientras manejaba, miró por el rabillo del ojo a la chica que viajaba a su lado, en el asiento del acompañante. El cinturón de seguridad le ajustaba y dividía, sin piedad, el cuerpo. Grasa por un lado, grasa por el otro. Le habían dicho que se llamaba Adela y que le tenía que dar un trato especial, no mucho más. El resto de la información la procuró por sus propios medios, como siempre.

Adela por momentos cerraba los ojos y dormitaba; el movimiento acompasado del auto parecía hundirla en un sopor, como si fuera una canción de cuna. «*Frère Jacques, Frère Jacques, dormez-vous?, dormez- vous?*», tarareó Chantal con esa voz finita que había heredado vaya uno a saber de quién. De un volantazo, salió de la ruta y, sin bajar la velocidad, se internó en un camino de tierra. Las sacudidas despertaron a Adela, la cara de terror que puso hizo reír a Chantal.

—*Bonjour, ma chérie* —saludó con sarcasmo.

Adela no contestó. Entendía francés, lo estudiaba en el colegio, pero estaba acostumbrada a priorizar sus acciones: saludaba o prestaba atención al escenario que se abría por el parabrisas del auto.

El camino de tierra estaba rodeado de un campo prolijo y sembrado. Hizo un esfuerzo por identificar el sembradío, pero no lo consiguió. Los Pirineos no estaban; ni de un lado, ni del otro. Dedujo, entonces, que la mujer que manejaba no la estaba llevando a Francia. No pudo elucubrar mucho más; la frenada intempestiva la expulsó hacia adelante, sin el cinturón de seguridad se habría golpeado la cabeza contra la guantera.

—Te quedas donde estás, esperas a que yo baje y te abra la puerta. Un movimiento fuera de lugar y ya sabes —ordenó Chantal y salió del auto dando un portazo.

Caminaron unos metros hasta un galpón enorme. Las paredes de chapa se veían despintadas y, en algunas partes, el óxido las estaba agujereando; sin embargo, el portón estaba nuevo y pintado a la perfección de un verde brillante. Chantal sacó un llavero de la riñonera de cuero que colgaba de su cintura. Con una llave dorada abrió el candado y de una patada hizo ceder las dos hojas del portón.

Fueron recibidas por una ola de olor rancio: humedad, encierro, solventes y putrefacción. Algo se estaba pudriendo. Adela contuvo las náuseas. Chantal se puso una mano sobre la nariz.

—Uf, qué asco de aroma —dijo—. Aquí hay olor a cadáver.

Entró muy resuelta y, con agilidad, fue abriendo de par en par las cinco ventanas. Desde la puerta, Adela pudo ver que el piso era de tierra alisada. La mitad de la superficie estaba ocupada por cajas de madera apiladas una sobre la otra; del otro lado, solo había un colchón en el piso y un balde enorme.

—¡No me dejes acá! —gritó la chica—. Hago lo que tú digas, pero no me dejes acá.

—Entra ya mismo —dijo Chantal desde adentro—. Si te tengo que hacer entrar yo, ya sabes…

—Sí, sí, yo entro, pero no me dejes acá —repitió Adela mientras caminaba hacia el interior de la construcción.

La mujer se acercó y la empujó hasta donde estaba el colchón que, en algún momento, había sido celeste.

—Mira bien este lugar de reposo, míralo bien. Esas manchas oscuras son manchas de sangre. ¿Las ves? —preguntó señalando el colchón. Adela asintió—. Ya ni recuerdo de qué muchacha es esa sangre. ¿Ves este tacho? Bueno, allí se hacen las necesidades, aunque no sé si tu tamaño te permitirá usarlo… En fin, ya verás.

Chantal agarró a la chica de un brazo y la llevó hasta el costado de la montaña de cajas. El olor en esa zona era más intenso, de fondo se escuchaba el zumbido de las moscas. Adela no aguantó y vomitó. Chantal la miró con una risita socarrona. Al cadáver del perro ya se le veían los huesos. Los ratones y los gusanos habían hecho su trabajo.

—Ay, *ma chérie*, ¿quién va a limpiar ahora el estropicio de tu estómago?

—Por favor… por favor —murmuró Adela. El llanto no le permitía decir mucho más.

—Bueno, ya viste suficiente como para entender, *ma chérie*. Nos iremos de aquí, pero antes quiero que tengas en claro una cosa. Mírame bien —ordenó Chantal.

Adela levantó la mirada del piso y obedeció.

—Si gritas, si haces una mínima cosa que yo considere sospechosa, si intentas huir o si respiras un poco más fuerte de lo necesario, este lugar será tu alojamiento. ¿Estamos de acuerdo?

—Sí, sí, sí. Le prometo que no haré ninguna cosa mala —contestó.

—Salgamos de aquí y agradece, hoy es tu día de suerte. *Allons, ma chérie* —remató Chantal.

La conversación terminó con un pellizcón que la francesa aplicó en el brazo rollizo de Adela Melliá.

17

El micro rojo me dejó en la plaza Cataluña. Mi regreso a Barcelona no fue tan glamoroso como lo había imaginado. Esa sola vez, luego de haberme instalado en Besalú, volví por unas horas a la ciudad. Después de leer las hojas que Alexandre Moliné tenía guardadas en su mochila, descubrí que ese viaje relámpago había sido un error. Con la vestimenta y el aspecto pueblerino de Charo Balboa, dejé que el chofer del micro bajara la valija grande por la rampa del vehículo y le di dos monedas de un euro de propina.

No hacía frío, o tal vez sí. El clima de los Pirineos se me había clavado tanto en la piel que no lograba distinguir con objetividad las temperaturas. Me distraje mirando la enorme cantidad de gente que cruzaba la plaza: turistas hacia la Rambla, mujeres con sus niños en dirección al Corte Inglés y un grupo de adolescentes que decidían a los gritos cuál era el mejor lugar para comer hamburguesas. Prevalecían los que estaban vestidos con ropas de media estación. No hacía tanto frío entonces. Yo tenía razón.

Me saqué el tapado de paño azul y lo amarré en la manija de la valija, acomodé la cartera en mi hombro y bordeé la plaza por uno de sus costados. El ruido de las bocinas de los autos, las voces y la música que salía de los locales me molestaban bastante. Besalú consiguió, como ningún otro lugar en el mundo, que el silencio dejara de ser para mí la inminencia del espanto.

Me escabullí por el Paseo de Gracia, esquivé a los turistas que se amontonaban para fotografiar desde la vereda de enfrente la fachada de la Casa Batlló y, cuando llegué a la esquina de La Pedrera, me quedé parada unos minutos para repasar mi plan. Hice unos metros más y doblé a la derecha, por la calle Roselló. Los pies me llevaban solos, parecían no necesitar las órdenes de mi cerebro, como esos caballos que vuelven extenuados al establo, guiados por el impulso de la memoria.

Frené en la puerta del local, nada había cambiado. La peluquería de Ramona conservaba la decoración y el ambiente festivo de su dueña: sillones de pana turquesa, el piso de cemento alisado pintado de violeta, espejos de marcos dorados colgados en las paredes y cintas de banderines de colores puestos de pared a pared.

Ramona, que nació siendo Ramón, al mismo tiempo que cortaba, alisaba y teñía melenas de todo tipo, usaba el lugar como trinchera: en la habitación del fondo solía albergar a putas caídas en desgracia, a muchachos que, como ella, habían sido echados de sus familias cuando descubrían que lo que tenían entre las piernas distaba mucho de lo que sentían en el corazón y, muy de vez en cuando, a algún que otro maleante. «Siempre delitos menores», sentenciaba con una sonrisa, ostentando un código penal que solo se regía por sus normas morales. No pedía nada a cambio de esos días de escondite, sopas calientes y vino. Eso convertía a Ramona en alguien diferente al resto del mundo. Una especie de virgen travestida, como le gustaba definirse.

—¡Ay, Diosito mío que estás en los cielos! —gritó en cuanto me vio cruzar la puerta—. Mírate, niña, si estás convertida en otra persona. Casi que pareces decente.

Me apretó con sus brazos musculosos. No dudé en recostarme unos minutos en los pectorales duros y firmes; me gustaba que su cuerpo, que nunca había dejado de ser masculino, oliera a Un Jardin sur le Nil, de Hermès, un perfume caro que Ramona se echaba en cantidad, como si fuese agua del grifo.

—Ven aquí, deja tu maleta y siéntate a conversarme de tu vida. ¿Qué ha sido de ti, mi pequeña?

La primera vez que me había dicho «mi pequeña», yo era pequeña y ella se encargaba de convertir a mujeres normales en vampiresas; la belleza salía, abrupta, de sus manos. Mucho tiempo después, supe que trabajaba para proxenetas VIP, no por gusto o por dinero; lo hacía bajo extorsión. Una de las redes tenía en su poder filmaciones de sus encuentros sexuales con varones. Con los años, también supe que por mi culpa esas imágenes llegaron a su padre, uno de los políticos más influyentes de la ciudad.

En esa época, cada vez que me decían «Barbi», en mi interior retrucaba: «Cornelia». Una estrategia tan simple como inútil, para no perderme a mí misma en Madrid, la ciudad donde empecé mi «gira europea».

Ramón me había recibido en un departamento a pocas cuadras de la plaza del Callao, el lugar era enorme y luminoso. Le habían dado una orden clara y precisa: «Haz que la cría parezca de veintiún años, no menos». La cría era yo. Lo hizo. Me decoloró el cabello para que mi adolescencia pareciera el disfraz de una virgen niña, un fetiche que siempre se vendió bien entre los puteros. No recuerdo qué me preguntó en esa ocasión, tampoco recuerdo qué le contesté o si respondí a sus dudas. Lo que tengo presente aún hoy es que me abrazó y me repitió varias veces: «Mi pequeña, mi pequeña».

Esa noche Ramón abandonó el departamento. Fue golpeado, casi hasta la muerte, por un grupo de matones y su padre lo echó de la familia con una frase que fue más letal y dolorosa que la lluvia de patadas y golpes con manoplas de metal que había recibido: «Ya no eres más un López Espinoza, para mí estás muerto».

—¡Ay, Ramonita de mi alma! Si te cuento lo que ha sido de mi vida, nos crecerían raíces en las nalgas de estar sentadas aquí durante tanto tiempo —le dije esquivando su curiosidad.

Asintió con la cabeza. Ella sabía que yo, además de esconderme, era secreta.

—Necesito un cambio de *look...*

Ramona me interrumpió.

—¡Pero si estás morena! —exclamó moviendo sus manos. Los anillos en sus dedos brillaban y las pulseras llenaban los espacios con tintineos melodiosos—. Me gusta tu cabello oscuro, resalta los ojos y la blancura de tu piel.

—Una peluca, entonces. Una de esas fabulosas que sueles usar —dije sacando un as de la manga.

—Muy bien —dijo y se levantó de golpe.

Caminé detrás de ese cuerpo enorme. Enfundada en un vestido de terciopelo azul oscuro, con su peluca rubia, Ramona parecía una *drag queen* lista para su *show*. Me llevó hasta una habitación pequeña, con las paredes llenas de estantes. Allí guardaba las cabezas de telgopor, cada una con un modelo distinto de peinados. Los había largos, cortos, medianos; claros, oscuros, con reflejos, y hasta con los mechones de moda: verdes, rosas y naranjas.

Demoré un rato largo en elegir cuál era la mejor opción. Finalmente, me decidí por una melena corta, justo por debajo de las orejas, con un flequillo prolijo que me cubría las cejas.

—Buena jugada, mi pequeña. El pelirrojo te sienta elegante y *sexy* a la vez. Vas a facturar fortunas —dijo Ramona mientras aplaudía.

No era lo único que necesitaba. Por cada cosa que pedí, dijo: «Sí, claro que sí, mi pequeña». Dejé mi valija gigante en la trinchera y, a cambio, me llevé prestado un *carry on* rojo. Usé su baño para quitarme la ropa de Charo Balboa y convertirme en la Sirena. Lo hice sin mirarme en el espejo. Conocía de memoria cada prenda, cada movimiento, cada pincelada de maquillaje. Hasta las pestañas postizas me puse al tacto. La devolución de mi aspecto me la dieron los ojos desorbitados y los gritos agudos de Ramona.

—¡Dios y María, Virgen purísima, y la Magdalena Guadalupina! —exclamó apelando, como siempre, a una liturgia católica que se inventaba—. Ese cuerpo, esas prendas. Estás de morirse, mi pequeña.

Caminé por la peluquería moviendo las caderas, un poco para hacer reír a Ramona y otro poco para que mis pies volvieran a acostumbrarse a los tacones tan altos.

—Me tengo que ir. Dejo mis cosas en la trinchera. Ya tú sabes, si no regreso…

Ramona revoleó los ojos y las manos. Todo al mismo tiempo.

—Ya, ya, ya. Si no vuelves, tomo tus pertenencias como herencia.

Sonreí y le estampé un beso en cada mejilla, a modo de despedida.

Desanduve mis pasos, esta vez, concentrada en el ruido que mis tacones hacían en las baldosas del Paseo de Gracia. No hubo varón que evitase seguirme con la mirada: primero enfocaban mi frente y luego, como imbéciles, perdían los ojos y el decoro en mi trasero. La falda negra entubada hasta mis rodillas y la camisa de seda blanca, abierto un botón más de lo que correspondía, y el *blazer* de raso negro resultaban un imán infalible.

Crucé la plaza Cataluña, esta vez por el medio. Hacía mucho tiempo que no sentía tantas miradas lascivas sobre mi cuerpo. Me gustaba crear primeras impresiones tan decisivas. En la esquina, antes de llegar a mi hotel favorito, paré unos minutos para chequear mi maquillaje. Saqué un pequeño espejo de una carterita pequeña de charol y retoqué mis labios con el labial más rojo que tuve en mi vida. Hice un mohín con la lengua y provoqué el tropezón de un señor mayor que no tuvo la habilidad suficiente para caminar y mirar al mismo tiempo.

El Hotel Regiá seguía tan esplendoroso como lo recordaba, con esos vidrios gigantes que daban a la calle y los ventanales más limpios que haya visto jamás. La puerta giratoria de hojas de madera lustrada y tallada daba vueltas y vueltas con su engranaje aceitado, sin dejar de escupir pasajeros hacia un lado y hacia el otro.

Apenas puse un pie de tacones negros altísimos sobre la alfombra rosa de la entrada, me inundó la fragancia inconfundible que durante mucho tiempo fue lo más parecido al olor de hogar que tuve. Los dueños del hotel encargaban a una de las mejores perfumerías de Barcelona un desodorante de ambientes hecho exclusivamente para ellos: geranios y limones. A esa mezcla olía cada rincón del Regiá.

Tardé unos segundos en decidir si caminar hacia la derecha y tomar un capuchino sentada en los sillones Chester del bar o ir hacia la izquierda, a pedir una habitación en la recepción. Celestino interrumpió la incertidumbre.

—¡Pero qué ven mis ojos! —exclamó mientras me tomaba por los hombros, sin dejar de mirarme como quien, con todos sus sentidos, necesita saber si lo que tiene frente a sus ojos es un fantasma o no—. La Sirena ha vuelto. ¡Qué sorpresa enorme!

Celestino Paredes era un mueble más del Regiá. Entre los empleados, corría la humorada de que en algún momento habían colocado a Celestino en un terreno vacío y a su alrededor construyeron el hotel. A él le gustaba esa clase de chistes, lo hacían sentir alguien importante dentro de una estructura comercial donde solo era un botones, sin la lucidez o la capacidad suficiente para ser algo más. Y él aceptaba, se conformaba con una importancia que solo estaba en su imaginación.

Lo miré con satisfacción. Me gustó esa mezcla de sorpresa y miedo en la mirada de ese hombre deforme: piernas y brazos cortos, y una barriga abultada que desbordaba hacia los costados. Una especie de jorobado sin Notre Dame, que vagaba por los pasillos de alfombras rosadas.

—Hola, mi querido, aquí estoy. Yo siempre estoy —dije haciendo varios movimientos rápidos de pestañas postizas—. Ando buscando a Claudia, solo tengo una noche en la ciudad y no quiero dejar de saludarla antes de irme.

131

—Ah, muy bien. Supongo que nos vas a honrar con pasar tu noche catalana en el hotel, ¿no? —Asentí con la cabeza y una media sonrisa—. Claudia termina un trabajo y sospecho que estará libre. Le aviso que estás aquí.

Me acomodé en uno de los sillones del bar, al capuchino le sumé una *croissant* con queso. Tenía para un buen rato de espera. Claudia siempre fue muy dedicada para el trabajo. Nos conocimos en un barco, navegando por el Mediterráneo. En esa época, yo era la novia oficial del Torero; la única vez en mi vida que fui oficial en algo. Mi muchacho —así me gustaba decirle— tenía dos identidades, tal vez por eso me llamaba la atención. En Madrid y en Barcelona, era famoso por vender cocaína de primerísima calidad. En Galicia, su tierra, y ante sus padres, actuaba como un jovencito de aldea que se había ido a vivir a la gran ciudad para hacerse un camino, y yo lo acompañaba como la fachada rubia y perfecta de esa novia que, en realidad, pagaba con el producto de las narices que contaminaba a diario. Los padres gallegos del Torero nunca supieron que, gracias al embuste del que fueron víctimas, yo había logrado no solo pasar una buena temporada de tratos físicos, sino que también conseguí nutrir de euros mi cuenta bancaria en Europa. La primera a nombre de Nadine Basset.

Claudia nació en Portugal y tenía una edad incierta. Cuando se maquillaba y enfundaba su cuerpo en *lycras* elastizadas, parecía una mujer de unos treinta años; sin embargo, a cara lavada, nadie le daba más de veinte. Ostentaba esa *performance* como herramienta: circulaba en las camas de clientes de gustos diversos. La noche del barco, cuando la vi por primera vez, me pareció fabulosa. Era la única de todas nosotras que recibía a los invitados totalmente desnuda, no perdía tiempo en quitarse la ropa; los avatares del erotismo no estaban hechos para ella. «*Time is money*», repetía no sin razón.

El Torero no me compartía con nadie, yo era un objeto que le pertenecía solo a él; salvo que estuviera Claudia, con ella sí. Las escenas lésbicas, como a todo hombre, le encantaban. Nunca supo mi muchacho que me daba mucho más placer tener sexo con Claudia que hacer malabares para que él, siempre drogado hasta el tope, tuviera una erección.

No solo fuimos compañeras sexuales esporádicas, también fuimos amigas o lo más parecido a ser amigas que dos mujeres que compiten por clientes y dinero pueden ser. Compartimos caminatas, tardes eternas en cafeterías inventando vidas que nunca tuvimos, y hasta un par de veces fuimos al cine. A Claudia le gustaba mi ropa y me daba una especie de alegría enorme regalarle cada cosa que me halagaba: un collar, unas medias, una blusa. La sonrisa de niña contenta que ponía cada vez que yo le decía: «Es tuyo, Claudita», me alegraba el día.

Pasamos temporadas larguísimas sin saber la una de la otra y, de vez en cuando, me enteraba de que hablaba mal de mí o que inventaba embustes, delitos o maldades que yo no había cometido. La imaginación de Claudia era frondosa y sus desvaríos me sirvieron para construir la imagen que siempre necesité tener. Eso es la amistad para mí: un servicio que nunca fue solicitado. Y gratis, claro. A pesar de todo, la buscaba cada vez que visitaba Barcelona. Podía quedarme en ese sillón del Hotel Regiá durante horas y horas, el subidón de verla valía cada segundo de espera.

—¡Pero mira quién está aquí! La Sirena ha regresado al ruedo —exclamó Claudia desde la otra punta del bar.

El café que había tomado pasó de golpe de mi estómago a mi garganta, y allí se me atoró. El gusto ácido se alojó en la lengua. Eso que avanzaba entre las mesas y sillones del bar no era Claudia. O por lo menos, no era la Claudia que yo recordaba. Estaba tan flaca que se podían contar cada una de sus costillas. Ni rastros quedaban de las curvas de sus muslos, menos las de sus caderas. Pero lo que más me impresionó fue la cara, ese rostro que en su esplendor transitó por cualquier edad gracias a una piel lozana y luminosa. Una calavera tapizada de cuerina de mala calidad, eso parecía ahora. Ojeras oscuras y pronunciadas, manchas extrañas en las mejillas y, en lugar de labios, una especie de línea mal pintada.

Me levanté del sillón, como si una pila de alfileres se me hubiesen clavado en las nalgas, y caminé a su encuentro. Nos abrazamos en el medio del salón. Mis brazos le quedaron grandes, el cuerpo de Claudia estaba diminuto. Olía mal, muy mal. Una mezcla de sudor, perfume de jazmines rancios y tabaco.

No fue necesario preguntarle nada sobre su aspecto, lo primero que me dijo fue que estaba pasando un mal momento y empezó a preguntarme sobre mi vida.

—Aquí ando, de pasada en la ciudad —contesté a su pregunta sobre mi visita mientras nos sentábamos en los sillones del bar—. Mañana seguiré mi camino.

—¿Qué camino? —preguntó con interés.

—Ya tú sabes, el que la vida me marque —contesté entre mis propias carcajadas.

Se dio cuenta de la manera como la esquivé. Estaba desmejorada y, tal vez, enferma, pero su instinto no había mermado. Es el arma más eficaz que las putas tenemos para salvarnos. Ella lo sabía y yo también.

—Antes de irme necesito pedirte un favor... —dije.

Claudia me interrumpió con una mueca que no pude descifrar.

—Mírame, Sirena. ¿Tú crees que estoy en condiciones de andar haciendo favores o jugando a las amigas del corazón?

Apoyé mi mano en su rodilla.

—Yo no juego, Claudia —dije en un susurro—. Pago los favores.

Se recostó en el sillón con la satisfacción de quien acaba de ganar en el casino.

—Te escucho, Sirena.

Mientras le contaba lo que necesitaba, por el rabillo del ojo, pude a ver a Celestino, acodado en una de las columnas de mármol que separaban el bar de la recepción. Yo también sentí que había ganado en el casino. Celestino estaba haciendo lo que esperaba que hiciera. «Qué previsibles son los hombres», pensé.

18

Las instrucciones habían sido claras. Si Donato Melliá tenía algo en su haber, era la forma de expresar sus necesidades, sus deseos y, sobre todo, sus órdenes. Pero su talento no radicaba en las palabras, el secreto de su éxito se basaba en los silencios. Entre frase y frase, cerraba la boca y clavaba la mirada en su interlocutor. Daba el espacio para que el otro entendiera y asimilara lo dicho, como un padre que espera la reacción de su hijo ante la primera cucharada de algún alimento novedoso para el paladar.

Ciro Leone escuchó y asimiló. No le quedó otra alternativa que aceptar. Era eso o pudrirse en un agujero del reclusorio, condenado por crímenes que ni siquiera estaban en su imaginación.

Después de la charla en la oficina del jefe, los hechos se precipitaron con velocidad: un guardia de seguridad lo llevó hasta un lugar del penal que se asemejaba a un oasis en el desierto. La habitación era enorme y estaba bien decorada, lo único que remitía a la cárcel eran las rejas dobles que tapizaban el único ventanal. Había una cama de dos plazas cubierta con un acolchado color azul y almohadones al tono; una mesa de luz pequeña de madera con un despertador y un velador de bronce. El piso de cemento casi no se veía: una alfombra tejida con lanas de colores daba al lugar cierta calidez. Pero lo mejor era el baño. Azulejos blancos en las paredes, una bañera gigante con sistema de *jacuzzi* y elementos de higiene sin estrenar.

—Estarás aquí hasta mañana —dijo el guardia de seguridad. En un par de horas te traigo la comida. En la heladerita pequeña hay agua y jugos.

Ciro no llegó a agradecer la deferencia, el muchacho cerró la puerta de golpe y le puso candado del lado de afuera. A pesar de todo, seguía preso.

Junto a la cama, había una valija mediana, de buena calidad. La levantó, la apoyó sobre el acolchado azul y la abrió. Pantalones, camisas, remeras de algodón, ropa interior y medias; un ajuar completo de prendas de marcas reconocidas. En los costados, acomodados a la perfección, encontró dos pares de zapatillas Nike nuevas y unos zapatos de cuero.

En la puerta del baño había un espejo de cuerpo entero. Ciro Leone se desvistió y se miró con atención. Estaba más flaco que cuando había entrado a prisión, pero sus músculos fibrosos se seguían viendo firmes. Decidió que necesitaba una buena ducha, afeitarse y dormir varias horas. Lo que venía no iba a ser fácil. Por un momento, pensó que tal vez era mejor quedarse adentro que recuperar la libertad. El devaneo duró lo que Ciro demoró en abrir la ducha: apenas segundos.

El chorro de agua caliente le relajó las contracturas del cuello y de los hombros. Pudo sentir cómo la mugre carcelaria se escapaba por la rejilla de la bañera. Varios minutos después, con una toalla blanca y esponjosa, secó con dedicación paternal cada centímetro de su piel; se concentraba en esos pequeños detalles para no pensar. No tenía que pensar.

—Aquí le traigo la comida —dijo el guardiacárcel. Había entrado sin golpear. Su misión parecía ser la de recordarle a Ciro Leone que, a pesar de la ducha caliente, la privacidad de la limpieza y la cama mullida, estaba en una cárcel.

Se dejó la toalla enganchada en la cintura y se sentó en la cama. De unos pocos bocados acabó con su ración de pollo al horno con papas y verduras asadas. Cuando estaba por dejar la bandeja de metal en el piso, notó que por debajo del plato asomaba la punta de un sobre de papel blanco. Despegó con la uña el pegamento que lo cerraba y sacó una hoja de papel doblada por la mitad. Era un mensaje para él.

Leone: Puedes llevarte la maleta, es para ti. Espero que las prendas te queden. En el fondo vas a encontrar una billetera con dinero en efectivo, una tarjeta de crédito y tus documentos. Cuando salgas vas a tener un teléfono celular y un número rojo al que debes llamar apenas hayas pescado a la Sirena.
Todo depende de ti. Todo.
Khalfani Sadat, el Egipcio.

19

—Haz lo que tengas que hacer. —Esa fue la indicación que Celestino escuchó de parte del Egipcio, antes de que se cortara abruptamente la comunicación.

Mientras cumplía con él avisándole que la Sirena había regresado al Hotel Regiá, no podía quitarle los ojos de encima. Las piernas finas y largas que cruzaba y descruzaba, la manera de acomodar las caderas en el sillón de cuero del bar; cada gesto de ella ejercía sobre Celestino un efecto hipnótico.

Nunca había tenido en la cama a una mujer semejante; con mucho esfuerzo, lograba juntar el dinero para comprar una mamada rápida y desganada de esas putas tristes que caminaban colocadas por las calles angostas del Barrio Gótico. Siempre había sido el celador de la puerta de los paraísos ajenos: recibía a los potenciales clientes en el hotel y, con ojo clínico, suponía quién podía necesitar una compañía.

Su cuerpo deforme y la sonrisa infantil no solo le daban aspecto de duende, también lo convertían en un personaje inofensivo. Y Celestino sacaba partido de esa situación. Se ofrecía gentilmente a llevar las maletas a las habitaciones de los turistas que su olfato de sabueso había detectado en la mesa de entradas; no a todos, solo a esos. De las putas con las que trabajaba, había aprendido a cotizar el tiempo. Sin demasiadas vueltas, les ofrecía un relato detallado de los *amenities* con los que contaba el Regiá: gimnasio en la primera planta, piscina de natación en la terraza, *room service* a toda hora con solo marcar el número doce, clases de yoga gratuitas por las mañanas en el salón grande y alegrías para el espíritu. Así se refería a los servicios sexuales: «alegrías para el espíritu».

En general, los pasajeros solo prestaban atención en esa parte del guion y sonreían. Algunos, nerviosos; otros, con la naturalidad de quien recibe un vaso de agua en pleno verano; los menos, avergonzados de sentir una erección mucho antes de aceptar el convite. Según la reacción, Celestino demoraba más o menos en dejar el libro sobre la cama. «El libro» era un álbum de fotos con las opciones de mujeres disponibles; estaban clasificadas por edad, raza y precio. Las más baratas, primero; las más caras, al final. El ochenta por ciento de las mujeres que ofrecía eran de la factoría del Egipcio; el resto saltaba de proxeneta en proxeneta, en un raid que duraba pocos años. Como ellas.

El Egipcio le daba a Celestino por su trabajo un porcentaje de la ganancia mensual; cifra que, en realidad, desconocía. La orden era precisa: el negocio lo hacía la puta y el cliente, cara a cara. El botones-duende se tenía que conformar con meter en su billetera el dinerito destinado para él y, de vez en cuando, masturbarse escuchando detrás de las puertas los orgasmos inventados de las chicas. Sin embargo, durante el último año, el Egipcio le había pagado un dinero extra por estar atento a la llegada de una mujer. La tarea era simple: en cuanto la Sirena cruzara la puerta del Regiá, tenía que llamar desde su celular a un número de teléfono. «El número rojo», le decía. La última vez que lo había hecho, había logrado embolsar mil euros por un simple llamado telefónico.

Unas horas antes, las reglas habían cambiado: no solo había tenido que dar el alerta al número rojo. Además, tuvo que discar otro teléfono que le habían dado en ese momento y facilitarle a quien atendió el número de habitación de la Sirena: «312, la de siempre». Ahora quedaba por delante cumplir la última orden: hacer entrar a esa persona por la puerta trasera del hotel. También tenía que callar. Siempre callar.

Pasó toda la tarde abriendo y cerrando las puertas acristaladas, lo hacía de manera mecánica. Saludó, dio bienvenidas, cruzó algunas palabras en los varios idiomas que había aprendido con el correr de los años, subió alguna que otra maleta, ofreció «el libro» en tres oportunidades y se acercó a la mesa de entrada cada vez que el teléfono sonaba con los mil pedidos y reclamos de los pasajeros.

De la habitación 312 se habían recibido tres llamados: uno para pedir un vodka con hielo y limón, otro para ordenar una hamburguesa con queso *cheddar* y papas fritas, y el tercero para preguntar si el pronóstico anticipaba lluvias.

Cuando las agujas del antiguo reloj de bronce y madera, que le aportaba un aire señorial al *lobby* del hotel, dieron las diez de la noche, Celestino avisó en la recepción que necesitaba ir al baño. Se lavó la cara con agua fría y con las manos húmedas se acomodó el cabello. Estaba nervioso y, por momentos, tenía muchas dudas y pocas certezas, pero necesitaba el dinero y no iba a ser él quien defendiera el honor de esas putas que, a duras penas, lo miraban con asco y condescendencia. Cruzó el pasillo que unía la cocina, el vestuario de los empleados y la sala de máquinas. A medida que avanzaba, el aroma del desodorante de ambientes del Regiá se esfumaba, las paredes ya no estaban tapizadas de géneros labrados en seda y el piso de roble de Eslavonia lustrado se convertía en una madera de muchísima menor calidad. Al fondo, la salida de emergencias ocupaba buena parte de la pared que lindaba con la calle trasera del hotel, un callejón sin salida lleno de tachos de basura grandes, puestos en fila.

Apenas abrió la puerta, una oleada agria se le metió por la nariz, el camión de los residuos aún no había pasado. Del otro lado, apoyado contra una pared, esperaba un hombre. Vestía una campera marrón con un cuello de lana que le cubría parte del rostro; con una mano, lo tiraba un poco hacia abajo, para dejar libre la boca y terminar a los apurones el cigarrillo que acababa de prender. En cuanto vio a Celestino, tiró la colilla y caminó hacia él.

De cerca, el aspecto amenazante del hombre se desdibujaba. No llegaba al metro setenta de estatura y lo que a la distancia parecían músculos eran kilos de más. Tenía el cabello por debajo del cuello, recogido en una cola de caballo que pretendía disimular una calvicie incipiente.

—Soy Samuel —dijo a modo de saludo.

—Muy bien, adelante —respondió Celestino.

No dijeron nada más, no era necesario. Cada uno sabía lo que tenía que hacer, y cuanto menos supieran del otro era mejor para ambos. Celestino lo guio hasta el ascensor de servicio y, por costumbre, le abrió las puertas. Antes de cerrarlas, apretó el botón número tres.

—Es la cuarta puerta a la derecha —dijo y le dio una tarjeta magnética.

El hombre asintió con la cabeza y volvió a cubrirse el rostro con el cuello de lana. Esta vez solo dejó libres los ojos. Eso fue lo último que Celestino vio: los ojos de águila del hombre. Su tarea había terminado. Regresaría de inmediato a su puesto en la puerta principal y, en cuarenta y ocho horas, recibiría el dinero a cambio de su discreción. Mientras tanto, debía disimular. Nunca creyó que le iba a costar tanto.

—Oye, Nicolás, ¿me puedes pasar por lo bajo una copita de alguna cosa fuerte? —dijo mientras se acodaba en la barra del bar.

El barman asintió, estaba acostumbrado a que los empleados, de vez en cuando, necesitaran tomar algún trago para llevar adelante largas jornadas laborales. Le guiñó un ojo y le sirvió una medida generosa de coñac. Celestino lo tomó de golpe, el ardor que le provocó el líquido caliente en la garganta lo tranquilizó.

Mientras tanto, tres pisos más arriba, el plan se estaba llevando a cabo a la perfección. Samuel había recorrido con calma el tercer piso y había contabilizado catorce habitaciones, un ascensor principal, otro de servicio y una salida de emergencia que comunicaba con la escalera. Por detrás de algunas puertas, se podían escuchar las voces que provenían de televisores encendidos y de alguna que otra conversación perdida. Apoyó la oreja en la número 312. Todo estaba en silencio; sin embargo, por la pequeña hendija de la parte inferior de la puerta se filtraba una luz.

Antes de apoyar en el sensor la tarjeta magnética que le había dado Celestino, se calzó unos guantes de látex, sacó de su bolsillo una tenaza de cortar metales y respiró profundo. No fue necesario usar la herramienta; del otro lado, no habían colocado la cadena de seguridad. Abrió muy despacio la puerta y entró.

No encontró a nadie en la sala principal. Sobre la mesa, había una bandeja con restos de lo que parecía haber sido una hamburguesa y un vaso con una rodaja de limón, sin líquido. En el respaldo de una de las sillas, colgaba un *blazer* de raso negro y una carterita pequeña de charol, también negra. Había además un sillón de dos cuerpos y un pequeño escritorio de madera.

Samuel caminó hacia la habitación, tuvo que esquivar el *carry on* rojo que había quedado abierto entre las dos partes de la *suite*. A pocos metros, estaba la mujer de la que había escuchado hablar tanto, portadora de una fama que despertaba una curiosidad morbosa en el mundo del hampa. La cama era gigante; dos plazas y media, calculó Samuel. Desde el umbral de la puerta, se veía claramente el cuerpo dormido, justo en el medio, entre sábanas de lino y almohadones de plumas. El color rojo del cabello de la mujer destacaba entre tanto blanco impoluto.

Samuel se acercó paso a paso, casi en puntas de pie; no quería despertarla, le apenaba la posibilidad de tener que golpearla para hacerla callar. Había decidido hacer un trabajo simple y, sobre todo, limpio. Se paró en el costado izquierdo de la cama. La mujer estaba boca abajo. Se quedó un par de segundos mirando las sombras de los omóplatos, que llegaban hasta el principio de la columna vertebral. Lamentó que las nalgas estuvieran cubiertas por la sábana.

Necesitó dos movimientos rápidos y firmes para montarse sobre la mujer, al mismo tiempo que, con sus manos enguantadas, le atenazaba el cuello. Samuel percibió el sobresalto y el atisbo de resistencia inútil que intentó ella, un esfuerzo insuficiente para escapar. El hombre volvió a respirar profundo y, mientras largaba el aire de a poco, apretó el cuello hasta que sintió un crujido similar al que produce el cuerpo de un perro cuando es atropellado por un auto.

Cuando estuvo seguro del resultado, dio vuelta el cuerpo inerte de la mujer. Los ojos habían quedado abiertos. Pudo ver los derrames que tiñeron de rojo la mirada muerta. Descubrió que el rojo del cabello era, en realidad, una peluca que, ante la insignificante lucha, había quedado corrida hacia un costado. Sacó del bolsillo trasero de su pantalón un teléfono celular y tomó varias fotos del cadáver. Con la frialdad de quien está acostumbrado a este tipo de trabajos, envió al teléfono rojo varias fotografías de lo que para él había sido una tarea impecable.

20

Los gritos del Egipcio despertaron a todo el pabellón. La mayoría, en sus catres, fingieron seguir durmiendo; los menos se acercaron a los barrotes de sus celdas y, con cara de sorpresa, intentaron entender lo que decía. Cuando se enojaba mucho, el Egipcio insultaba y lanzaba maldiciones en árabe. Ese giro idiomático les hizo pensar que la cosa era grave. Muy grave. Además, revoleó dos botellas de *whisky* y los vidrios estallaron contra el piso de su celda; arrancó las sábanas de su cama, que quedaron hechas un bollo en un rincón y, por último, a patadas, dio vuelta la mesa y las sillas. Todo sin dejar de gritar ni un segundo.

Un guardia de seguridad, desde afuera, intentó calmarlo, saber qué necesitaba. Como respuesta, obtuvo una catarata de insultos en español.

—El Egipcio está rompiendo todo y no para de gritar. ¿Qué hacemos? —le preguntó uno de los guardiacárceles a Donato Melliá.

—Nada. Si no se calma en cinco minutos, abran el grifo —contestó el jefe con voz neutra.

El grifo era el sistema antincendios que había en cada celda y en cada pasillo. Unas canillas de acrílico colgadas en los techos, que largaban chorros de agua en cuanto el detector de humo se activaba o cada vez que los guardias necesitaban calmar algún intento de revuelta. Un incendio que había tenido lugar años atrás y que había provocado la muerte de cinco presos, fue el detonante para que el sistema funcionara en todos los pabellones.

Donato Melliá apoyó los codos sobre su escritorio y se agarró la cabeza. El temor que le despertaban la figura y los berrinches del Egipcio se había disipado ante un miedo mayor: la vida de su hija Adelita. Sacó el celular del bolsillo de su chaqueta y abrió los mensajes de WhatsApp. Con el dedo índice, pasó varias conversaciones, hasta llegar a un mensaje que contenía una foto. Lo había recibido a primera hora de la mañana. En la imagen, Adelita sostenía con ambas manos un diario del día. El título principal anunciaba el triunfo del Barcelona frente al Real Madrid, una noticia que, en otro momento, Donato hubiese celebrado con tapas y cervezas. Seguía vestida con la misma ropa con la que la habían secuestrado: unos pantalones anchos de gimnasia y un buzo de mangas largas, ambas prendas de color negro. Los secuestradores la habían parado contra una pared blanca, no había ni un detalle que pudiera dar alguna pista sobre el lugar en el que la retenían.

Donato volvió a ampliar la foto en la pantalla de su celular, ya lo había hecho más de diez veces desde que la había recibido. Necesitaba ver más de cerca la cara de su hija, necesitaba adivinarla. ¿Estaba asustada? ¿Le daban de comer? ¿Tenía frío? ¿Acaso calor? Ninguna de esas preguntas se respondían, el gesto de Adelita era neutro. Lo único que llamaba la atención era una leve hinchazón alrededor de los ojos. Era lógico: había llorado.

El celular sonó de golpe. En la pantalla apareció el número rojo que usaba el Egipcio. Llamaba desde su celda. Melliá sintió náuseas, tragó la saliva amarga y atendió.

—¿Qué pasa, Sadat? —preguntó sin disimular el odio.

—Estoy furioso —contestó.

—Ya estoy al tanto, acá todo se sabe.

—Necesito que me lleven a tu oficina. Ahora.

El jefe cortó la llamada y dio la orden a la guardia. Tardaron menos de diez minutos en trasladarlo a la jefatura.

El Egipcio era un hombre que, a pesar de estar preso, cuidaba su aspecto: se bañaba con buenos jabones, usaba perfumes importados y dos veces al mes un peluquero autorizado le recortaba el cabello y emprolijaba su barba. Se negaba a usar las prendas carcelarias, alegaba que el género de mala calidad le daba alergia. En su lugar, se había mandado a hacer un conjunto de pantalón y remera de seda color gris. De vez en cuando, caminaba por su celda vestido como para ir a una fiesta. Nadie le decía nada. Nunca nadie se atrevía a tanto. Sin embargo, cuando entró hecho una tromba en la oficina de Melliá, vestía únicamente un pantalón de *jean*. Su pecho desnudo daba lugar a un abdomen prominente, pero los músculos de sus brazos y los pectorales aún mantenían las formas macizas conseguidas gracias a largas horas de levantamiento de pesas.

Sin decir palabra, el Egipcio arrojó sobre el escritorio del jefe el teléfono de última generación que traía en la mano.

—Mira esa foto. Mírala bien —ordenó.

Por un segundo, Donato Melliá creyó que su corazón dejaría de latir; temió encontrarse con la peor imagen de su hija. Sabía que Sadat era capaz de cualquier cosa. Comprendió que no se moriría ahí mismo de un infarto cuando en la pantalla del teléfono del Egipcio vio la fotografía del cadáver de otra mujer. Una cama grande, sábanas blancas, el respaldo de madera con ornamentas doradas y, en el medio, el cuerpo sin vida de una mujer con la piel más blanca que Melliá hubiese visto jamás.

El pelo rojo sobre la almohada le daba a la foto un aspecto medio artístico. Pasó el dedo por la pantalla y se encontró con otra foto. Un primer plano de la misma mujer: los ojos abiertos y rojos, la boca cerrada y, alrededor del cuello, unas marcas violáceas. «La estrangularon», pensó Melliá. Dejó el teléfono sobre el escritorio y clavó los ojos en el Egipcio; se lo notaba más tranquilo, expectante.

—Sadat, ¿esta mujer es quien yo pienso? —Hizo un silencio. Sadat seguía mudo—. ¿Es la Sirena?

La carcajada aguda del Egipcio taladró lo oídos de Melliá, que no pudo evitar el sentimiento de incertidumbre ante ese hombre que pasaba de la furia más atroz a la risa más estridente.

—Pero ¿a ti te parece que yo me revolqué durante años con semejante desperdicio de mujer? Mírala bien. ¿Realmente piensas que la Sirena puede ser esa enferma contaminada con vaya uno a saber qué cosa?

Melliá volvió a mirar las fotos del cadáver.

—Esa no es la Sirena. Esa es Claudia, una puta repugnante que siempre quiso imitar a mi mujer. Bien muerta está —dijo el Egipcio.

—No entiendo, Sadat. No entiendo por qué me traes este problema...

El Egipcio lo interrumpió.

—Lo traigo porque es tu problema. Un contacto me pasó el dato: «La Sirena está en Barcelona». Mandé a un sicario que ya había hecho unos buenos trabajos para mí y me devuelve este cadáver hediondo.

—Sadat, ¿por qué te cortas solo en esto? Ya tenemos preparado a alguien para la tarea, hasta le has manifestado tu confianza en una carta. Ciro Leone es el indicado...

—Tú te callas, jefe. Las reglas cambiaron —dijo mientras se sentaba sobre el escritorio de Melliá. Su voz volvía a ser pausada y profunda, la voz de un hombre de negocios—. Nadie tiene el suficiente talento para acabar con la Sirena. Ella está entrenada por el mejor de todos los entrenadores: yo mismo. Voy a hacer la tarea con mis propias manos. De la Sirena me quiero ocupar yo, un acto de respeto para quien me ha dado tanto en esta vida. Que ese Ciro no sé cuánto me la traiga. Ella no merece morir en manos de cualquiera. Seré lo último que vean sus ojos.

Donato Melliá se levantó de golpe y se acercó al Egipcio.

—Quiero a mi hija, entonces. Ella no tiene nada que ver con esto.

—Mi querido y estimado amigo, no te apresures. Es verdad, tu hija no tiene que ver con esto, pero tú sí. En esta vida, los hijos no solo heredan el dinero de sus padres, también les tocan sus problemas. Y la Sirena es un problema tuyo. Y yo también lo soy, nunca lo olvides.

21

Convencer a Claudia de tomar mi valija, mi ropa y mi peluca pelirroja fue tarea fácil. Siempre quiso todo lo que era mío y le di el gusto: se quedó también con la venganza que me correspondía. Cosas que pasan.

Frente al Hotel Regiá habían abierto un restaurante chino. Por dos motivos, elegí comer un plato de arroz salteado con huevo, rodeada de lámparas de papel doradas y paredes decoradas con kimonos de colores: nadie en ese lugar conocía a Charo, ni a Nadine, ni a la Sirena y, además, tenía hambre.

El lugar era pequeño, pero limpio y acogedor; mesas individuales, unos mantelitos con dibujos de dragones y unas sillas acolchadas que lograban que se pudiera comer con comodidad.

Luego de pedir la cena, saqué del bolso el sobre que le había robado a Alexandre Moliné en la salita de primeros auxilios de Besalú. Sentí que habían pasado siglos desde ese momento, pero no, apenas había transcurrido poco más de un día. Dejé mis fotos dentro del sobre y esparcí sobre los dragones chinos las primeras páginas del informe, las que más me interesaban. Le pedí al mozo que me atendió una lapicera; como no tenía, a cambio me ofreció un resaltador amarillo flúor. Agradecí con una sonrisa, nunca otro objeto me pareció más adecuado: resaltaba las palabras sin que desaparecieran, una buena manera de no olvidar. Los niños deberían nacer con un resaltador amarillo flúor bajo el brazo, pensé divertida.

Durante el viaje en micro desde Besalú hasta Barcelona, ya había leído con atención quiénes habían sido mis entregadores. El informe de Alexandre describía con claridad ese derrotero y daba los nombres de sus fuentes de información, personas rancias que, a cambio de unos miserables euros del bolsillo del Egipcio, habían pasado los datos sobre mi paradero.

Le quité la tapa al resaltador amarillo y deslicé muy despacio la punta sobre el primer nombre: Claudia López Mantilla. Ella había sido la primera en pasar el dato de mi visita al Regiá un año atrás, ella había relatado con lujo de detalles cómo se vestía y cómo se peinaba Charo Balboa. «Lo siento, mi querida, con lo bonita que te quedaba mi peluca roja», pensé y volví a pasar varias veces el resaltador amarillo sobre su nombre.

Manejar a Claudia había sido muy fácil, se conformó con mi valijita, la ropa que llevaba puesta, un portacosméticos con dos lápices labiales y una máscara de pestañas, mis zapatos de tacones altos y una noche paga en la *suite* 312, con canilla libre en la cocina del hotel. Me apenó un poco ver lo regalada que se había puesto con los años. En sus mejores épocas, Claudia López Mantilla no movía ni un centímetro de su cuerpo por menos de cinco mil euros. Pero Claudia no estaba sola y hubiese sido muy injusto de mi parte hacerle pagar únicamente a ella las consecuencias de los platos rotos.

Dejé sobre la mesa del restaurante veinte euros y me fui caminando despacio hacia la plaza Cataluña. Había vuelto a ser Charo por un rato, nada más: *jeans* anchos, zapatillas, camiseta de mangas largas, buzo viejo y un gorro tejido. El pequeño cambio de ropa que había dejado en una bolsa de nailon, detrás del inodoro de uno de los baños de la recepción del hotel.

Seguí caminando hasta cruzar por completo la Rambla. Me detuve en uno de los puestos de alimentos y compré una barra grande de chocolate con almendras, sentí que merecía ese subidón de glucosa. Mientras el chocolate se me pegaba en el paladar y en la parte trasera de mis muelas, me metí en una de las calles angostas del Barrio Gótico. Arrugué la nariz, el olor a orina era penetrante. No sé en qué momento ese lugar turístico por excelencia se convirtió en una especie de baño público a cielo abierto. Antes de llegar al fondo de la calle, encontré lo que había ido a buscar; las luces naranjas del cartel de neón me dieron la bienvenida.

Una familia de pakistaníes —padre, madre y tres hijos varones— alquilaba desde hacía años un local tan angosto como largo, que usaban como locutorio comercial y vivienda. Habían arrancado vendiendo comida casera tradicional y, de a poco, fueron ampliando el rubro: golosinas, falsas camisetas del Barcelona, muñecos con la figura de Lionel Messi, carteras y bolsos que imitaban a los de las marcas prestigiosas y, en el fondo, dos cabinas de teléfonos públicos. El lugar olía a *curry* de la India y a tabaco. Samir, uno de los hijos de la pareja, estaba de turno. Me saludó en catalán, sin levantar los ojos de su celular. Cuando le dije que necesitaba hacer una llamada, con un gesto de cabeza, me señaló las cabinas del fondo.

Antes de discar, repasé en silencio lo que tenía que decir y sonreí. Con el índice, apreté el 112.

—¿Cuál es la emergencia? —me preguntó la voz automatizada de la telefonista.

—Han matado a una mujer en el Hotel Regiá, habitación 312 —dije fingiendo un tono agudo y arrastrando mucho el final de las palabras como si estuviese alcoholizada.

—Estamos mandando un móvil. No corte la comunicación. ¿Usted está en peligro?

—Estuve, pero ya no. Vi salir de la habitación 312 al botones del hotel, un hombre petiso, grueso, de brazos y piernas cortas...

—Tomo nota. Repito, señora, no corte la comunicación. El móvil de los Mozos de Escuadra está llegando al lugar. ¿Usted fue testigo de lo que cuenta? Vamos a necesitar que se acerque al hotel y se presente. ¿Cuál es su nombre?

—Eso no importa. También vi otra cosa... —dije haciendo un pequeño espacio, para generar intriga en una telefonista acostumbrada a escuchar lo peor.

—La escucho —dijo.

—En el baño individual de la recepción del hotel hay algo, estoy segura. Vi al botones meterse en el baño y salir. Llevaba en la mano una bolsa de nailon amarilla.

No esperé respuesta y corté la llamada. Mis años en las calles más duras me habían enseñado que no hay que mantener conversaciones telefónicas de más de dos minutos si uno quiere mantener a salvo el pellejo. Dejé sobre el mostrador del locutorio una moneda de dos euros. Samir siguió concentrado en su video de YouTube y apenas movió los labios para despedirse.

Caminé hasta la esquina y volví a sacar de mi cartera el legajo de Alexandre, también el resaltador amarillo que no le devolví al mozo del restaurante chino. Apoyé la hoja contra la pared y taché el nombre de Celestino. Había sido una gran idea dejar detrás del inodoro del baño, dentro de una bolsita de Forever 21, los documentos de Claudia.

Guardé todo nuevamente y caminé sin rumbo fijo un buen rato. Mi cabeza divagaba liviana, mientras que mis pies, de manera autárquica, me llevaron hasta el fondo del Paseo de Gracia y frenaron de golpe ante la entrada de mármol simple y elegante del Suites Royal. Una sola vez me había alojado en uno de los catorce departamentos mejor equipados de la ciudad. Un cliente alemán con el que había pasado varias noches durante un verano había reservado el lugar para que yo lo esperara desnuda en cada una de sus visitas. Por supuesto lo hice, pero además usé mis días libres para llevar a otros clientes a los que no solo les hice pagar por mis servicios, también tuvieron que desembolsar los euros que costaban cada uno de los minutos bajo ese techo exclusivo. Sonreí recordando la fechoría. Estaba de muy buen humor, me sentía liviana. En las primeras horas de mi nueva vida, había matado dos pájaros traidores de un tiro, sin tener en mis manos ni una gota de sangre.

22

Su ambición siempre fue tenaz, incluso más tenaz que los esfuerzos por dejar atrás su pasado. No importaba si en el camino hubo que mentir, inventar o matar.

En el orfanato siempre le dijeron que había nacido en los suburbios de París y que su madre había sido una prostituta que no dudaba en cambiar las pocas monedas que ganaba vendiendo su cuerpo ajado por algunos gramos de cocaína o unas copas de alcohol de baja calidad. Aunque no recordaba nada, Chantal decidió creer esa historia, simplemente porque no había otra versión de su biografía para modificar.

Los únicos datos comprobados eran de la noche en la que, durante un allanamiento por drogas, los servicios sociales se la llevaron de una habitación de hotel para no devolverla nunca más a los brazos esquivos de su madre. Sin embargo, esta información no estaba entre sus recuerdos; aparecía anotada con letra redonda y prolija en un legajo que le dieron a la familia tiempo después de haberla adoptado.

Desde niña, Chantal tuvo que decidir si hablaba desde la memoria o desde la imaginación; tal vez por eso se convirtió en una mentirosa fenomenal. Su aspecto físico fue una gran herramienta para condimentar sus historias: más alta que la media de las niñas de su edad, de piernas finas pero torneadas, un cuerpo con movimientos lentos y delicados, y un rostro que acumulaba facciones ordenadas con maestría: ojos rasgados de un verde intenso, pómulos cincelados, nariz pequeña y con la inclinación justa, y una boca carnosa que sumaba el toque sensual que su cuerpo elegante no tenía. Muchas veces, a medida que iba creciendo, le decían que parecía una chica de la aristocracia francesa. Chantal no lo negaba; inclinaba la cabeza, encogía los hombros, arrugaba la nariz y sonreía como si el secreto que guardaba con celo hubiese sido descubierto.

Solía contar historias inventadas, de veranos de infancia en la campiña francesa, de travesías en embarcaciones privadas por el Mediterráneo o de vacaciones esquiando en Suiza, siempre custodiada por sus niñeras Celine y Margot. También describía con lujo de detalles la mansión en la que había nacido en las afueras de París, una casa inmensa con ventanales gigantes de *vitraux* de colores. Nadie sabía que Celine y Margot eran las dos asistentes sociales que una vez al mes la visitaban en el orfanato y que la descripción de la mansión natal era, en realidad, el detalle, casi exacto, de la Iglesia de Santa Odilia, el lugar en el que su madre la dejaba muchas noches para irse a trabajar en los callejones parisinos. Chantal tenía una enorme capacidad de fabulación, básicamente porque se creía fervientemente sus mentiras.

Estacionó el auto en la cochera cerrada del edificio en el que vivía, una especie de *petit* hotel sobre el Paseo de Gracia. No fue necesario forzar físicamente a Adela, la chica tenía claro que la única forma de sobrevivir era obedecer.

Entraron en el departamento del tercer piso por la puerta de servicio, que conducía a una cocina amplia, con azulejos blancos y mobiliario azul oscuro. El único toque distintivo lo daba una frutera enorme, rebosante de naranjas, bananas y manzanas verdes. Adela sintió rugir sus tripas ante la imagen de los alimentos.

—Ya te voy a dar de comer, gorda. Aunque te vendría bien un poco de dieta —dijo Chantal al percibir los ojos de la chica clavados en la frutera.

Cruzaron la cocina en silencio y por un pasillo corto y angosto llegaron a una habitación pequeña, sencilla y agradable. Tenía muy pocas cosas: una cama de una plaza con un acolchado violeta y una mesita de luz de madera, con un velador y una Biblia. Las paredes parecían recién pintadas de un celeste muy clarito. No había ventanas ni cuadros, solo una puerta que comunicaba directamente con un baño.

—Aquí duerme mi empleada doméstica. Por tu culpa le tuve que dar unas vacaciones, así que más te vale que mantengas el orden y la limpieza, o lo que ensucies lo vas a limpiar con la lengua. ¿Entendiste, *chérie?* —dijo Chantal.

—Sí, entendí —dijo Adela.

Como respuesta, Chantal cerró la puerta con llave y la dejó sola. Adela se sentó en la cama y miró el techo, como si allí pudiera encontrar una respuesta. Lo único que halló fue una lámpara de enlozado tan violeta como el acolchado y una mancha de humedad mínima en una de las esquinas.

Metió la mano en el bolsillo delantero de su buzo y sacó la bolsa de nailon con los pedacitos de pan que había llevado a la playa para alimentar a las gaviotas. Con ojo crítico, calculó cuánto quedaba. Recordó que había trozado cuatro pedazos medianos y que apenas llegó a darles un puñado a los pájaros, antes del secuestro.

—Tres panes y medio —susurró mientras calculaba.

Masticó algunos trozos y escondió la bolsa debajo de la cama. Cuando estaba por ir al baño, sintió el ruido de las llaves en la cerradura de la puerta. Chantal apareció de golpe con una bandeja, la apoyó en el piso y volvió a dejarla sola.

Adela subió la bandeja a la cama y se arrepintió de haber malgastado los trozos de pan que se había comido segundos antes. No volvería a cometer ese tipo de errores. Sobre la bandeja, había un plato con una pechuga de pollo y un puñado de arroz; como postre, una manzana. Tomó dos tragos de agua del vaso que le habían traído con la comida; tenía gusto amargo, pero igual lo bebió completo. El agua no era un problema, el grifo del baño sería un gran recurso ante cualquier urgencia.

La comida era simple y estaba sin condimentar, pero a Adela le pareció deliciosa. Habían pasado tantas horas desde la última vez que su estómago había recibido alimentos que, con el último bocado, sintió una saciedad atroz. Dejó la bandeja nuevamente en el piso y se recostó en la cama. Era cómoda y olía a jabón en polvo con la fragancia de alguna flor que no pudo reconocer.

Los párpados le pesaban y los ojos le ardían, un poco por el cansancio y otro poco por haber llorado. Tenía que descansar y acumular fuerzas de la misma manera que había hecho con los alimentos. Los brazos y las piernas se relajaron lentamente; respiró profundo y, a medida que largaba el aire, se concentró en pensamientos bonitos, tal cual le enseñaban en sus clases de yoga.

En el momento exacto en el que el sueño la estaba por arrastrar, un llanto agudo le hizo abrir los ojos de golpe. El techo con la lámpara violeta y la manchita de humedad seguían en el mismo lugar. Aguzó el oído. Oyó un roce del otro lado de la puerta de la habitación. Giró la cabeza. El terror a que el ser que gemía abriera la puerta la dejó helada. Clavó los ojos en la manija, no se movía.

Muy despacio y procurando no hacer ruido, se levantó y empuñó el cuchillo con el que había cortado el pollo. A los gemidos se sumaron unas sombras que podían verse a través de la hendija de la parte inferior de la puerta. Todo el pánico que su cuerpo había acumulado desapareció de golpe tras el ladrido de un perro.

Adela dejó el cuchillo en la cama y se recostó contra la puerta. Logró escuchar cómo el perro caminaba, lo imaginó moviendo la cola. Ya no aullaba más.

—Hola, perrito. Qué lindo que estés acá —murmuró mientras las lágrimas se derramaban por sus mejillas.

Del otro lado, el perro también se recostó contra la puerta. Adela cerró los ojos y se durmió. Ya no estaba sola.

23

El favor que me había hecho Claudia a cambio de toda mi ropa y una noche en la *suite* del Regiá y, sin saberlo, a cambio de su vida, me arrastró hasta una de las zonas que me incomodaban de Barcelona: los alrededores del Parque Güell. Aunque durante el día era entretenido ver la procesión de turistas llegando en caravana para conocer una de la obras a cielo abierto de Gaudí, por la noche se transformaba en un sitio demasiado oscuro y silencioso, de casas con ventanas a la calle por las que cualquiera podía espiar el cotidiano de los otros. Mesas familiares con fuentes de guisos o paellas a punto de ser devorados, sillones que apuntaban a televisores eternamente encendidos o personas que acompañaban conversaciones con alguna copita de jerez. Nunca supe si lo que me molestaba del barrio era lo silencioso de sus calles o esos retazos de vidas sencillas a las que nunca pude o quise acceder. No lo sé.

Como cada vez que necesitaba pensar, tomé el subterráneo. El movimiento calmo con interrupciones armoniosas me calmaba; mi cerebro se acomodaba de a poco a ese ritmo, como si fuera una coreografía de baile. La estación

Lesseps olía a castañas asadas. Sin darme cuenta, guiada por el olfato, empecé a buscar al vendedor. Compré un cono lleno de ese manjar y sonreí.

Antes de subir la escalera que conducía a la entrada del patio de la Biblioteca Jaume Fuster, memoricé la dirección que Claudia me había escrito en un papelito. Lo había hecho con un lápiz delineador de ojos y una letra bastante precaria; a pesar de eso, se entendía perfectamente: «La Cobra. Verdi 78b».

Miguel Follet tenía veintisiete años y el aspecto de quien vivió cincuenta. Las noches sin dormir, las drogas, la mala alimentación y el estrés por transitar todo el tiempo al borde de la ley lo habían hecho envejecer de golpe. Era extremadamente flaco, de ojos hundidos; con un cabello largo hasta los hombros que, de tan ralo, se le adivinaba el cuero cabelludo. Cada centímetro de su piel estaba atacado por el vitiligo; por causa de esas manchas blancas que parecían escamas, todos le decíamos «la Cobra».

Era bueno para esconderse, desaparecer, cambiar de ciudad o de dirección en cuestión de horas. Muchas veces lo hacía sin siquiera avisar su paradero a los clientes habituales, los de confianza. Por eso me caía bien la Cobra: no confiaba en nadie, aunque dijera que sí. Por alguna razón que desconocía pero imaginaba, Claudia siempre lograba dar con el dato preciso. La pericia de mi examiga para enloquecer sexualmente a los hombres había sido como una maza de hierro que había causado grietas en la férrea estructura de seguridad de Miguel Follet.

Crucé los alrededores de la biblioteca y caminé las pocas cuadras en subida, hasta la dirección indicada. En un momento, tuve que volver a mirar el papelito escrito por

Claudia. Me sorprendió encontrarme con la fachada de un chalecito arreglado, con un pequeño jardín delantero y un porche con dos sillas de mimbre. La ventana de cortinas de encaje estaba cerrada. La Cobra solía anidar en galpones abandonados o garajes de fábricas que alquilaba a cambio de favores ilegales. Durante un tiempo, estuvo en el departamento de un familiar lejano, a quien le había prometido un cuidado que nunca cumplió y lo desalojaron.

La reja de entrada estaba sin candado. La abrí con cautela, crucé el jardín delantero y subí los tres escalones hasta el porche. No llegué a tocar el timbre, una chica que no tenía más de dieciocho años abrió de golpe. Estaba vestida con una falda corta de cuero y unas medias con dibujos de Bob Esponja cubrían sus piernas rollizas.

—Hola, busco a la Cobra —dije intentando quitar la atención del tatuaje que tenía en su mejilla, parecía un corazón.

Como respuesta, me cerró la puerta en la cara, pero antes de que pudiera reaccionar, la puerta se abrió de golpe. Parado frente a mí, estaba la Cobra. Ojalá le hubiese sacado una foto a la expresión de sorpresa que puso en cuanto me reconoció. Parecía haber visto un fantasma. Contuve mis ganas de reír y saludé.

—Ey, Cobrita, aquí estoy otra vez. ¿Me vas a hacer pasar a tu mansión o me dejarás de plantón en la calle? —pregunté con los aires de coquetería que tan bien me sientan.

—Sí, claro, Sirena, adelante —dijo haciendo una reverencia con el brazo flaco.

La casa era de la chica de las medias de Bob Esponja. Un mueble en la entrada estaba repleto de portarretratos con fotos de ella y de un señor y una señora que parecían ser sus padres. No hice ningún comentario al respecto, no me interesaba perder tiempo en detalles.

—¿Qué te trae por aquí? —preguntó la Cobra mientras encendía un cigarrillo.

La chica se había despatarrado en un sillón de tres cuerpos, para seguir con lo que estaba haciendo antes de mi llegada: jugar con la PlayStation. Me senté en una de las sillas, junto a una mesa enorme de mármol y desplegué los documentos a nombre de Charo Balboa.

—Estos están quemados, no me sirven más. Tengo apuro y dinero —dije.

La Cobra me miró mientras tiraba la ceniza del cigarrillo en el piso y desapareció por una puerta, sin decir una palabra.

—¿Cómo te llamas? —le pregunté a la chica.

—Miranda —contestó con los ojos fijos en la pantalla de un televisor de última generación.

Sin pensar demasiado, calculé que Miranda podría llegar a cobrar entre mil y mil doscientos euros por servicio sexual. Era muy joven, con aspecto de niñita de escuela privada y, además, cada vez más hombres buscaban cuerpos con redondeces. Espanté rápido esa idea de mi cabeza, me costaba desacostumbrarme a los gajes y pensamientos del oficio.

La Cobra volvió con una caja de cartón que, en algún momento, había albergado unos zapatos Louboutin.

—A ver... Miremos qué tenemos por aquí —dijo la Cobra y acomodó sobre la mesa el contenido de la caja.

Eran pasaportes e identificaciones de distintos países. Como un experto, fue abriendo cada uno de ellos al mismo tiempo que comparaba mi rostro y mi edad con la documentación. En eso estábamos, cuando unos golpes desesperados en la puerta nos distrajeron de la tarea.

—¡Eh, coño! ¿Qué es ese barullo? —gritó la Cobra—. Sofía, ve y abre la puerta.

Largué una carcajada. Me gustó el talento para mentir de Miranda que, en realidad, era Sofía. El causante de los golpes había sido un muchacho tan joven como ella, pero muchísimo más arruinado. En la frente, tenía tatuada una cruz. Sin dudas, no era el tipo de adolescente que tiene una casa bonita cerca del Parque Güell, ni fotos con padre y madre sobre los muebles. La Cobra se mostró interesado en la llegada de la visita.

—¿Qué traes? —preguntó y le arrancó la mochila Adidas que el chico llevaba colgada del hombro.

La Cobra revisó el contenido, sacó una billetera de cuero con documentos y la separó.

—Esto no me interesa, te lo puedes quedar —dijo mientras le lanzaba la mochila. El muchacho la atajó con pericia. Luego la Cobra agregó—: Sofía, guarda estos documentos, son «clase cuatro».

Yo conocía a Miguel Follet desde mucho antes de que fuera la Cobra. Había sido el encargado de suministrar las drogas para el negocio que manejé durante años, la prostitución VIP. Varios me decían que el chico era muy joven, que no tenía la protección de un padrino, que no provocaba respeto, que parecía más un *dealer* de puerta de colegios que el proveedor de drogas de un negocio grande como el mío. Jamás presté atención a esas críticas, solo les respondía a quienes argumentaban que, como Miguel era un adicto, no podía manejar la venta de drogas. «Yo soy una puta y manejo putas», decía y daba por finalizada la discusión.

Con el tiempo, y luego de una fracasada internación para rehabilitarlo, Miguel se dedicó a un negocio mucho más rentable que el de los sobres de cocaína y pastillas: la venta de documentos. Lo que lo distinguía del resto de los vendedores de identidades era que él no vendía documentación falsa. Su mercadería era original. Por eso yo elegía sus servicios o lo buscaba cada vez que se lo tragaba la tierra.

Me gustaba muchísimo cómo categorizaba el negocio. Los documentos «clase cuatro» eran los más baratos, provenían de robos callejeros. Tenían poca duración porque las víctimas hacían la denuncia policial, tener encima esas identificaciones que acababan de ser robadas era un riesgo. Los «clase tres» daban un poco más de margen, eran hurtados a los desprevenidos en el metro o en algún restaurante. Antes de denunciar, los distraídos solían buscar en sus casas o en sus autos, creyéndolos olvidados. Los «clase dos» eran caros porque pertenecían a personas que estaban internadas en geriátricos o en hospitales; había que pagar la complicidad de enfermeros que los robaban mientras los pacientes tenían otras prioridades, como salvar sus vidas, por ejemplo. Los «clase uno», que podían llegar a costar hasta cinco mil euros, daban una cobertura casi total, porque los dueños estaban muertos. Una red de sepultureros y trabajadores de cementerios se encargaban de hacerlos desaparecer. Los familiares estaban ocupados llorando y los dueños, debatiendo en el purgatorio si irán al cielo o al infierno. El documento de Charo Balboa era, por supuesto, «clase uno». Nunca me gustaron las ofertas ni las cosas baratas.

Sofía dejó los documentos tirados en el sillón y siguió jugando con la Play. Con una palmada en la espalda y cien euros, la Cobra despidió al ladronzuelo. Antes de irse, el muchacho sacó del bolsillo de su pantalón un cigarrillo de marihuana.

—¿Tienes fuego? —me preguntó.

Conozco bien las intenciones de los hombres. Todo varón de más de catorce años siempre busca la manera de acercarse a una mujer con un solo fin: coger. Un sesenta por ciento arranca con una pregunta estúpida.

—Claro que tengo —contesté divertida y le alcancé el encendedor violeta que me habían dado en el Suites Royal. Era lo único que ese niñito iba a tener alguna vez de una mujer como yo.

—Bueno, bueno, vete ya —dijo la Cobra.

El chico obedeció y se fue sin despedirse de nadie.

—Disculpa, Sirena. Este negocio es veinticuatro horas y tengo que atender a todos —explicó la Cobra—. Veamos si tus documentos de Charo Balboa están quemados. Te puedo ofrecer algo que me llegó hace unos días. Es un «clase uno», por supuesto.

Revisé con atención lo que me ofrecía: un pasaporte español vigente, a nombre de Vera Garcés. La edad coincidía, solo teníamos que cambiar la foto.

—La pobre Verita murió en un accidente de auto. Era una chica buena, ningún antecedente policial, está bien limpita. Es de lo mejorcito que tengo, pero es caro… Tú sabes —dijo la Cobra como si me estuviera vendiendo una vestido en una tienda.

Levanté la mirada de la imagen del rostro de Vera Garcés y le clavé los ojos a la Cobra, con la ceja derecha levantada.

—Nunca el dinero fue un problema para mí, Cobrita. —Me puse de pie y, con ambas manos, levanté la parte delantera de mi buzo, dejando a la vista mis tetas perfectas, apretadas en un corpiño de encaje negro, y agregué—: Mira bien, mi cuerpo es una máquina de hacer billetes.

—Seis mil euros —dijo como respuesta.

Abrí mi cartera y puse los fajos sobre la mesa. Unas horas antes había pasado a chequear el contenido de mi caja de seguridad en el banco. La Cobra guardó el dinero en el cajón de una alacena y comenzó a preparar el set de fotografía; también apoyó en la mesa una cajita de metal llena de hilos, pegamentos y cintas adhesivas, una impresora especial y una carpeta con los elementos necesarios para cambiar la foto de Vera por la mía en el documento. Una tarea misteriosa que llevaba adelante como un profesional del embuste.

Apoyada contra una pared blanquísima y con el cabello recogido en una cola, mi foto quedó perfecta.

—Tienes cara de Vera Garcés —sentenció la Cobra.

Mientras él se dedicaba a recomponer el pasaporte, me senté en el sillón con Sofía. La chica me miró incómoda, sacó un paquete arrugado de cigarrillos del bolsillo de su campera de *jean* y se levantó.

La seguí hasta el porche de la casa. Se sentó en una de las sillas de mimbre y, con un gesto, me invitó a hacer lo mismo. Durante un rato estuvimos en silencio. Fui yo la que decidió interactuar.

—¿Miranda o Sofía, qué prefieres? —pregunté con gracia.

—Para ti, Miranda —contestó con una sonrisa de dientes blancos.

—¿La Cobra es tu novio?

—¡No, qué va! —exclamó—. Es mi primo. Hijo de la hermana de mi madre. Mis padres están de vacaciones en Sudamérica y… bueno, le damos alojamiento.

Asentí con la cabeza y me quedé mirando las volutas de humo que salían de la boca de Miranda.

—Mis padres no saben nada del trabajo de mi primo, tampoco saben que yo lo ayudo hace tiempo. Me gano un dinerito y junto historias —dijo sin que yo le preguntara nada.

—¿Historias? ¿Cómo es eso?

—Claro, historias. Cada vez que Miguel trae documentación, yo me encargo de buscar información de los dueños de los documentos. Facebook, Instagram, Twitter. Antecedentes y todo lo que aparezca en Google. Las personas ya no tienen vida íntima, todo está en la red. Y con esas historias hago evaluaciones de riesgo. —Prendió otro cigarrillo con el que estaba terminando de fumar y siguió—: Tengo un cuaderno en el que voy anotando cada una de las historias. Alguna vez voy a escribir un libro, yo quiero ser escritora.

—Qué interesante —dije con sinceridad.

De repente sentí un deseo irrefrenable de saber quién había sido la mujer que habité durante el último año. La mujer de la que hoy me despedía.

—¿Y cuál es la historia de Charo Balboa? —pregunté.

Miranda se quedó pensando unos segundos.

—Charo Balboa está muerta, eso lo recuerdo. —Se puso de pie y agregó—: Quédate aquí, voy por mi cuaderno. Miguel tiene para un rato, se toma su tiempo.

Esperé allí sentada el regreso de Miranda. Hacía tiempo que no sentía curiosidad genuina por otra persona que no fuera yo. Quería saber todo sobre Charo Balboa. Percibí que ese nuevo sentimiento me dotaba de un ímpetu sin orden, peligroso.

24

Antes de cruzar las puertas del reclusorio, le dieron un teléfono celular que solo tenía agendado el número rojo. Un guardia de seguridad lo había sacado de la cama, interrumpiéndole la siesta tardía.

—No es tiempo de dormir, Leone. El jefe me manda decir que te pongas las mejores galas. En un rato te abrimos la reja grande.

Las mejores galas eran algunas de las ropas nuevas y elegantes que le habían dejado en una valija y la reja grande, la frontera hacia la libertad. Ciro Leone eligió unos pantalones de gabardina negros, un pulóver escote en V color celeste, una campera negra y las zapatillas Nike. No recordaba haber tenido unas tan nuevas y perfectas.

Una limusina pequeña lo llevó desde la afueras de Barcelona hasta el centro. No pudo evitar sonreír, se sentía una Cenicienta con exceso de testosterona. Le habían dicho que no cruzara palabra con el chofer y, a pesar de que se moría de ganas de preguntar a dónde lo llevaban, obedeció. A medida que el auto avanzaba, reconoció los lugares, las calles y las plazas. Si la situación no hubiese sido tan extraña, habría pedido hacer el recorrido caminando.

La noche estaba fresca pero agradable. Nunca en su vida había necesitado tanto respirar un aire que no fuera el del encierro. Desde chico, cada vez que viajaba en un auto, jugaba a apostar contra sí mismo: cerraba los ojos y pensaba en un color de automóvil; cuando los abría, contaba hasta diez. En esos diez segundos, tenía que aparecer en la calle un auto igual al imaginado. Si eso sucedía, se ganaba una cerveza; caso contrario, tenía que pagarle una a la primera persona que se le cruzara. Abrió y cerró los ojos varias veces, no era su noche de suerte.

—Llegamos, señor —dijo el chofer al mismo tiempo que estacionaba el auto en la puerta de un hotel.

Ciro salió de sus recuerdos y, por un instante, dudó de que el hombre le estuviera hablando a él. No era habitual que le dijeran «señor» y, además, estaban frente a uno de los mejores hoteles de la ciudad: el Hotel Regiá. No tuvo tiempo de preguntar. El chofer se bajó del auto y, con dos movimientos perfectamente aceitados, sacó la valija del baúl y la llevó hasta la puerta vidriada.

—Tomá, esto es para vos —dijo Ciro y le dio un billete de diez euros—. Comprate dos cervezas. Te las ganaste.

No llegó a ver la cara de desconcierto del chofer. Rápidamente cruzó las puertas del Regiá. No era la primera vez que Ciro Leone pisaba esos pisos lustrados y olía la fragancia exclusiva del ambiente. Una amante brasileña, bastante mayor que él, lo había invitado a pasar una tarde de lujuria entre las sábanas de algodón del hotel. Un romance de ocho horas que había empezado en las playas del centro y había terminado en el hotel, al ritmo de canciones de Caetano Veloso.

El teléfono celular vibró en el bolsillo del pantalón. «Habitación 510», decía el mensaje de WhatsApp. Miró hacia los costados, necesitaba saber si alguien lo estaba espiando. Antes de ir a la recepción, recorrió el bar del *lobby*, que estaba a su derecha. Las mesas y los sillones estaban vacíos, nadie tomaba café o tragos esa noche. Detrás de la barra de madera, un hombre vestido con saco blanco y corbata gris leía, acodado, una revista. Ni siquiera levantó la vista cuando Ciro se acercó, sin disimulo, para certificar que no tuviera un teléfono celular a mano. Resignado, desanduvo sus pasos y se acercó a la mesa de recepción.

—Habitación 510 —dijo resuelto.

La recepcionista tardó unos segundos en reaccionar. El efecto que causaba en las mujeres era algo a lo que Ciro estaba acostumbrado, por lo que no le llamó la atención la demora en la respuesta.

—Ciro Leone, ¿verdad? —preguntó la chica con una sonrisa que le ocupaba toda la cara.

—Soy yo, sí.

Le hizo llenar el formulario de rigor y le acercó un cartoncito con dos tarjetas magnéticas.

—Bueno, estas son las llaves de la puerta de la habitación, está en el quinto piso. También tiene anotada la clave de wifi. Ya le llamo a alguien para que le lleve la maleta, señor Leone.

—¿Por qué hay dos policías afuera? —preguntó Ciro.

—Es por seguridad —contestó la chica con un tono evasivo.

Ciro tenía analizadas las medidas de seguridad de todo el centro de Barcelona, su supervivencia dependía de alejarse de los lugares custodiados y de hacerle caso a su instinto.

—No entiendo —insistió—. Este es un lugar seguro. ¿Hay algo de lo que no estoy enterado?

La recepcionista dudó y prefirió el silencio; para disimular, empezó a teclear en su computadora.

—Ey, Noralí, no te asustes —dijo Leone señalando la chapita de identificación que la recepcionista tenía en la solapa del uniforme y apelando a lo que sabía nunca fallaba, su encanto—. Soy un hombre curioso y, bueno, me gustaría que compartamos ese secreto, si es que lo hay.

—No hay secretos —contestó Noralí sin poder controlar el rubor en sus mejillas—. La noticia ha salido en algunos periódicos.

Ciro frunció el ceño mientras escuchaba con atención.

—Una mujer fue asesinada aquí en el hotel, en una de las habitaciones, y uno de nuestros empleados quedó demorado. Es una situación muy desagradable…

—Epa, esto sí que no me lo esperaba —exclamó Ciro sorprendido—. ¿El asesino estaba con la mujer? No entiendo, este es un hotel de lujo…

—Creemos que era una chica que brindaba servicios. Bueno, usted imaginará, no quiero decir cosas que no son…

—Muy terrible, Noralí —la interrumpió Ciro. Su instinto le decía que no era casual que lo hubiesen alojado justo en ese lugar, prefería mantener un perfil bajo—. Bueno, gracias. Subo a mi habitación. Estoy cansado, vengo de un viaje muy largo.

—Sí, claro. Que tenga buenas noches, señor. Ya usted sabe, voy a estar aquí toda la noche, para lo que usted necesite.

Noralí remarcó tanto las últimas palabras que a Ciro no le quedó otra opción que sonreír para que no se sintiera rechazada. No le gustaba herir a las mujeres.

La habitación 510 era una mezcla de lo que recordaba de su tarde con la brasileña y lo que había imaginado: cama extragrande, acolchado de plumas, tapetes elegantes que dotaban al lugar de un aspecto más de hogar que de hotel, un baño espacioso y compartimentado lleno de botellitas con productos de primera calidad, un frigobar hasta el tope de distintas bebidas y unas cajitas de golosinas y confituras de Ladurée de París. Lo primero que hizo, incluso antes de sacarse la zapatillas, fue probar los caramelos de praliné de esa tienda francesa de la que tanto había escuchado hablar; su paladar determinó que no eran gran cosa. Se quitó el gusto dulce de la lengua con unos tragos de un champán delicioso que venía en botella individual.

Dos golpes suaves en la puerta bastaron para quitarle el entusiasmo que tenía en probar todo lo que el Regiá ofrecía. Uno de los talentos de Ciro Leone era la capacidad de disfrutar aun en las adversidades, siempre creyó que era una virtud de su ADN argentino. Abrió la puerta sin preguntar quién estaba del otro lado.

—Buenas noches, Leone. ¿Puedo pasar?

Donato Melliá entró en la habitación sin esperar respuesta. Estaba vestido con la misma ropa con la que Leone lo había visto unas horas antes, cuando lo había despedido en el reclusorio y le había advertido que sus movimientos iban a estar controlados, no fuera cosa que confundiera lo que estaba sucediendo con la libertad.

—Veo que la estás pasando bien —dijo señalando con la cabeza la botellita de champán que Ciro tenía en la mano—. Dame una, estoy fuera de horario de servicio y necesito algo que me levante.

En lugar de champán, Ciro le ofreció dos minibotellas de *whisky*. Melliá las aceptó sin chistar.

—Tu tarea, por ahora, va a ser muy simple. Vas a tener que estar cerca, lo más cerca posible, de una mujer. Si se te escapa, no creo que vuelvas a ver la luz del sol.

—Sí, ya lo sé. Me va a dejar metido en el reclusorio para siempre, ya me lo dijo —contestó Ciro, altanero.

—Desde las tumbas, bajo tierra, tampoco se ve la luz del sol, Leone. Toma asiento y deja de actuar como si esto fuera un juego de niños. Tu vida y, aunque no lo creas, la mía dependen de que te enfoques.

Ciro obedeció, no le quedaba otra opción.

—Te decía que vas a tener que controlar muy de cerca a una mujer —repitió Melliá mientras, desde su celular, mandaba un mensaje—. No debes perderle el rastro, pero primero la tienes que encontrar. Ya se te indicará en su momento qué es lo que vas a hacer con ella. Fíjate en tu celular, te acabo de mandar unas fotos.

La mujer era tan bella como camaleónica. Ciro agrandó cada una de las fotos para certificar que en todas fuera la misma persona. Lo era. Estar cerca de esa mujer no le parecía una tarea sacrificada, pero no comentó nada; mejor que fuera Melliá el encargado de decir algo.

—Es bella, lo sé. Se te notó la opinión en la cara, pero no todo es lo que parece, Leone. Vas a tener que ir con mucho cuidado.

—¿Cómo se llama?

—Según nos acaban de informar nuestros contactos, ahora se llama Vera Garcés. Su apodo es «la Sirena», y es una asesina.

25

La casa de Silvestre Loreira era una más, idéntica a todas las del barrio que rodeaba al parque Güell: fachada prolija como si la hubiesen acabado de pintar, ventanas con vitrales sostenidos en madera lustrada, un pequeño jardincito delantero, porche con sillones y rejas bajas que daban a las veredas. Pero cada dueño buscaba un detalle que distinguiera su casa de las casas vecinas, algo que los definiera como moradores distintos a los otros: llamadores de ángeles o atrapasueños con cascabeles y plumas, estatuitas de yeso con formas de cisnes o lechuzas, macetas con azulejitos de colores emulando la obra de Gaudí o, simplemente, una chapa esmaltada con el apellido de la familia.

Los Loreira habían levantado un pequeño altar junto a la reja, del lado de adentro. Lo observé durante unos minutos, era la Virgen de Guadalupe. La estatuilla estaba pegada sobre un cubo de cemento y le habían confeccionado un manto de raso y lentejuelas. Algunas estaban bastante descoloridas; sin embargo, se veía bonita y luminosa. Metí la mano entre los barrotes, la apoyé en el centro de la imagen y repetí una oración que estaba alojada en algún rincón oscuro de mi memoria. Me conmoví. Saqué la mano de golpe, como si la Virgen quemara; parecía haberse convertido en fuego. Me reproché el gesto y prometí ahí mismo, frente a la Guadalupe, no volver a caer en trampas sensibleras. La emoción es oscura, tan temible como un barranco.

Saqué un espejito de mi cartera y certifiqué que en mi rostro todo estuviera en orden: el moretón bajo el ojo derecho, pintado con una mezcla de maquillaje negro y morado, el delineado hecho con un lápiz rojo que le daba a mis ojos el aspecto de haber llorado mucho y el peinado bien tirante, sostenido con un moño en la nuca. Estaba convencida de que una mujer con ese peinado tan decente y fuera de época no despertaría las sospechas de nadie. Moví la cabeza de un lado al otro, hice girar los hombros para ablandar la tensión del cuello y apreté con fingida desesperación el timbre de la casa de Silvestre Loreira.

La luz del porche se encendió. De lejos, escuché ladrar al perro de la familia. Un hombre de unos setenta años abrió la puerta y cruzó el jardín delantero. Él también tenía un moretón en uno de sus pómulos.

—Ay, señor, disculpe la hora —dije en voz bien alta y me puse a llorar. Soy muy buena para representar el llanto.

Silvestre puso cara de preocupación, pero no la suficiente como para abrir la reja.

—Señorita, ¿qué sucede? —preguntó.

Saqué de mi bolsillo una billetera de cuero, metí la mano entre los barrotes y se la alcancé.

—¡Dios mío y la Virgen! —exclamó.

La reconoció al instante. Abrió el cierre de metal y sacó sus documentos.

—Esta tarde un ladronzuelo me golpeó en plena avenida y me quitó el teléfono y mi documentación…

—Un joven muy flaquito. Tenía una cruz tatuada en la frente, estoy segura. Me acaba de robar hace una hora a mí también —mentí—. Lo corrí durante varios metros y no conseguí atraparlo, pero en la huida se le cayó su billetera. Revisé todo, copié la dirección del documento y me vine hasta aquí para devolverlos.

—¡Ay, niña querida! —dijo el hombre, y finalmente abrió la reja para invitarme a pasar.

Me negué. Mi maquillaje era bueno, pero prefería no arriesgar tanto, me faltaba solo una parte pequeña del plan.

—Gracias, señor. Prefiero ir a mi casa, estoy muy cansada y angustiada…

—De ninguna manera, niña. Tienes un magullón en el ojo. Si quieres, con mi auto te puedo llevar a un hospital o a donde tú digas —insistió.

—No, no, gracias. No es necesario. Solo quise devolver lo que no es mío y pasarle un dato que tal vez le pueda interesar…

Silvestre Loreira mostró especial atención.

—No pude atrapar al ladrón porque se metió en una casa. En un momento pensé en entrar por la puerta trasera o saltar la reja, pero desistí. ¿Qué podría haber hecho una mujer indefensa como yo en lo que tal vez sea un reducto de ladrones?

—Hizo muy bien, niña, qué peligro. Hay que andar con mucho cuidado, esta gente es la mafia. La juventud está perdida con las drogas y la vagancia. Los jóvenes ya no trabajan, quieren todo fácil…

—Tiene usted tanta razón —lo interrumpí—. Hay que acabar con esto. Yo copié la dirección de la casa, pensé en hacer la denuncia a las autoridades, pero estoy tan asustada...

—Yo me encargaré, mi niña, yo me encargaré. Mi hijo trabaja en el ayuntamiento, haremos la denuncia que corresponda. Tú ya has pasado bastante por hoy.

Me despedí de Silvestre Loreira con abrazos, llantos, agradecimientos y recomendaciones de cuidado.

No recuerdo cuántas cuadras caminé hasta llegar al centro de Barcelona. La red de subterráneos había cerrado y nunca me gustó subirme a taxis en la calle. Además, tampoco tenía muy en claro mi bitácora de futuro. La voz de Lilita, una excompañera de rutas y camas, sonó en mi cabeza: «Un *shawarma* es lo único que aclara los pensamientos». Sonreí y crucé el Born, mitad caminando y mitad bailando *Lucky Star*, la canción de Madonna que la Cobra solía escuchar cuando, con sus manos de artista de la falsificación, modificaba los datos de los pasaportes.

El cartel turquesa con letras de luces de neón me daba la bienvenida al mundo de Amadour, un marroquí que había levantado fama a fuerza de condimentar como nadie las láminas de cordero que acomodaba en pan de pita para fabricar el *shawarma* más delicioso. El local se veía tal cual lo recordaba: amplio, con el piso de linóleo tan engrasado que era imposible determinar si era gris o azul, y con las mesas de fórmica en las que se distinguían claramente las huellas digitales de los comensales de las últimas veinticuatro horas. Con una servilleta empapada en alcohol en gel que, tan gentilmente, Amadour dejaba sobre el mostrador, limpié con dedicación la mesa del fondo y me acomodé a esperar la comida. Ser, a esa hora, la única clienta tuvo su premio: el marroquí le agregó papas asadas a mi pedido.

Saqué de mi cartera el legajo de Alexandre y, con el fibrón amarillo, taché «MIGUEL FOLLET, ALIAS "LA COBRA"». El ruido de la punta del marcador sobre el papel me causó un escalofrío, mezcla de placer y deseo; ambas sensaciones tenían que ver con el trabajo bien hecho. Sé que la dificultad radica en distinguir qué decisiones están bien y cuáles mal. Pasar a cobrar las deudas siempre es un logro que merece ser celebrado; aunque recuerdo que lamenté no haber podido ver las caras de Celestino, Claudia y Miguel cuando les llegó la cuenta con el precio que tenían que saldar por la traición.

Guardé el legajo y me concentré en el cuaderno de historias de Sofía-Miranda. Además de haberme llevado con disimulo los documentos robados de Silvestre Loreira, también me hice ese regalo. Las tapas del cuaderno eran amarillas, con los bordes dibujados con tinta china de color azul. Se veía que Sofía-Miranda, además de recopilar historias y jugar con la PlayStation, se dedicaba a dibujar.

Pasé las hojas una por una. Con el dedo índice, acaricié cada línea de letras redondeadas, como si con la yema pudiera ayudar a mis ojos a encontrar la única historia que me interesaba. Llegando al final del cuaderno, la encontré. En la parte superior, decía en imprenta y con mayúsculas: «CHARO BALBOA». Debajo del nombre, estaba pegada la foto original del documento; el verdadero rostro de Charo, ese rostro que fue intercambiado por el mío.

La Charo original había nacido algunos años antes que yo y estaba muerta. Sonreí ante la paradoja. Ella se me había adelantado al nacer, pero yo me había adelantado a morir: mi verdadero yo, Cornelia Villalba, había desaparecido de este mundo mucho antes. Charo tenía una cara redonda y mejillas rosadas, unos ojos grandes bien oscuros y una boca de labios finos. En la foto, llevaba el cabello recogido hacia atrás; se notaba que era castaño y ondulado. Había nacido un 6 de febrero, bajo el signo de Acuario. Cuando la Cobra me vendió esa documentación, lo primero que hice fue buscar en internet las características del signo. Si iba a ser acuariana, tenía que estar informada.

Las anotaciones de Sofía-Miranda indicaban que Charo Balboa era oriunda de Bilbao, del país vasco, pero había pasado su vida adulta en Barcelona. Había trabajado como maestra en distintos colegios y, en sus últimos años, había vivido con su madre y su hijo en las afueras de la ciudad. Me detuve en ese detalle, no solo porque la biógrafa había subrayado este tramo del relato, sino porque yo no sabía que Charo había sido madre. Según mis cálculos, ese niño era apenas un bebé cuando su madre murió de un cáncer terminal, después de meses de tratamientos inútiles. Imaginé que Romeo —ese era su nombre según el cuaderno— estaría a cargo de su abuela materna. No decía mucho más sobre Charo Balboa, apenas unas líneas definían la vida que yo había robado. O, mejor dicho, que yo había comprado.

La curiosidad, que llegó como si fuera una espina fina y aguda clavada en el pulgar, se convirtió en una de esas incomodidades sutiles que permiten seguir viviendo, pero que tienen la latencia de algo que, aunque pequeño, está presente; algo de lo cual, tarde o temprano, tendremos que dar cuenta.

Amadour llegó acompañado de una nube aromática de *curry*, pimientos y vaya uno a saber qué otras especias. Puso un plato enorme de *shawarma* con papas en mi mesa y, como por arte de magia, el rastro de compasión que había sentido, segundos antes, por Charo Balboa desapareció. Los sentimientos en mi cuerpo tienen la fugacidad de una mariposa.

Me arremangué, apoyé los codos en la fórmica y devoré la comida. Me limpié las manos y la boca con otra servilleta de papel y más alcohol en gel, saqué el pasaporte de Vera Garcés y lo miré un buen rato. Qué razón tenía Lilita: el *shawarma* me había aclarado las ideas. Ya sabía lo que tenía que hacer.

26

Se despertó como nuevo. A pesar de haber dormido pocas horas, el colchón, las almohadas y las sábanas perfectas del Regiá parecían haber duplicado el tiempo de descanso. Después de estirar los músculos, se dio un baño y luego eligió un conjunto cómodo de la valija de ropa nueva que le habían dado en el reclusorio.

Mientras desayunaba unos huevos revueltos con pan tostado y un café con leche, planificó su día, que giraba en torno al nombre de una mujer: Vera Garcés. El jefe Melliá no le había dado demasiados datos. Sabía que usaba una identidad falsa y que era peligrosa; también le había pasado una lista de lugares que, en algún momento, habían sido frecuentados por la mujer fantasma.

Ciro Leone conocía como nadie los bajos fondos de Barcelona; gracias a las redes que durante años había tejido en la ciudad con maleantes, prostitutas y rateros, había logrado sobrevivir. No tenía muy en claro por qué había sido el elegido para tamaña tarea y tampoco sabía cuál era el motivo por el que la tal la Sirena importaba tanto. Las dos circunstancias lo tenían sin cuidado, estaba acostumbrado a enfrentar los desafíos sin pensar demasiado.

Empezó a marcar el teléfono de Diana, necesitaba saber si seguía presa o la habían largado, pero enseguida desistió. No quería que el número de su amiga quedara en la memoria del celular que le habían dado a cuenta. Antes de retirarse del bar del hotel, guardó en el bolsillo de su campera de gabardina la propina que otros pasajeros habían dejado en las mesas. Calculó unos cuarenta euros en total.

Salió a la calle. No pudo evitar el impulso de cerrar los ojos y dejar que el sol tibio le diera de lleno en el rostro. Respiró profundo para que el aire con los olores de la ciudad le inundara el cuerpo. Caminó con paso rápido por la Rambla y se metió en el Barrio Gótico.

—¡Ey, argentino! ¿Te han largado? —exclamó el Chano, un gitano conocido de la zona—. Mírate cómo andas vestido… ¿Acaso has ganado la lotería?

Ciro se acercó a la mesita de plástico en la que el Chano trabajaba. Tenía un mantelito verde, un mazo de cartas españolas y una lata en la que los desprevenidos dejaban unos euros a cambio de una lectura de la suerte.

—Aquí voy, amigo. Estoy en una buena —contestó Ciro.

El gitano no insistió; en el mundo de la calle, una de las cosas que más se respetan son los silencios. Se sabe, como si fuera un mantra, que la información, muchas veces, es una bomba caliente que puede hacer volar por los aires a todos.

—Ando buscando a Diana. Cayó conmigo en una redada y no sé si sigue en la cárcel o ya la soltaron.

El Chano le ofreció una sonrisa de dientes de oro y un cigarrillo que Ciro no aceptó, y le hizo un reclamo.

—Deja tranquila a la Dianita, Leone. Ella quiere hacer las cosas legales y tú la llevas siempre por el mal camino.

—¿Está libre?

Como respuesta, el gitano dio vuelta las tres primeras cartas del mazo sobre la mesa: el as de bastos, el siete de espadas y el siete de oros.

Ciro Leone no pudo evitar pensar que, si hubieran estado jugando al truco, con esas tres cartas podría ganar una mano sin problemas, pero las intenciones del Chano eran otras.

—Mira bien, argentino. Aquí lo dicen clarito las cartas. Para conseguir el oro, deberás luchar con el palo y matar con la espada. Las cartas no mienten. Eso está haciendo la Diana, se está ganando el oro con una espada gigante.

Ciro dudó unos segundos, mientras interpretaba lo que el gitano le estaba queriendo develar.

—Ya entendí —dijo con la satisfacción de quien adivina el número de la suerte—. Gracias, amigo, te debo una.

—Aquí no se fía, argentino. Nadie debe nada —contestó estirando la lata de las propinas.

El ruido de las monedas contra el metal fue el saludo de despedida entre los dos hombres.

Ciro Leone cruzó la Rambla corriendo a toda velocidad. Muchos de los extranjeros que, de a poco, empezaban a copar el centro turístico se daban vuelta para mirarlo. Algunos con asombro; otros, con temor. Llegó hasta el final y bajó la velocidad de sus piernas, siempre caía rendido ante la grandilocuencia del Mediterráneo.

Se quitó las zapatillas y tocó con los pies la arena. Al principio la sintió seca pero, a medida que fue hundiendo los dedos, comenzó a volverse húmeda. Los feriantes estaban armando sus carritos de artesanías y confituras locales con la tranquilidad de los que saben que, en temporada baja, los turistas no llegan temprano a la playa. Ciro se quedó clavado en la arena viendo cómo la Diana, con el cabello metido dentro de una gorra deportiva, armaba la estructura de metal que se convertiría en un parador. No pudo evitar sonreír al verla tan dedicada a una actividad legal; tampoco pudo evitar mirarle el trasero, enfundado en unos *jeans* negros que parecían haber sido fabricados solo para ella.

Con ambas manos, Diana desenrolló un cartel de lona plastificada con el nombre del parador: «La espada del gigante». Las letras eran negras, sobre un fondo amarillo; en un costado, en azul y dorado, se distinguía el dibujo de una espada medieval. Se paró en puntas de pie y estiró los brazos lo más posible para colgarlo en la estructura de metal. Cuando estaba a punto de largar el cartel, por detrás, las manos de Ciro la ayudaron a colocar la lona en los ganchos. Diana se dio vuelta de golpe.

—¡No lo puedo creer! —gritó y, al mismo tiempo, se colgó del cuello de su amigo y amante—. ¡Te han largado! ¡Qué alegría!

Ciro la abrazó con ganas genuinas, y también para que Diana no le viera los ojos; ella era muy buena para descubrir evasivas y mentiras.

—A ti también, por lo que veo —respondió Ciro, hundiendo la cara en el cuello de la mujer.

—Sí, pero bajo promesa de no ser atrapada en ninguna cosa extraña. Por eso aquí me ves, vendiendo los jugos y embutidos de doña Almendra. He vuelto al primer trabajo… ¿Recuerdas? Aquí me conociste.

Ciro recordaba perfectamente aquella primera vez, pero no tenía tiempo para las remembranzas. Su libertad se escapaba entre las agujas del reloj que tenía el jefe Donato Melliá.

—Necesito tu ayuda, Diana.

—No, Ciro, no. No puedo pecar ni por un segundo. Tú sabes que eres mi debilidad, pero no quiero pasar los días que me queden metida en un agujero de barrotes…

—Ya, ya, ya, jamás te haría algo así. Solo necesito que me ayudes a pensar, necesito tu cerebro de mujer.

Diana puso sus manos en la cintura y achinó los ojos.

—¿Y ese machismo? ¿De dónde lo has sacado?

—No seas sensible, Dianita. No es eso, tú sabes que amo a las mujeres y que pienso que…

—¡Basta ya, machirulo! —exclamó entre carcajadas—. Larga ya mismo qué es lo que necesitas.

Ciro no llegó a consultar sus dudas. El teléfono celular vibró. El jefe Melliá le había mandado dos mensajes de WhatsApp. En uno decía: «Hotel Leger, habitación 213». El otro era una foto de la reserva de un asiento en el AVE, el tren que recorría la distancia entre Barcelona y Madrid. La habitación y el pasaje estaban a nombre de Vera Garcés. Guardó el celular, mientras Diana lo miraba expectante.

—Diana, si tuvieras que esconderte y contaras con un pasaporte falso, ¿qué harías?

Diana se quitó la gorra y sacudió su cabellera abundante. Se quedó un buen rato mirando las olas del mar. De repente, caminó unos pasos para un lado y se paró al final del pequeño camino que habían dejado sus huellas en la arena.

—¿Ves esto? —preguntó. Ciro asintió en silencio. Luego Diana hizo otro camino de huellas, pegado al primero, y agregó—: Y ahora, ¿ves esto otro?

—No entiendo qué me quieres decir —dijo confundido, sin sacar los ojos de la arena.

—Que los mismos pies pueden dejar muchas huellas, muchos caminos diferentes, y que muchos de esos caminos no llevan a ninguna parte, son falsos. Voy a terminar creyendo finalmente que el cerebro de una mujer es superior al de un varón, eh.

Ciro sonrió y con sus pies borró las huellas de Diana. La abrazó y la besó en la boca, con una mezcla de pasión y gratitud.

27

La estación de tren Barcelona Sants estaba atiborrada de gente. Todos parecían haberse puesto de acuerdo para salir de la ciudad, como si tuviesen el dato de un apocalipsis inminente. Había largas filas en los mostradores de venta de pasajes, en las cafeterías y en las puertas de los baños públicos. Las sillas de espera estaban ocupadas; los más jóvenes y los niños aguardaban sentados en el piso, con las cabezas hundidas en las *tablets* o en sus teléfonos celulares.

Ciro Leone cruzó el *hall* principal y preguntó dónde quedaba la sala Club. Según la foto que le había mandado Melliá, Vera Garcés había comprado un pasaje a su nombre en clase ejecutiva. Mientras esperaba en la puerta de la sala y, con ojo atento, intentaba reconocer con el celular a la Sirena en cada una de las mujeres que entraban y salían, llamó al hotel.

—Hotel Leger, buenos días —saludó del otro lado de la línea una señorita de voz mecánica.

—Habitación 213, por favor —dijo Ciro, con firmeza.

—¿A nombre de quién está la reserva?

—A nombre de Vera Garcés.

—Un minuto, por favor.

Durante ese minuto, una mujer con un abrigo de color verde, largo hasta los pies, pasó por el costado de Ciro. Llevaba el cabello atado en una cola de caballo y una valija mediana de color marrón.

—¿Vera Garcés, me dijo? —preguntó de nuevo la recepcionista del Leger.

Ciro caminaba detrás de la mujer de verde; iba sosteniendo el celular, pegado a la oreja, y apartando con una mano a los pasajeros que se cruzaban en su camino.

—Sí, Vera Garcés —respondió agitado, con la boca pegada al teléfono.

La mujer giró a la derecha y se encaminó hacia la plataforma de la que saldría, según el anuncio, el tren a Madrid.

—Tenemos esa habitación a nombre de la señora Vera Garcés, pero no se presentó aún en el hotel —dijo la recepcionista, y de inmediato agregó—: Aguarde un momento por favor...

Ciro seguía la conversación mientras intentaba no perder de vista a la chica de verde.

—Señor, disculpe la demora. Me dice mi compañero que Vera Garcés se comunicó para avisar que dejaba caer la reserva porque se adelantaba su viaje a Madrid.

Sin agradecer la información y sin despedirse, Ciro cortó la comunicación y apuró el paso. Antes de que la mujer le mostrara su pasaje al guardia que controlaba el ingreso de los pasajeros al andén, se puso a la par, fingiendo que buscaba el suyo en el interior de su campera. Pero no fue necesario seguir con la actuación: la mujer de verde no era la Sirena. Ciro Leone entendió perfectamente lo que Diana le había querido decir al marcar rastros falsos en la arena.

Tomó un taxi en la puerta de la estación Barcelona Sants y decidió jugar con sus herramientas; no eran demasiadas, pero sí fiables. Durante el viaje, volvió a prestar atención a las fotos que tenía de la mujer que buscaba. Cambiaba con facilidad su color y corte de cabello y también de estilo. Notó algo que no había advertido la primera vez que vio las fotos: la Sirena no se disfrazaba, optaba por convertirse en otra. Guardó el teléfono y enfocó la atención en las calles que se veían por la ventanilla del taxi.

«¿Cuál es el comienzo de las mentiras? ¿Por dónde arranca el embuste? ¿Por la vestimenta, por la imagen? ¿A partir de qué detalle se empieza a ser otro?», pensó Ciro en un intento por interpretar a la desconocida que buscaba.

—Vera Garcés… —susurró y, subiendo la voz, le indicó al taxista—: Cambio de destino, por favor. Vamos a la plaza Lesseps.

Las herramientas de Ciro Leone tenían que ver con sus contactos, su memoria y su capacidad de observación. Cuando decidió que Barcelona sería su lugar de residencia, se propuso no cometer los mismos errores que había cometido en Madrid, que lo llevaron a tener que mudarse para salvar el pellejo: no tener una dirección fija por mucho tiempo, no confiar en personas que no hubieran confiado antes en él y no relacionarse con todas las mafias callejeras. La clave era tener el contacto de quien sí lo hiciera.

Se bajó del taxi, se sentó en uno de los bancos rojos de la plaza Lesseps y esperó a que la señal fuera captada. Solo siete minutos demoró un adolescente vestido de negro y con una gorra con visera color verde en pararse frente a él y preguntarle qué necesitaba.

—Llévame con Aguilera —dijo sin dudar.

Lisandro Aguilera era uno de los hombres que manejaba las redes callejeras de la zona norte de la ciudad. Nadie podía robar, vender drogas, ejercer la prostitución o armar mesas de trileros sin su autorización y sin pagarle peaje. Ciro lo había conocido mucho tiempo atrás, cuando casi pierde la vida por defender a la hija de Aguilera de una violación. Logró frenar el ataque sexual, pero se llevó varios huesos rotos, dos semanas en el hospital y la bendición de un padre que pagaba traiciones y favores con la misma intensidad.

Aguilera no se dejaba ver por cualquiera, era muy celoso de su intimidad y tejía con pericia redes que lo alejaban del radar de la lista enorme de personas que tenían interés en pedirle ayuda o en hacerlo desaparecer del mapa. Su lugar para comunicarse era un banco, el último banco de la fila de bancos rojos de la plaza Lesseps y una clave a la que accedían muy pocos.

El adolescente lo miró de arriba abajo con desconfianza.

—Dame la clave —murmuró sin sacar los ojos de las manos de Ciro.

—Romina.

Romina Aguilera era la hija menor de Lisandro, la chica que, sin quererlo, había convertido a Ciro en un superhéroe. Diez minutos después de bajarse del taxi, estaba sentado a una mesa en el fondo de un galpón de venta de electrodomésticos, a diez cuadras de la plaza.

—Tómate ese jerez, amigo mío. Es de colección, tú lo mereces —dijo Aguilera.

—Muy bueno, Aguilera, muy bueno —dijo Ciro luego de bajarse de un solo trago el contenido del vaso.

—Vamos al grano, muchacho. ¿En qué problema te has metido?

—Ningún problema, ninguno. Ando detrás de un dato y pensé que tal vez tú me podías orientar, una pavada que necesito saber —respondió Ciro mientras se servía otra medida de jerez—. ¿Quiénes son los mejores falsificadores de documentos de la ciudad?

Aguilera se puso de pie, se acercó y le puso una mano en el hombro.

—No es una pavada eso, mi estimado amigo. ¿Andas buscando otra identidad?

—No, con la mía por ahora ando más que bien. Bueno, usted me entiende, tengo curiosidad…

—Me gusta, me gusta —dijo Aguilera y volvió a tomar asiento frente a Ciro—. Me gusta tu discreción, es cosa de hombres esa virtud. Hay dos muy buenos: José Carmelo y la Cobra. Dos muchachos jóvenes que andan muy bien y trabajan prolijo.

—Necesito verlos —dijo Ciro.

Aguilera arrancó una hoja de una libreta y garabateó unas direcciones.

—Toma —dijo deslizando el papel sobre la mesa—. Para ti esta información es gratis. Ya tú sabes que la dignidad de mi hija no tiene precio. Mi deuda contigo es eterna.

Se dieron un abrazo rápido pero profundo. El adolescente que lo había llevado hasta el galpón lo acompañó hasta la puerta del fondo, que desembocaba en un callejón oscuro y hediondo. Ciro abrió el papel y optó por caminar hacia la dirección más cercana.

A pocos metros de llegar, la cuadra estaba cortada. La policía había puesto una cinta de nailon amarilla para evitar que los vecinos curiosos se acercaran aún más. Ciro bordeó la cinta y se aproximó a una mujer policía que custodiaba el vallado.

—Señorita, necesito pasar —dijo señalando con el dedo una casita—. Voy al número 82 de esta calle.

—Imposible, señor, estamos en un operativo policial. Va a tener que esperar de este lado.

No tenía otra opción que obedecer. Se quedó parado en la esquina, tratando de adivinar qué era lo que estaba sucediendo. Dos señoras, una con la bolsa de la compra y otra con un perro caniche, intercambiaban información con la certeza de quienes conocen al detalle cada centímetro de la vida ajena. Ciro se acercó para escuchar la conversación.

—Mira, Lupe. Esa niña era extraña, tú sabes. Siempre andaba con unas compañías raras...

—Sí, la he visto. Se había hecho un tatuaje en la mejilla. Era clarito que terminaría mal.

Ciro no aguantó la curiosidad y se metió en la conversación.

—Disculpen la molestia, ¿saben ustedes qué sucedió?

—Sabemos —contestó Lupe con cierto orgullo—. Parece que hay un operativo en la casa de la familia Paredes. Los padres están de vacaciones no sé dónde y han detenido a la niña de la casa y a un muchacho todo harapiento, con una pinta que da miedo.

—Ah, mire usted. ¿Y por qué se los han llevado?

La otra mujer contestó con más dudas que certezas.

—Seguro que ha sido por drogas. Estos jóvenes siempre andan en eso de las drogas. Este barrio era un barrio tranquilo, pero de un tiempo a esta parte...

Un movimiento en la vereda de enfrente le llamó la atención. Ciro dejó de escuchar la perorata de las vecinas. Detrás de un arbusto tupido, alguien estaba agazapado, espiando. Se dejó llevar por su instinto y cruzó la calle corriendo. En cuanto se acercó, un chico tan flaco como largo se escapó por detrás de la planta.

—Ey, frena —gritó Ciro y se lanzó a la carrera detrás del chico.

Durante dos cuadras corrieron sin parar; a cada metro, el chico se daba vuelta para saber si se había quitado de encima al hombre que lo perseguía. A pesar de la diferencia de edad, el adolescente aflojó primero; la mala alimentación y el consumo de estupefacientes habían hecho estragos en un cuerpo que debería ser fuerte, pero no lo era. La persecución terminó con un salto de Ciro sobre la espalda del muchacho. Ambos rodaron por la vereda, agitados y con gotas de sudor.

—Date la vuelta, hijo de puta —gritó Ciro mientras lo ponía boca arriba.

Lo primero que le llamó la atención fue el tatuaje de una cruz dibujada en la frente, lo segundo fue que lloraba como si fuese un bebé.

—Eres policía, yo lo sé. No he hecho nada, yo apenas conocía a la Cobra.

Ciro levantó al chico de un tirón. Lo sorprendió lo liviano que era a pesar de sus huesos largos.

—No soy policía, pero estoy buscando a la Cobra —respondió.

—Tienes un mal día entonces. La Cobra está acabado, se lo llevó la policía, a él y a la prima. Alguien dio un aviso, supongo.

Ambos se apoyaron contra la pared, para recuperar algo del aire que habían perdido en la carrera.

—¿Cuándo fue la última vez que lo viste? —preguntó Ciro.

—Anoche, le traje unos documentos. Estaba con la prima y con una mujer muy bonita. Una clienta, seguro.

El instinto de Ciro volvió a encenderse.

—Si te muestro una foto, ¿podrías reconocer a esa mujer?

Como respuesta, el chico encogió los hombros. Ciro le alcanzó su celular sin dejar de sostenerlo. Solo un novato dejaría un celular de última generación en manos de un ladronzuelo adicto.

—Sí, es esta. Es la misma, aunque estaba un poco cambiada. Menos… no sé. ¿Menos elegante?

—Sí, puede ser. ¿Qué más recuerdas? ¿Dijo alguna cosa?

—No, nada. Bah, me regaló esto o se lo quité, no me acuerdo… Iba muy colocado —respondió el chico levantando ante los ojos de Ciro un encendedor violeta.

Ciro lanzó un golpe al aire y se lo arrancó de las manos.

—¡Goool! —gritó pegando un salto, ante la cara de sorpresa del chico—. Te tengo, Sirena.

28

Cada vez que ella la tocaba, cada vez que ella la besaba, cada vez que ella se le aparecía de sorpresa con un frasco de caramelos de miel caseros o con la invitación prohibida, Nadia sentía que podía construir en el vacío. Porque así percibía su vida: diecinueve años de un vacío absoluto. Tanto tiempo despoblado se llenó de golpe, como si alguien hubiese derrumbado la pared de un dique. El chorro gigante de agua que cubrió cada espacio y le dio sentido a todo apareció una tarde de lluvia con un vestido celeste con dibujos de gatitos y un paraguas de colores.

—¿Te acuerdas de que ni siquiera me miraste y tuve que dar varias vueltas a la cuadra para cruzarme nuevamente contigo? —preguntó Nadia mientras batía en una taza unas cucharadas de café instantáneo.

—¡Ah, pero eres una mentirosa increíble! Imposible no mirarte. En ese entonces llevabas una melena hasta la cintura, pintada de rojo furioso. Todo el mundo giraba a mirarte.

Les gustaba recordar el momento en el que se habían visto por primera vez, lo hacían a menudo. Siempre aparecía en el relato un dato nuevo y desconocido por la otra; cuando eso ocurría, reían a carcajadas. Ya no tenían en claro si aquel primer encuentro servía como ejercicio de la memoria o de la capacidad de reinventarlo una y otra vez.

Desde muy chica, Nadia usaba el cuerpo para manifestar sus emociones. En el jardín de infantes, pintaba con marcadores los vestidos caros que su madre le compraba y se dibujaba tatuajes efímeros en las piernas y en los brazos. La adolescencia llegó con una determinación feroz y un sinfín de posibilidades cromáticas: cabello rojo para los momentos felices, azul para las épocas tristes, violeta para la soledad y verde para los días en los que necesitaba ser vista para no sentirse invisible. El día en el que conoció a Romina Aguilera, el cabello de Nadia llevaba el rojo de la felicidad.

—Sí, recuerdo mi melena roja —aceptó—. Eran épocas lindas.

Romina se levantó de la cama y, con pasitos cortos, se acercó a Nadia; le quitó la taza de la mano y la abrazó. A pesar del amor que, como un fogonazo, las incendió a ambas, nunca volvió a su pelo rojo. Es que ya no había nada para pintar: una mañana tomó una rasuradora y quitó cada mechón hasta dejar su cuero cabelludo al descubierto. Y convirtió su piel en un lienzo en el que inscribía su dolor con navajas y sangre. Esa chica menuda y bonita devino en un ser doliente, cada cicatriz era una manifestación de su desconsuelo.

Romina pasaba horas acariciando con las yemas de sus dedos cada cicatriz, como si a fuerza de contacto las pudiera borrar. Se encontraban, cuando podían, en un departamentito de un solo ambiente que les prestaba un amigo;

cerraban la puerta con llave y bajaban las persianas para ocultar lo clandestino aún más. Sin decir una palabra, se quitaban la ropa. Romina acomodaba con cuidado cada una de sus prendas sobre una silla. Nadia dejaba todo hecho un bollo en un rincón.

Con la urgencia de quienes imaginan que cada beso, cada abrazo, cada contacto son el corolario del fin, enroscaban sus cuerpos ardientes en la pequeña cama de una plaza. A su manera, disfrutaban de ese sexo que siempre olía a despedida. Los orgasmos llegaban a veces tímidos, otras veces rezagados, pero siempre con la intensidad de un descubrimiento que, puertas adentro, sabía a paraíso. Un paraíso que empezaba y terminaba en un espacio tan pequeño como un caramelo. Así definían Nadia y Romina al amor: un caramelo que se desvanece desde el goce hasta la nada.

—Ha venido mi tío de visita y me dio dinero a cambio de los regalos que me debía por la Navidad y mi cumpleaños. Estuve pensando... ¿Qué tal si nos vamos un fin de semana a Lisboa?

Nadia meditó la propuesta, sonaba inmejorable. Dos días enteros juntas, sin ocultarse. Había fantaseado infinidad de veces con la posibilidad de pasear con Romina de la mano, besarse contra los paredones de las calles, beber cerveza hasta que la panza pareciera estar a punto de explotar, no pensar que en cada esquina su madre o los mandaderos del padre de Romina pudieran certificar lo que creían acabado: la relación entre ambas.

La última vez que vio a su padre, en uno de los pocos viajes esporádicos que hacía a Barcelona, Nadia supo que estaba condenada a la clandestinidad amorosa. Él había llegado apurado, como siempre, para compartir una cena rápida «en familia», como le gustaba decir. Su madre se había preparado durante horas para recibirlo: baño de burbujas, cremas en la piel, peluquería, perfume y un vestido entallado de seda que le quedaba pintado. Todo lo que se había echado encima no hacía más que destacar lo que era: una muñeca triste.

Las dos empleadas domésticas habían preparado unos platos deliciosos y desplegado sobre la mesa la vajilla antigua que solo se usaba en ocasiones especiales; la visita de su padre era una de esas ocasiones. Entre el postre y el café, Nadia encontró su momento y disparó:

—Les quería contar que estoy enamorada.

Su madre puso cara de espanto, nadie como ella sabía que enamorarse era una mala noticia; sin embargo, su padre mostró curiosidad.

—Ah, mira qué bien —dijo paladeando los restos de natilla de la copa—. ¿A qué se dedica el muchacho?

—No es un muchacho, papá —susurró Nadia.

—¿Es un hombre grande? No me gusta la idea, hija. Eres muy joven todavía —acotó su madre.

Nadia les respondió envalentonada:

—Es una mujer y tiene mi edad.

Lo último que obtuvo de su padre fue una cachetada que le dejó la mejilla enrojecida por dos horas y ardiendo durante años. Aunque disimulaba, su madre nunca le perdonó la noticia; a veces en secreto, y otras no tanto, culpaba a Nadia de que su padre no hubiese vuelto a la casa familiar.

—Puede ser, Romi, es una buena idea irnos juntas a Portugal, pero ¿qué le dirás a tu padre?

—Ya veré, algo se me va a ocurrir —respondió Romina mientras se vestía. Era hora de regresar a casa.

Nadia acompañó a Romina a la entrada del subte y decidió caminar hasta su casa. La tarde estaba fresca pero soleada y necesitaba despejar su cabeza. Cada vez que pasaba tiempo con Romina, su cerebro se convertía en un trompo cuyo destino era solo girar y girar sobre su propio eje.

—Buenos días, señorita —saludó Gerardo, el guardia de la puerta del edificio.

—Hola, Gerard —respondió Nadia con una sonrisa de oreja a oreja.

Conocía a Gerardo desde que era una niña, el hombre la saludaba cada día sin juzgar su aspecto. La niña rubia, de cabello largo y ropita de lujo, se había convertido ante sus ojos en una adolescente sin cabello, con pantalones con agujeros en las rodillas y camperas masculinas. Sin embargo, los modos de Gerardo hacia ella nunca habían cambiado y en cada Sant Jordi le regalaba un libro y una rosa que ella retribuía agregando al presente una botella de buen vino que robaba de la bodega de su madre. Más de una vez había deseado con todas sus fuerzas que ese hombre sencillo fuera su padre, pero la fuerza del deseo no siempre es suficiente; en el caso de Nadia, nunca lo era.

Se miró en el espejo gigante del palier del edificio, como si algo de su aspecto pudiera develarle a su madre alguna pista de lo que había hecho con Romina durante toda la tarde. Se quitó la mochila de la espalda y la colgó de uno de sus hombros.

Subió por la escalera hasta el piso en el que vivía con su madre. Le gustaba quedarse unos segundos frente a la puerta de servicio de la vecina del segundo, una señora de ochenta años que se la pasaba horneando budines de limón, naranja o de vainilla; el aroma inundaba todo el palier. En su casa no se horneaba, no se cortaban verduras para una sopa, ni se prendía la parrilla para grillar algún pescado; desde que su padre había reemplazado las visitas esporádicas por una radical desaparición, ni la empleada doméstica se molestaba en cocinar.

Nadia entró en su casa por la puerta de la cocina, era la técnica que había encontrado para no toparse con su madre. Sobre la mesa que usaban para desayunar, había una fuente grande llena de frutas; agarró una manzana y la frotó sobre una de las mangas de la campera.

—¡Ginebra! Mi amorcito, ven aquí —dijo Nadia con la boca llena de manzana.

Ginebra era la perra salchicha de la familia. Durante muchos años, la perrita había vivido con Eusebio Torrontés, el vecino de la quinta planta, un viudo muy amable que ocupaba el rol de abuelo comunitario: recordaba los cumpleaños de los habitantes del edificio, en Navidad dejaba canastas con turrones en cada puerta y compartía ramitos de hojas de menta que cosechaba en unos macetones gigantes en su terraza. Cuando Eusebio murió, la perrita que lo había acompañado durante los últimos cinco años quedó huérfana por unas pocas horas; sin dudar, Nadia se la llevó a su casa. Nadie en el edificio se opuso, ni siquiera su madre, quien había nacido sin empatía.

Mordió otro pedazo de manzana y siguió el rastro de los aullidos chiquitos y agudos de Ginebra. Cruzó un pequeño pasillo y la vio. La perrita estaba echada contra la puerta de la habitación de servicio.

—Ey, Ginebra, ¿qué haces aquí? —dijo mientras se agachaba para acariciarle la cabeza. La perrita se levantó y movió la cola contenta—. ¿Qué sucede que estás tan nerviosa y llorona, eh?

La voz de su madre la sorprendió.

—*Bonjour, mon amour.* Sal de aquí y vete a tu habitación. Llévate contigo a esa perra que no para de aullar.

Nadia la miró sorprendida, sin dejar de acariciar a Ginebra. Chantal Lamonier, su madre, nunca entraba a la cocina de la casa y jamás tenía sus botas Balenciaga sin lustrar. Y, sin embargo, allí estaba parada en el medio de la cocina con sus botas llenas de barro.

29

El cansancio me había caído sobre el cuerpo con la fuerza de un alud de lodo que se desploma desde la cima de una montaña, por los costados, hasta la base. No hacía demasiado frío en Barcelona, apenas un viento sutil que no llegaba a enfriar nada; unas ráfagas cortas que parecían tan agotadas como yo. Mientras arrastraba mi valija, calculé que solo me quedaban por recorrer dos cuadras hasta llegar al Suites Royal.

Antes de llegar a la esquina, mi cuerpo se erizó. El peligro siempre se me presenta de esa forma, en la piel. Cualquier mujer se habría dado vuelta o habría buscado ayuda. Yo no. Metí la mano en el bolsillo del abrigo y calcé los dedos en la pequeña manopla de bronce. Dos hombres que aminoraban o aceleraban sus pasos al ritmo de los míos me habían resultado sospechosos. Tal vez porque notaron que los había visto o porque imaginaron que yo no iba a ser una presa fácil, se quedaron parados en la puerta de un negocio cerrado. Aflojé los dedos de la manopla y seguí caminando.

Me puse a imaginar el baño que me iba a dar, la copa de champán que iba a tomar y las horas que iba a dormir en esa cama fabulosa de la habitación que había reservado. Así funciona mi cerebro, como un oasis en el que la imaginación tapa cualquier cosa que me esté pasando en la vida real. No le atribuyo ese recurso a mi inteligencia, tiene que ver con una capacidad personal para sobrevivir.

Faltaban unos pocos metros para llegar al hotel. Lo primero que sentí fue una mano que por detrás me tapó la boca; lo segundo, un empujón contra la pared de una casa. No solté ni la manopla ni la valija.

—Dame el dinero o algo que me sirva para mis gastos, o te perforo el estómago, puta —dijo un muchacho que no tendría más de diecisiete años.

Si no hubiese sido porque me estaba tapando la boca, el ladrón me habría visto sonreír.

30

De lejos, la escena era confusa. Muchos quizá pensaron que ese hombre y esa mujer pegados contra una pared, a metros de la puerta de un hotel, protagonizaban una escena de sexo callejero; otros pudieron presumir que ella estaba siendo atacada y corría peligro; unos pocos, tal vez, estaban dispuestos a acercarse para ayudar. Ciro Leone formaba parte del último grupo.

—¿Qué hacés, ratero de cuarta? —gritó mientras agarraba al muchacho por los hombros y lo despegaba de la mujer.

El ladrón se mostró ofuscado e hizo lo único que podía hacer: escapar corriendo.

—Flaca, ¿estás bien, te lastimó? —preguntó el salvador mirándola de arriba abajo.

—¿Sos argentino? —dijo ella, con tranquilidad.

—Vos también, por lo que escucho. ¿Cómo te llamás?

Se miraron en silencio por unos segundos. Ella no supo bien qué contestar. Podría haber dicho «Charo Balboa» o «Vera Garcés», pero decidió usar su verdadero nombre, el que no había usado durante años; un nombre que estaba muerto.

—Me llamo Cornelia y sí, soy argentina —dijo sorprendida por el peso de sus propias palabras.

—Hola, Cornelia —dijo él, con una sonrisa luminosa—. Yo me llamo Ciro Leone. Te acompaño, ¿vas muy lejos?

Como respuesta, Cornelia se acomodó el cabello y, con paso firme, recorrió la corta distancia que los separaba del Hotel Suites Royal. Ciro caminó a su lado en silencio.

—Hasta acá voy —dijo ella señalando la puerta giratoria.

—¡Qué sorpresa! —exclamó Ciro, y explicó—: Yo también estoy alojado en este hotel.

Entraron por la puerta giratoria y se quedaron parados en un *lobby* de alfombras persas color púrpura.

—¿Te puedo invitar a comer algo, a tomar un vino? —preguntó Ciro.

—Sí, claro —contestó Cornelia, aliviada. Él le había dado el salvoconducto perfecto para zafar de que escuchara que su registro estaba a nombre de Vera Garcés.

Dieron la vuelta y decidieron acomodarse en una de las mesas del fondo del restaurante del hotel. La iluminación era tenue, solo intensificada por unas velas que adornaban el centro de la mesa. El restaurante estaba vacío, los pasajeros del Suites Royal acostumbraban a pedir *room service.*

Ciro Leone no podía quitarle los ojos de encima. Las fotos que le había dado el jefe Melliá lo habían preparado para vigilar a una mujer bella; sin embargo, el atractivo de la famosa Sirena no tenía que ver con su rostro anguloso de piel blanca, ni con sus ojos de color indefinido, ni con un cuerpo que, a pesar de la ropa holgada, se adivinaba impresionante. Lo apabullante de Cornelia era la mirada desganada de quien ha sobrevivido a todo y la seducción que emana de las personas a las que ya nada les importa.

—¿Por qué me mentiste? —preguntó Cornelia y vació de un trago la copa de vino que el *sommelier* del lugar había elegido para ellos. Luego la apoyó sobre la mesa, sin dejar de mirarlo.

Ciro estaba acostumbrado a esa pregunta, solía mentirles a todas las mujeres y solía, también, esquivar los reclamos femeninos con elegancia, pero esta vez tuvo miedo. La mujer que tenía sentada frente a él lo descolocaba.

—Epa, todavía no saqué ninguno de mis embustes para llevarte a la cama y ya me estás reprochando cosas —dijo con la mirada que, lo sabía, derretía a todas.

Cornelia corrió hacia un lado las copas, la botella y las velas para que entre ambos no hubiera absolutamente nada. Apoyó los codos sobre la mesa e inclinó el cuerpo hacia Ciro, lamentó no tener un vestido escotado para usar de jaque mate.

—En primer lugar, no me interesan los motivos de tu mentira. Solo quiero que sepas que me di cuenta de que ese ladroncito estaba con vos. Los vi caminar a la par, por la vereda de enfrente —dijo clavándole una mirada de hielo—. Estoy muy atenta a los movimientos en las calles, cosas que solemos hacer las mujeres. En segundo lugar, no le reprocho nunca nada a los hombres, siempre y cuando puedan pagar mi sumisión. Y por último, no se necesita ningún embuste para llevarme a la cama. Con unos cuantos dólares o euros es suficiente. Quiero comer unas croquetas de jamón y una compota de cebollas caramelizadas. ¿Vos ya elegiste?

Ciro metió la cabeza en el menú del restaurante. Sabía cuándo la mejor opción era el silencio.

31

—Mamá, ¿por qué tenés las botas embarradas? ¿Dónde te metiste?

Chantal Lamonier odiaba dar explicaciones o contestar preguntas, odiaba ser interpelada o cuestionada. Construía sus mentiras con la robustez necesaria para que a nadie le quedara ni un ápice de duda sobre cada cosa que decía. Lo hacía desde muy chica y, con los años, ni ella recordaba bien qué cosas había vivido y cuáles había inventado. Pero con su hija era distinta.

Cuando supo que estaba embarazada, pensó en dos alternativas: abortar o suicidarse. Si no llevó adelante ninguna de las dos, no fue porque le faltara valor para tomar decisiones extremas. Después de meditar durante el tiempo que demoró en tomarse una botella entera de vino blanco, decidió que ese embarazo podía ser el pasaporte para tener, finalmente, la vida que se merecía; la vida para la que había sido destinada. Y siguió adelante.

Pero Nadia nunca le había hecho las cosas fáciles. Desde muy pequeña, había demostrado que no le interesaban los juguetes ni las vacaciones en Disney. En la adolescencia, ignoraba las bolsas de ropa de las mejores marcas que Chantal se empeñaba en comprarle. Hasta que se convirtieron en dos mujeres que apenas compartían un departamento de lujo en el Paseo de Gracia. Se saludaban cuando chocaban en algún pasillo, se deseaban el feliz cumpleaños de rigor y, muy de vez en cuando, compartían una copa vino en la sala, cada una en un sillón distinto y en silencio. Sin embargo, para Chantal, su hija Nadia era lo único verdadero que tenía; lo único realmente suyo.

Chantal se miró las botas de cuero que le llegaban hasta las rodillas y marcaban sus piernas largas y perfectas. Ambas puntas y el costado del pie derecho tenían costras de barro seco.

—Salí a dar un paseo por el parque y se mancharon —contestó encogiendo los hombros—. Te repito, *ma chérie*, saca a esta perra de la cocina.

Nadia no le creyó. No hubo motivos concretos para desconfiar de la palabra de su madre, pero desde niña estaba acostumbrada a no creerle del todo y esa situación le ocasionaba cierta incomodidad.

—Vamos, Ginebra hermosa —dijo sin dejar de acariciar a la perra que hacía fuerza para quedarse recostada contra la puerta de la habitación de servicio—. ¿Qué pasa, perrita? ¿Qué hay aquí adentro?

No supo qué sucedió primero, si el grito ahogado de su madre ante el intento frustrado de abrir la puerta o la impresión que le causó ver por primera vez en su vida a Chantal descolocada.

—¡Quita la mano de esa manija! ¡Deja todo en su lugar! —gritó Chantal mientras clavaba sus uñas esmaltadas en la mano con la que Nadia había querido abrir la puerta—. No te metas donde no te llaman y ocúpate de tus cosas.

—Estás cada vez más loca, mamá —contestó Nadia y levantó en brazos a la perra.

—¡He dicho que te vayas de aquí! —remató Chantal.

Nadia corrió a su madre de un empujón y salió de la cocina. Estaba por encerrarse en su cuarto, pero cambió de idea y salió con Ginebra por la puerta principal.

Bajó los tres pisos por el ascensor y buscó a Gerardo. El hombre estaba sentado detrás del escritorio de la entrada, contando los minutos que faltaban para que llegara su reemplazo nocturno. Mientras tanto, pasaba el tiempo haciendo crucigramas en una revista vieja que había rescatado de la basura.

—Hola, niña. ¿Tú de nuevo por aquí? Mira qué bonita que está Ginebra —saludó por segunda vez en el día. Ginebra movía la cola y ladraba feliz. Todos amaban a Gerard.

—Dime, Gerard, ¿has visto en el día de hoy a mi madre?

—La he visto salir en el auto, sí. Y luego volvió, pero no la vi pasar por el *hall* principal. Dejó su auto en el estacionamiento, supongo que entró por la puerta de servicio.

—Qué extraño —murmuró Nadia.

Gerardo asintió con la cabeza. A él también le resultaba raro que Chantal Lamonier entrara por el lado del servicio. Nadia le agradeció la información con un sonoro beso en la mejilla y bajó hasta el garaje. El auto de su madre estaba en el espacio de siempre, aunque mal estacionado; como si lo hubiese hecho a desgano o con apuro. Ginebra se soltó de sus brazos y corrió hasta el auto. Con desesperación, olfateó la puerta del acompañante.

—Ey, ey, basta Ginebra, ven aquí —dijo Nadia con el tono aniñado que suponía que a su perrita le gustaba.

Se acercó hasta el auto y miró hacia adentro por el vidrio de la ventanilla. El asiento del coconductor estaba corrido hacia atrás, pudo ver que en la alfombrilla también había barro. El mismo barro que había visto en las botas de su madre. Dio la vuelta y salió a la calle.

Corrió hasta la parte trasera del edificio y, desde la vereda de enfrente, miró las ventanas de la tercera planta. Estaba oscuro, pero la luz de los faroles de la calle le permitió ver que la habitación de servicio tenía la persiana baja. Sacó su teléfono celular y marcó el número de Delia, la empleada doméstica.

—Hola, mi querida. ¿Cómo andas? —saludó la mujer del otro lado de la línea.

—Bien, bien. Oye, Delia, quería saber si estás enferma. Hoy no te he visto —dijo Nadia sin dejar de mirar hacia la ventana.

—No, no, mi querida, estoy muy bien. Tu madre me ha dado unos días de vacaciones pagas. Ni yo lo puedo creer —respondió entre carcajadas.

Nadia no supo qué decir. Su madre era una mujer que consideraba al resto de la humanidad como si fueran sus esclavos, el concepto de vacaciones pagas era algo que nada tenía que ver con ella. Saludó a Delia y cortó la comunicación.

Hundida entre la incertidumbre y las sospechas, fue con Ginebra al parque. Necesitaba estar sola y pensar; además, la perra tenía que hacer sus necesidades. No le sorprendió que en el parque no hubiera por ningún lado rastros de barro.

Chantal estaba alterada. Había entrado dos veces en la habitación de servicio para chequear que Adela seguía durmiendo. El calmante que había diluido en el agua era efectivo, pero no iba a durar mucho tiempo más. Dejó un mensaje de voz en el teléfono rojo, no tenía ganas de hablar con el Egipcio: «No puedo seguir teniendo el paquete en mi casa. Busca una solución rápido». Cerró la puerta de la habitación de servicio, escondió la llave dentro de su corpiño de encaje y se sirvió una medida doble de *whisky*, sin hielo.

32

Después de las croquetas y la compota de cebollas, Cornelia pidió un bacalao fresco con verduras y una botella de champán. No tenía hambre, pero fue la única manera que se le ocurrió para prolongar la cena. Ciro Leone no solo la hacía reír, también le despertaba curiosidad.

—¿Cuánto hace que vivís en España? —preguntó.

—Uf, añares. Tengo la doble ciudadanía, pero creo que ya me siento más español que argentino. Además, ¿qué significa ser argentino?

Cornelia se quedó pensando en la pregunta. Hablar de su patria le provocaba un ardor en la boca del estómago, por eso evitaba hacerlo, pero no podía dejar de escuchar aquellas conversaciones callejeras en las que se colaba la tonada porteña. Durante esos años en España, no había pensado en su país y habían sido muy pocas las veces en las que había tenido presente a su familia. Sabía que su madre, su padre y su hermano la creían muerta; los había visto de lejos, dos años atrás, en una misa en Buenos Aires, rezando por ella. La curiosidad por saber cómo era la foto familiar sin ella había sido un error que pagó caro: el Egipcio había terminado preso y la buscaba para vengarse.

—Ser argentino es un cordón umbilical que nunca se termina de cortar —dijo mientras abría la botella de champán. Se sorprendió con sus propias palabras, las consideró una definición perfecta, y agregó—: Una nación es mucha gente que vive en el mismo lugar, no más que eso.

—Qué buena frase —dijo Ciro.

—No es mía, es de Joyce.

—Bueno, no te pongas culta y solemne —remató Ciro, turbado, y decidió hacer preguntas triviales, sabiendo que como respuesta iba a obtener puras mentiras—. ¿Y a qué te dedicás?

—Hasta hace dos años me dediqué a la trata de mujeres, pero estoy retirada.

Cornelia sabía que las verdades de su vida resultaban tan inverosímiles que solía usarlas para mentir. Le clavó los ojos, divertida, esperando la reacción. Ciro la sorprendió.

—Qué bien. Yo me dedico a hurtar en la vía pública y a armar algunos embustes no legales que me dan bastante dinero.

Se quedaron en silencio, sin dejar de mirarse, aguardando la risa del otro; ese momento en el que uno cede, se ríe y da por finalizada la ronda de declaraciones disparatadas. Pero ese momento nunca llegó.

El mozo dejó en el centro de la mesa el bacalao y ambos empezaron a picotear, sin ganas primero y con interés después, la porción de pescado blanco y carnoso. Ninguno de los dos bajó la mirada.

—Tengo calor —dijo Cornelia y se quitó el buzo, dejando su cuerpo apenas cubierto por una musculosa blanca.

Sostenido por una cadena, un anillo de plata se colaba entre sus pechos. No usaba corpiño.

Acostumbrada a valerse de la belleza para ganar dinero o distraer conversaciones, se sintió incómoda al notar que a Ciro no le movió un pelo tenerla a menos de medio metro, casi sin ropa. La segunda copa de champán parecía resultarle más interesante. Cornelia se sintió confundida: su herramienta más poderosa había sido descartada.

—Bueno, ¿tenés el dinero para pagarme o no? —preguntó sin disimular el enojo, como si fuera un mago al que le acaban de descubrir el truco.

Ciro dejó la copa sobre la mesa y le sonrió. Nada le resultaba más excitante que hacer enojar a una mujer.

—Sí, claro. Vamos a cargar la cena a mi habitación. Es un gusto para mí invitar a comer a una mujer tan bonita.

Cornelia se levantó de la silla y caminó hasta la ventana del restaurante. Necesitaba que él la viera por completo, que calculara cada euro que su cintura, sus nalgas y sus piernas valían. Le dio la espalda por unos minutos, imaginando que Ciro había cambiado de idea. De repente, lo sintió cerca, a centímetros de su cuerpo. Percibió el suspiro, el olor al perfume que usaba y que la había distraído durante la cena, el calor de sus manos grandes sobre los hombros. No pudo evitar sonreír.

—No pago por sexo —le murmuró en el oído.

La sonrisa de Cornelia quedó congelada. Respiró hondo y se dio la vuelta despacio. Ciro le llevaba más de una cabeza. Por un segundo, estuvo tentada de apoyar la suya en el pecho del hombre; le resultaba el mejor lugar para descansar. No había sitio más seguro que un hombre que no tenía intenciones de comprarla. Se quedó mirando el rostro anguloso y masculino, la boca carnosa con forma de sonrisa permanente, las arrugas tenues al costado de los ojos y el mechón de cabello oscuro que le caía sobre la frente.

—Yo sí soy una mujer que paga por sexo —dijo y, sin pedir permiso, le acarició los labios con el dedo índice. Como respuesta, Ciro empezó a darle mordiscones suaves.

—Soy muy caro yo, eh. No sé si te va a alcanzar la plata.

—Todos los hombres creen que son impagables. Veremos qué tan bueno eres. Llevo años en el mercado del deseo, soy una experta en calcular el precio de la pasión —acotó Cornelia y reemplazó su dedo índice por su lengua.

Ciro se dejó besar mientras evaluaba qué consecuencias podría traerle tener sexo con la presa a la que tenía que custodiar. No pudo evitar apretarla contra su cuerpo y besarle el cuello. Desde que la había visto por primera vez, un par de horas antes, supo que la Sirena era distinta; era una mujer voraz. Mientras le acariciaba la espalda, tuvo la certeza de que quería saber todo de ella; los motivos por los que el jefe Melliá lo había puesto tras sus pasos ahora le resultaban medulares.

—¿Estás acá o en tus pensamientos? —murmuró Cornelia con los ojos entornados, disfrutando a medias las caricias—. Si no vas a estar concentrado, no me interesa seguir.

Sonó como advertencia, pero en realidad había sido un ruego. Cornelia Villalba sintió por primera vez en su vida la necesidad física de ser el centro de atención de un hombre, una atención que no estuviera cotizada en euros ni en dólares.

—Estoy acá —respondió Ciro mientras le corría el bretel de la musculosa y le mordía el hombro—. Nunca estuve tan concentrado.

El mozo se acercó temeroso.

—Perdón que interrumpa, pero tengo que cerrar el lugar. El desayuno se sirve mañana entre las siete y las diez y treinta —dijo con voz firme.

Cornelia y Ciro se soltaron y estallaron en una carcajada. La risa de la Sirena sonaba como un cascabel. Por momentos era suave, hasta que estallaba sin preludio, porque sí.

—Disculpe —dijo Ciro—, ya nos íbamos. La cena por favor la carga en mi habitación, la número ocho.

Arrastraron la valija de Cornelia y esperaron el ascensor sin dejar de reírse de la cara de susto del mozo.

—Al final quedamos en que yo te pagaba por sexo y terminé ligando una cena gratis —dijo ella—. Soy una experta negociadora, ¿eh?

—Te queda bien reírte.

Cornelia se rio aún más, pero luego dijo:

—Ay, por favor, no te pongas mersa. ¿Se sigue diciendo así en Argentina?

—Mersa… Qué antigüedad esa palabra. ¿Hace cuánto que no vas a Buenos Aires? Porque se nota que sos porteña.

La luminosidad que le había dado la risa se opacó de golpe. Cornelia parecía estar destinada a momentos fugaces. Ciro notó el cambio en ella y decidió no insistir, pero ya era tarde.

—Cornelia Villalba se fue de Argentina cuando era una adolescente y si alguna vez volvió ya no fue ella. Los fantasmas nunca regresan a ningún sitio —respondió como si hablara de otra persona.

Ciro memorizó el apellido de Cornelia, y se preguntó si sería otra de sus identidades falsas. El jefe Melliá la había identificado como Nadine Basset, Charo Balboa o la Sirena.

—Me voy a quedar en tu habitación. Mañana me alojo en la mía —anunció Cornelia cuando llegaron al octavo piso. No podía arriesgarse a que Ciro conociera su nuevo secreto, el nombre de Vera Garcés—. No te preocupes. Las habitaciones de este lugar son espaciosas, tienen una sala con un sillón enorme. Puedo dormir ahí.

Apenas entraron en la *suite* corrieron las cortinas. La vista de Barcelona iluminada era impresionante. Ciro abrió una de las cuatro botellas de vino que había en una pequeña bodega junto al frigobar.

—Sacate la ropa —le dijo mientras se acomodaba en el sillón para disfrutar el espectáculo.

Ella asintió y, de manera mecánica, se quitó las botas y el pantalón de *jean* negro. Cuando estaba por deshacerse de la musculosa, Ciro la frenó.

—No, no, pará, así no. No tengo sexo con robots.

—Eso soy —dijo Cornelia, entre resignada y sorprendida.

No era un problema para ella estar parada, medio desnuda frente a un desconocido. Lo que la turbaba era que Ciro estaba viendo más allá de su mayor vestimenta, su cuerpo.

Con un gesto, Ciro le pidió que se sentara junto a él, ella obedeció como si fuera una niña. A pesar de haber estado más de una vez en riesgo de vida, nunca tuvo tanto miedo.

—No estás obligada a nada —le dijo él, acariciándole la mejilla—. Nadie paga por nadie, nadie tiene un precio. Solo cuentan las ganas. Esas son mis reglas.

Cornelia se recostó y apoyó la cabeza en las rodillas de Ciro. Lo último que vio antes de cerrar los ojos fue la imagen de ese hombre que, sin quitarle la ropa, la había desnudado por primera vez en su vida.

33

El sillón de pana turquesa era inmenso y ocupaba gran parte de la sala. Estaba ubicado frente a una chimenea a leña que se encendía cada Navidad, aunque hiciera calor. Durante años, frente al fuego, Chantal y Nadia se acomodaban para abrir los regalos que les dejaba Santa Claus. La niña solía recibir cantidades desmedidas de paquetes con moños de colores. Muñecas Barbie, osos de peluche, juegos de mesa y prendas de las tiendas más importantes formaban parte de la montaña de presentes que se repetían cada año.

Nadia se sentaba con las piernas cruzadas, apoyaba la espalda contra los almohadones y abría cada regalo de manera mecánica, como si fuera un ritual. Primero arrancaba los envoltorios y hacía un bollo de papel que lanzaba hacia una esquina del sillón, después levantaba el contenido y lo analizaba un momento. Por último, apilaba los presentes por rubro: juguetes, a la derecha; ropa y calzado, a la izquierda.

Chantal recibía todos los años un dibujo que Nadia preparaba con esmero durante el mes de diciembre, sabía que su madre lo iba a enmarcar y colgar en su habitación. Ella también repetía su propia secuencia: desenrollaba el papel, abría los ojos al extremo y exclamaba: «¡Hija, nunca has hecho algo más hermoso!». Y sonreía. Ese era el único momento en el que Nadia veía sonreír a su madre. Para el final, siempre quedaba un último paquete, que cada año tenía un tamaño distinto y una idéntica tarjeta blanca, a un costado y a la vista, en la que decía con letra grande y prolija: «Para el amor de mi vida».

—Este presente me lo manda tu padre, Nadia —decía Chantal y pegaba gritos al descubrir el contenido.

Aunque fuese un reloj Cartier, un collar de oro, alguna cartera de cuero finísima o un par botas Balenciaga, las preferidas de Chantal, la reacción siempre era la misma: se emocionaba, le caían lágrimas y se quedaba un buen rato absorta mirando el fuego.

Cuando tenía doce años, Nadia descubrió que no era su padre quien le enviaba esos regalos a su madre. En el cajón del escritorio de Chantal, encontró las facturas de compra de los objetos y una pila de tarjetas blancas sin usar que aguardaban allí, en secreto, las siguientes navidades. Tomó la decisión de no decir nada y acompañar cada año la sorpresa fingida de su madre.

Nadia entró en la sala y encontró a Chantal durmiendo sobre el sillón. Estaba acurrucada, de costado y con la boca semiabierta. Su respiración se escuchaba suave y acompasada. En la mesa ratona, una botella de *whisky* casi vacía. En puntas de pie, fue hasta la cocina e intentó nuevamente abrir la puerta de la habitación de servicio. No pudo.

—¿Hay alguien adentro? —murmuró dando pequeños golpes en la madera. Nadie contestó.

Se quedó parada con las manos en la cintura, mirando a su alrededor; todo se veía impecable, como siempre. Detrás de la tostadora, una cajita roja le llamó la atención. Leyó, con el corazón acelerado, las letritas blancas del envase: era un somnífero en gotas. Sin pensarlo demasiado, guardó la cajita en uno de los bolsillos de su campera. La voz de su madre la sacó de sus cavilaciones, desde la sala escuchó que hablaba por teléfono. Se quedó quieta, necesitaba aguzar el oído. Chantal tenía un tono muy bajo y ronco, que dificultaba la tarea de entender la conversación.

—Ya estoy cansada de tus líos. Déjame vivir en paz, que lo que tengo me lo he ganado, bien lo sabes tú…

La voz de Chantal subía y bajaba según lo que alguien le decía del otro lado de la línea.

—Bueno, bueno, me calmo. Pero me liberas de esto, que *ma petite* no es estúpida…

Nadia supuso que hablaba de ella, solía llamarla *ma petite*.

—Muy bien, allí los veo en diez minutos. Que no me hagan esperar, ¿está claro?

Lo siguiente que escuchó fueron los pasos de Chantal, camino a su habitación.

Nadia salió sin hacer ruido por la puerta trasera y se quedó en la vereda de enfrente, esperando a su madre. Había decidido seguirla. No iba a acompañar más las mentiras de esa mujer por mucho que, por momentos, la amara.

A los pocos minutos, la vio cruzar la puerta del edificio; había tenido tiempo para cambiarse de ropa, pero no el suficiente para disimular con maquillaje las ojeras profundas de una mala noche de *whisky*. Nadia dejó que ganara unos metros y se puso en marcha. La siguió por el Paseo de Gracia sin dificultad. Creyó haberla perdido de vista cuando su madre dobló por la Gran Via de les Corts Catalanes y sintió alivio al darse cuenta de que el lugar de la cita misteriosa era la plaza de Tetuán. Pasaba muchas horas del día allí, junto a Ginebra; era un lugar que conocía de memoria. Se acomodó detrás de un arbusto y clavó los ojos en su madre.

Chantal estaba sola, parada junto a la fuente; daba pequeños pasos de un lado al otro. Prendió un cigarrillo y consultó tres veces el reloj de su muñeca. Dos hombres se le acercaron, vestían de negro y ambos usaban unas gorras de color rojo. Uno de ellos dijo algo que Nadia no pudo escuchar, porque estaba escondida a más de cinco metros; sin embargo, notó que su madre no se molestó en responder el saludo, lo dejó con la mano extendida. El segundo hombre se quedó inmóvil, con la mirada hacia adelante; parecía estar allí solo como guardaespaldas del primero.

Nadia sacó su celular y empezó a tomar fotos, fue lo único que se le ocurrió hacer. La reunión duró unos pocos minutos y terminó con una entrega que Nadia también fotografió: el primer hombre le dio a Chantal un bolso negro, ella se lo colgó en el hombro y se fue sin decir una palabra.

Mientras esperaba que su madre se alejara de la plaza, vio cómo los dos hombres se subían a un auto negro lujoso. También les sacó fotos. Todas las preguntas que no se había hecho durante años aparecieron de golpe y se le atoraron en la cabeza. Nunca supo cuál era el trabajo de su madre, si es que tenía alguno; tampoco conocía de dónde sacaba los recursos para mantener el ritmo de vida que ambas llevaban. Una única vez se animó a preguntarle por qué tenían tanto dinero; en la escuela, un compañero le había dicho que su madre era una puta cara. Ante la consulta infantil, Chantal la miró, le acarició la frente y le dijo que las putas nunca eran lo suficientemente caras. Eso fue todo. Nunca más volvieron a hablar del tema. Por eso también admiraba a su novia: Romina no tenía ningún empacho ni contradicción con las actividades de su padre. Ella sabía que el dinero con el que compraba su ropa, sus cervezas, sus viajes y hasta su marihuana era producto del crisol de actividades ilícitas que manejaba Lisandro Aguilera.

—Mi padre es un hampón —le dijo la segunda vez que se vieron—, pero es el mejor padre del mundo. Se hizo cargo de mí y de mi hermano mayor cuando mi madre nos abandonó de pequeños y nunca nos faltó nada. Nos podría haber repartido entre los familiares que tenemos en España, pero no lo hizo. Somos su sangre, no somos perritos huérfanos.

Nadia no conocía ni a Lisandro Aguilera ni al hermano de Romina. Había estado una vez, un par de horas, en la casa familiar y, a pesar de que todos estaban allí, no se cruzó con ninguno.

—¿Tu gente se esconde de mí? —le había preguntado Nadia ese día, entre ofendida y triste.

—Mi gente se esconde. Punto. —La respuesta cortante de Romina no había dado lugar a más cuestionamientos.

Cuando llegó a la puerta de su edificio, Nadia ya había tomado una decisión: acudir a la persona con más lealtad que conocía. Sacó su celular y mandó un mensaje de WhatsApp: «Romina, te mando unas fotos que acabo de tomar. Necesito que le preguntes a tu padre o a tu hermano si conocen a estos dos hombres. Te adoro y gracias».

En el *hall* fresco y perfumado del edificio en el que vivía, se sintió aliviada; tener a alguien en quien confiar no le parecía poca cosa. Antes de llegar al ascensor, algo fuera de lo común la alertó: la silla donde solía sentarse Gerardo estaba caída y el escritorio, revuelto.

—Gerard, ¿dónde andas? —gritó Nadia asomándose por la escalera. El corazón se le salía del pecho y gotas de un sudor frío le recorrían la espalda. Corrió hasta el garaje, tal vez Gerard estaba lavando alguno de los autos; una o dos veces por semana, algunos vecinos le daban un dinero extra por esa tarea. La tranquilizó esa posibilidad. Pero el alivio duró poco: la escalera que comunicaba con el estacionamiento estaba manchada con sangre: unas gotas en el primer escalón, una mancha grande en el segundo. Fue lo último que vio antes de sentir que, por detrás, una mano le tapaba la boca y la nariz con un trapo húmedo. Las rodillas se le aflojaron, y todo se tiñó de negro.

34

Desde que habían secuestrado a Adela, Rocío era la imagen de una persona que se deja morir. Pasaba las horas tirada en la cama del cuarto matrimonial, boca arriba, con los brazos al costado del cuerpo, las piernas estiradas y los ojos clavados en el techo. Aún llevaba puesto el mismo camisón que vestía cuando, ante sus ojos, se habían llevado a su hija. Casi no comía, las pocas veces que abría la boca era para tragar unas pastillas tranquilizantes que la sumergían en un sopor químico. Eso era lo que más enojaba a Donato Melliá: su mujer no luchaba, no lloraba, no gritaba, no buscaba alternativas, no pensaba opciones. Había bajado los brazos y había depositado un sinfín de responsabilidades sobre su espalda. Y ese peso se hacía cada vez más insoportable.

Las horas corrían lentas y Melliá todavía no tenía noticias de su hija. Ni un llamado, ni un mensaje, ni una prueba de vida. Nada. Se lo pasaba con el celular en la mano, esperando ese contacto que le devolviera el alma al cuerpo. De vez en cuando, miraba la foto que le habían mandado, la foto donde su hija todavía estaba viva y con la mirada resignada. Fantaseaba con las diversas maneras de asesinar al Egipcio, y por eso lo evadía; la posibilidad de llevar a cabo alguna de esas tantas formas de asesinato lo aterraba. Si mataba a Khalfani Sadat, ¿qué iba a pasar con su hija?

En medio de esa angustia, Ciro Leone le había mandado un mensaje preciso: «Tengo ubicada a la Sirena». Melliá intentó comunicarse para tener más precisiones, pero no lo consiguió. Decidió retener la información hasta conseguir más detalles, tenía pánico de lo que pudiera exigir el Egipcio. Un golpe en la puerta lo hizo pegar un salto. Tenía los nervios de punta.

—Adelante —dijo.

El jefe de los guardiacárceles entró con los ojos desorbitados, movía las manos y pedía perdón; todo al mismo tiempo.

—¿Qué sucede? —preguntó Donato, al borde del estallido.

—Jefe, tenemos un problema. Hubo una equivocación en el pedido y los materiales para el taller de carpintería no han llegado. —El hombre hizo una pausa para tragar saliva. Melliá miraba la pantalla de la computadora, apenas escuchaba lo que le decía—. Los presos se ponen nerviosos cuando no pueden seguir su rutina. Pero espere, espere, no se enoje…

—¿Tú me ves enojado a mí? —lo interrumpió Melliá—. Solucionen la cuestión. No me interesa si los reos se ponen nerviosos, es problema de ustedes.

—Sí, jefe. Eso le quería decir, que lo estamos por solucionar. Mañana llegan los materiales, entonces hoy daremos una clase de teoría —dijo con la sonrisa de un niño que repite una palabra que acaba de aprender—. Mi madre siempre decía que para ver las cosas claras hay que cambiar la dirección de la mirada.

Donato Melliá le prestó atención por primera vez.

—¿Cómo dijiste? —preguntó.

—Ah, sí, disculpe. Que vamos a dar clases de teoría...

—No, no. ¿Qué es lo que tu madre decía?

—Que para ver las cosas claras hay que cambiar la dirección de la mirada. Eso decía.

—Bonita frase. Puedes irte.

El guardiacárcel se retiró y dejó a Donato pensando. Por primera vez en tres días, tenía la sensación de que podía hacer algo para rescatar a su hija, algo más determinante que estar sentado en su oficina a merced de un criminal psicópata y de un argentino charlatán.

—Para ver las cosas claras hay que cambiar la dirección de la mirada... —susurró.

Llegó a la plaza Lesseps en menos de media hora, a costa de saltearse todos los límites de velocidad. Estacionó el auto en un lugar prohibido y bajó la escalera de la estación de subte. Recorrió con la mirada la zona de las boleterías automáticas. La fila para comprar los *tickets* era bastante larga; hombres, mujeres y hasta niños esperaban su turno con la paciencia a punto de perderse. Solo una de las máquinas funcionaba, las demás estaban rotas. No tuvo que dar demasiadas vueltas. En la escalera de salida, vio al muchacho que había ido a buscar.

Donato Melliá había llegado a ser jefe penitenciario del reclusorio después de años de trabajar como policía, conocía como pocos los lugares de la ciudad y quiénes eran los que manejaban los pequeños ilícitos de sus calles. También conocía las marcas que diferenciaban a cada banda: los que vendían marihuana en la zona sur usaban un trébol tatuado en el cuello, las prostitutas con las puntas del cabello teñidas de color violeta eran las que trabajaban para los Sinestre, los adolescentes de cabeza rapada hurtaban a los turistas en la zona norte para los Correa y los que usaban una gorrita con visera color verde eran los mandaderos de Lisandro Aguilera. El chico no tuvo chance de reaccionar. La mano grande y compacta de Melliá lo prendió de la parte de atrás del cuello y, con apenas un impulso, lo estampó contra la pared.

—Llévame con Aguilera —le susurró en el oído.

—Contraseña —balbuceó el adolescente.

—Dile que soy Donato Melliá. Te doy cinco minutos o vas a formar parte del decorado de esta pared.

Cuando lo soltó, el chico subió la escalera corriendo como si lo persiguiera el diablo. Melliá se sentó en el escalón superior y esperó.

Había conocido a Lisandro Aguilera cuando ambos eran jóvenes. Donato recién estaba empezando a noviar con Rocío, una chica de la alta sociedad catalana bastantes años menor que él, que lo había deslumbrado con su ternura; alguien que, pudiendo haber elegido entre los mejores candidatos de Barcelona, se había quedado con un simple policía. Lisandro andaba por caminos muy distintos. Era hijo de una empleada de limpieza y de un hombre al que nunca conoció. Se dedicaba a dos cuestiones: hacerle creer a su madre que estudiaba para ser abogado y vender en ferias los objetos que otros robaban en las calles o en las habitaciones de los hoteles. Un reloj de oro fue lo que los conectó en la vida por primera vez.

—Vamos, señor. —La voz del chico, todavía temerosa, interrumpió los recuerdos de Melliá.

Se levantó de un salto y lo siguió por las veredas angostas, con subidas y bajadas, del barrio, con los ojos puestos en la visera verde. Hasta que frenaron en la puerta de un galpón que ocupaba toda una manzana. Por esa calle no pasaban autos ni personas. El lugar parecía abandonado. El portón gigante, pintado del mismo color gris que la fachada, se abrió lentamente; el sistema de apertura eléctrico hizo chirriar el mecanismo y produjo un sonido agudo.

—Aguilera lo espera adentro. Siga hasta el fondo y doble a la derecha —dijo el muchacho. Se escapó corriendo y lo dejó solo.

Melliá apoyó la mano en la parte de atrás de su cintura. Estaba seguro de que los esbirros de Aguilera estaban al tanto de que él era policía y agente penitenciario. De todos modos, empuñó su arma reglamentaria y apuntó hacia el frente y hacia abajo como ordenaba el reglamento.

El galpón era inmenso y cada pared estaba revestida con estanterías llenas de objetos ordenados por rubro: radios, televisores, cajas fuertes de distintos tamaños, herramientas de trabajo, autopartes. A un costado, había decenas de bicicletas usadas, acomodadas una junto a la otra; enfrente, otra fila de monopatines eléctricos y patinetas. Hacía frío. Parte del techo estaba abierto y algunas palomas habían anidado en la parte superior, los aleteos retumbaban ensordecedores.

—Baja el arma, mi amigo. No es necesario, estamos en confianza —dijo Aguilera al mismo tiempo que aparecía por detrás de una pila altísima de motores de autos.

El tiempo parecía haberse congelado en el cuerpo del hombre al que Melliá había conocido cuando ambos eran jóvenes. Seguía teniendo varios kilos de más, pero no había sumado peso, como suele ocurrir con la edad. Lo sorprendió que mantuviera el mismo cabello enrulado y tupido, sin una cana que delatara el paso de los años. Lo único que había cambiado era la manera de vestirse.

Aquel día en el que un joven Lisandro Aguilera se presentó en la casa de Rocío Larrazábal para devolver un reloj de oro que, según él, había encontrado tirado en una plaza, estaba vestido íntegramente de cuero: pantalones, botas, chaqueta. Rocío lo había mirado de arriba abajo y le había dedicado una de sus sonrisas, esas que derretían a cualquiera que tuviera la suerte de tenerla enfrente.

—Muchas gracias, qué atento —dijo ella con las mejillas sonrojadas y la mirada esquiva. Dentro del pecho, el corazón le latía más acelerado que cuando cruzaba con paso rápido las calles para no llegar tarde al colegio de señoritas en el que cursaba el último año.

—Si me das la muñeca, lo puedo colocar —dijo Lisandro.

Ella, temblando pero sin dudar, extendió la mano. El muchacho no llegó a tocar la piel pálida y suave de Rocío. Su novio interrumpió el momento y lo dejó suspendido para siempre en el limbo de las cosas que no estaban destinadas a suceder.

—¿Qué pasa, mi amor? ¿Este es un amigo tuyo? —preguntó Donato, ardiendo de celos. Conocía de memoria las primeras señales de los arrebatos de pasión de su novia.

—Me ha traído el reloj perdido, mi vida —dijo ella recuperando la compostura.

Los dos jóvenes se sostuvieron la mirada un largo rato. Tras el silencio inicial, sobrevino una catarata de explicaciones nerviosas que Rocío empezó a recitar: «Soy muy distraída», «Pierdo cada cosa que tengo», «Seguro se me cayó en el parque del colegio».

—Vete para adentro, Rocío —ordenó Donato—. Yo me encargo.

La chica obedeció, no porque fuera obediente, no lo era; temió no poder disimular ante su novio lo mucho que la había impactado el muchacho de rulos y cueros.

—Tú no eres un samaritano ni una monjita, a mí no me engañas —dijo Donato en voz baja. Ya en esa época, manejaba como nadie los tonos intimidantes—. Si no quieres terminar en un calabozo por ratero, vete por donde viniste. No te quiero ver nunca más cerca de mi novia.

Aguilera le sostuvo la mirada apenas unos segundos, dio media vuelta y desapareció por la calle por la que había llegado. Donato se metió en la casa de su novia con gesto triunfante, sentía que había ganado mucho más que una guerra de miradas con un desconocido: había dejado claro que podía enfrentar a cualquiera que quisiera arrebatarle a Rocío. No supo en ese momento que Lisandro Aguilera no era cualquiera.

Donato bajó el arma. Aunque le costara admitirlo, Lisandro Aguilera tenía razón: estaban en confianza.

—Así está mejor, mi amigo. Qué sorpresa verte por mi zona… —dijo, y lo saludó con una sonrisa.

—No es tu zona, Lisandro. Es la zona de los vecinos de Lesseps. Deja de creerte el dueño de la ciudad.

Aguilera respondió con una carcajada, condescendiente, y las manos en alto, con las palmas para arriba.

—Necesito hablar contigo urgente, ha sucedido algo muy grave...

Ambos pasaron a una oficina montada en el fondo del galpón, un espacio enorme sin sillas ni escritorio. El lugar de Aguilera estaba ambientado como si fuera el *living* de una casa: sillones, alfombras, una biblioteca y, a un costado, una heladera industrial repleta de botellas y latas de Coca-Cola, su única adicción.

Destapó dos botellas y sirvió la bebida en dos vasos grandes, cada uno con una rodaja de limón. Melliá apenas tomó un trago, no quería perder más tiempo. Cada instante que pasaba era uno menos, sin su hija. No tenía muy claro cómo iniciar la conversación y optó por la más simple.

—Secuestraron a mi hija.

Aguilera levantó las cejas con sorpresa, no imaginaba semejante cosa.

—¿Y Rocío? —preguntó.

—¿Es lo único que te importa, no?

Ambos hombres volvieron a medirse con la mirada, como la primera vez que se habían visto, tantos años atrás.

—Siempre. Lo único que me importa es Rocío, Donato. Tú lo sabes, ella lo sabe...

—Necesito tu ayuda. Tengo que recuperar a mi hija.

—¿Y Rocío? —insistió.

—Rocío está echada en la cama desde el momento en el que vio cómo se llevaban a Adelita. Está muerta en vida —contestó sabiendo el efecto de sus palabras.

Con un envión, Aguilera levantó el cuerpo robusto del sillón y empezó a caminar por la oficina como si fuera un león encerrado en una jaula. La energía que corría por sus venas parecía querer salir por cada poro de su piel, la misma que nunca había olvidado la piel de la mujer amada. Se quedó tieso y, con determinación, miró a Donato.

—Cuéntame todo. Voy a devolverle la hija a su madre, así sea lo último que haga en esta vida.

35

Sintió los besos húmedos en la nuca. El sillón de la habitación del Suites Royal medía dos metros de largo por un poco más de un metro de ancho. Dentro de esas medidas, cabía el universo que, en pocas horas, Ciro y Cornelia habían construido. Estaban desnudos. El pecho de él, pegado a la espalda de ella. Ninguno de los dos quería moverse demasiado. Ciro estaba concentrado en el sabor de la nuca y de los hombros de Cornelia; ella, en seguir con la mirada el rayo de sol que se colaba por la ventana y formaba en la alfombra una línea diagonal y perfecta. No creían en hechizos, ni en amores a primera vista; menos que menos en flechazos o en romances de cualquier tipo. Ambos tenían claro lo que eran: dos cuerpos voraces y nada más.

—¿Vamos a coger sí o no? —preguntó Cornelia fingiendo hastío.

Las caricias de Ciro la habían desconcentrado del recorrido del rayo del sol, la fallida excusa que había encontrado para no disfrutar de algo que, según creía, no había sido inventado para ella.

Ciro no pudo evitar sonreír. La brutalidad soez que en muchas otras mujeres le causaba una especie de rechazo, en Cornelia, le resultaba encantadora. La dio vuelta con firmeza. Sintió los pechos y el abdomen de la mujer contra su cuerpo y no pudo evitar un suspiro agitado. La piel de la chica ardía; sin embargo, la mirada seguía tan gélida como siempre.

—Quiero que me mires de otra forma —dijo sin tener en claro si, en realidad, era eso lo que quería.

—No tengo otra forma —murmuró Cornelia y hundió su lengua en la boca de Ciro. Con pericia, bajó su mano hasta la entrepierna del muchacho y lo hizo gemir más fuerte.

La sexualidad de Cornelia, que desde niña venía funcionando como una máquina del goce ajeno, no era un misterio: había sido adoctrinada para obedecer. Sus deseos no tenían que ver con los ardores de la pasión ni las torpezas del arrebato, el placer de Cornelia radicaba en el poder. Ella solo quería ser poderosa y contaba para eso con la herramienta más eficaz: estaba acostumbrada a soportarlo todo.

Ciro se recostó sobre el cuerpo de Cornelia y no pudo evitar penetrarla. En el momento exacto en el que se sumergió en las profundidades de esa mujer tan extraña, necesitó mirarle la cara, saber que era ella y no otra. No quiso moverse. Se quedó quieto, atento a un leve y rápido gesto que le pareció lo más cercano a una sonrisa.

—Abrí los ojos —murmuró a centímetros de su boca—. Quiero que me mires.

A pesar de que ella sentía urgencia por clavar su mirada en la de ese hombre que la sorprendía, se negó. No fue necesario decir que no, ni siquiera tuvo que mover la cabeza; simplemente siguió como estaba: con los ojos cerrados. Ese detalle ramplón fue para Cornelia una revolución. Siempre supo que una negativa a la hora del sexo tenía un precio: un ojo morado, un pellizcón que marcaba la piel blanca por días y días y, en el peor de los casos, algún hueso roto. Sin embargo, intuía que Ciro no iba a descargar la frustración sobre el campo de batalla que siempre había sido su cuerpo. Ciro Leone era el hombre del asombro, el hombre a quien podía desobedecer sin consecuencias.

A cambio de los ojos, le ofreció sus caderas. Se empezó a mover despacio, sin prisa. Tenía todo el tiempo del mundo, un tiempo que no cotizaba en ningún tipo de moneda. Por primera vez. Los gemidos de Ciro iban acompañados de palabras que Cornelia prefirió no entender, como si el lenguaje humano pudiera ponerle fin a un circuito que para ella era celestial, distinto a todo lo que pisaba una tierra que siempre le había sido hostil.

El orgasmo la avergonzó profundamente. Se descubrió como si fuera una adolescente de gritititos agudos e inexpertos. No tuvo tiempo de pronunciar las guarradas que tenía estudiadas y sabía tan efectivas, esas que solía usar para que todo terminara lo más rápido posible. Abrió los ojos, cumpliendo el pedido de manera tardía, y lo vio. Ciro nunca había dejado de mirarla. Una especie de guardián de su placer. Sonrió satisfecha, como quien recibe una visita esperada durante mucho tiempo.

—Me gusta que estés acá —fue lo último que él dijo antes de dejarse llevar por un estallido caliente y voraz.

Los corazones siguieron latiendo agitados por un buen rato. La piel de ambos ardía como si hubiesen estado expuestos al sol. El mecanismo de la costumbre le indicaba a Cornelia lo que tenía que hacer; no necesitaba pensar para seguir cada norma, cada regla al pie de la letra. Dentro del espanto hay, también, un espacio para la comodidad: quitarse la ropa, ocuparse de los genitales del otro, permitir la penetración, fingir el orgasmo propio para apurar el ajeno y cobrar lo que se adeudaba. Cada una de estas prácticas tenía un precio y el de Cornelia era muy alto. Sin embargo, no pudo. Esta vez no pudo. Ni quiso.

Con el dedo índice, Ciro se dedicó a recorrer cada curva de su cuerpo como si con el simple contacto pudiera imprimir un tatuaje invisible, se detuvo en la cadena que le colgaba del cuello y sostenía un anillo.

—¿Y esto? ¿Es un anillo de compromiso? —preguntó mitad en chiste, mitad en serio.

Cornelia, sin abrir los ojos, le contestó:

—Es un botín de batalla. El día que este anillo vuelva a su dueño, habré perdido la guerra final.

La respuesta fue tan cortante que Ciro optó por no agregar palabras, prefirió seguir tocándola despacio. A ella solo le quedaba la entrega y el suspiro.

Entre caricias, Cornelia, espiaba el reloj de bronce y madera que estaba colgado en la pared. Su cabeza no lograba deshacerse del hábito de calcular los minutos en dólares. Unos dólares que con gusto no pensaba cobrar.

—Qué pena dejar todo ahora que las cosas nos van tan bien —dijo cuando la aguja negra de metal pasó por segunda vez por el número doce.

—Sí, una pena —respondió Ciro, quitando el dedo de la cadera de Cornelia como si su piel se hubiese convertido en una hoguera y quemara.

Se acomodó en el sillón, desnudo y con los brazos cruzados sobre el pecho. Parecía un niño haciendo un capricho. La naturalidad con la que Cornelia, totalmente desnuda, se servía un vaso de agua, se acomodaba el cabello en el espejo, se limpiaba con el dorso de la mano el lápiz labial corrido y, con movimientos mecánicos, se enfundaba en su ropa era sorprendente. Actuaba como si los demás, e incluso ella, fueran invisibles. Una aptitud estupenda para negar el entorno.

—Bueno, me voy —dijo parada en la puerta, con una mano en la manija de la valija con rueditas—. Podrías levantarte, saludarme y abrirme la puerta. Una gentileza para una mujer que esta noche te regaló entre ochocientos y mil dólares, ¿no?

Ciro largó una carcajada y se puso de pie.

—¿No habíamos quedado en que vos me ibas a pagar a mí? Yo te estoy regalando cinco mil dólares —dijo mientras se acercaba.

—¿Cinco mil dólares? ¡Qué ego, mi querido! —contestó Cornelia con una sonrisa de oreja a oreja, ambas manos en su cintura y la cadera hacia un costado. Una pose que sabía le quedaba encantadora.

El primer beso de la despedida fue largo y profundo. Ciro la apretó contra la puerta y siguió. Sospechaba que iba a ser la última vez. El cuerpo de Cornelia era el andén de todas las despedidas del mundo.

36

No sabía si su madre estaba muerta o viva, si había regado por el mundo a otros hijos, unos hermanos a los que nunca conocería. Se llamaba Ofelia, eso sí lo sabía. Era alta, robusta y tenía los ojos tan negros como los suyos.

A fuerza de insistir durante varios años, había conseguido que su padre fuera largando, muy de a poco, algunas palabras deshilachadas. Le había contado que Ofelia hacía el mejor pastel de chocolate que cualquiera pudiera probar en su vida; que había deseado mucho ser madre, pero que llevaba anclada en el corazón una tristeza tan profunda que nunca había logrado disfrutar de sus hijos; que tenía la costumbre de enjuagarse el cabello una vez por semana con un jarrito de agua de lluvia que juntaba y atesoraba en botellas y que el último gesto maternal que había tenido con ella, antes de desaparecer para siempre, había sido arroparla en la cuna con una manta de lana color celeste. Romina Aguilera seguía usando esa manta todos los inviernos.

Durante su infancia, le había asegurado a quien quisiera escucharla que el viento o la lluvia helada iban a traer de vuelta a su madre. Estaba convencida de que la manta, cada vez más descolorida, funcionaba como faro para el regreso de Ofelia a casa. Al inicio de cada primavera, doblaba la manta dándole la forma de un cuadrado perfecto y la guardaba en el estante más alto del armario, junto con la desilusión de la ausencia.

Muy por el contrario, su hermano Iván nunca esperó la vuelta de Ofelia. Pero una vez, durante la noche de San Juan, totalmente borracho, le contó un sueño recurrente, que tenía que ver con ella. Una mujer vestida con un abrigo largo hasta los pies, una bufanda naranja y un bolso enorme colgado al hombro aparecía en la puerta de la casa. No se le veía el rostro, porque lo tenía cubierto por una bruma espesa. No estaba sola. Un niño pequeño colgaba de las caderas anchas y esponjosas de la mujer y pedía a los gritos que le hiciera un tazón de leche caliente con miel. Solo eso. Romina nunca dudó de que la mujer con cara de nube era Ofelia, la madre de ambos, y de que ese niño era su hermano Iván.

Todo el vacío materno fue llenado por Lisandro, el padre que supo disimular la vergüenza del abandono y, sin titubear, se puso al hombro la crianza de los niños. «Yo puedo solo», era la frase que siempre tenía en la punta de la lengua para cualquiera que, por piedad o curiosidad malsana, se acercara a ofrecerle una mano.

Iván, el primogénito varón, cargaba con la obligación de profundizar la huella del camino de su padre: Romina era la princesa a la que había que cuidar como un tesoro.

—Tu hermana es lo más preciado, hay protegerla como si fuera de cristal. Tú y yo daremos la vida por ella si es necesario —repetía Lisandro con solemnidad.

Iván obedeció cada indicación, orden o sugerencia de su padre. Respondía a golpes cada burla que Romina recibía en el colegio por parte de compañeros que se divertían señalando las costumbres excéntricas de la niña. Y, sin que ella supiera, amenazaba a cada muchacho que con lujuria posaba los ojos en el cuerpo voluptuoso y precoz de la adolescente en la que se había convertido. Sin embargo, ese joven con aspecto de pandillero y reacciones brutales podía ser tierno, cuidadoso y hasta sofisticado.

—Tengo que hablar contigo —le dijo Romina una mañana mientras desayunaban a solas en la sala de su casa—. Quiero que me escuches y no me juzgues.

Como única respuesta, Iván levantó los ojos del cuenco de cereales con leche.

—Y no le digas a papá nada de esta conversación. ¿Me lo juras?

—Te lo juro.

—Deja de perseguir a los candidatos que se me presentan, no me interesan —arrancó diciendo Romina—. No me gustan los hombres.

Iván dejó los cereales y miró a su hermana con el ceño fruncido.

—No entiendo —murmuró.

—No hay nada que entender, Iván. Que no me gustan los hombres, me gustan las mujeres.

—¿Eres lesbiana? —preguntó sin ganas de dar vueltas al asunto.

—Sí.

—Muy bien, entendido. ¿Me pasas la mermelada de fresa, por favor?

Junto con las novedades sexuales y amorosas de su hermana, Iván tragó una tostada tras otra y Romina acabó una manzana de a bocados pequeños. Antes de levantarse de la mesa para salir de apuro a trabajar con su padre, Iván abrazó a su hermana y la apretó fuerte contra su pecho, como si estuviera por emprender un largo viaje.

—Romi, siempre te voy a cuidar el cuerpo y el corazón. Si alguien te lastima, sea un hombre o una mujer, se las va a tener que ver conmigo…

—O con nuestro padre —interrumpió Romina con tono burlón.

—O con nuestro padre —repitió Iván con una sonrisa.

Romina se despertó con una resaca espantosa. No podía abrir los ojos sin que el rayo de luz que se colaba por la ventana de su cuarto le perforara las córneas. Detrás de la cabeza, justo en la nuca, sentía como si la almohada se hubiese convertido en piedra. Los oídos le zumbaban y la lengua parecía haber sido fabricada para una boca más pequeña que la suya. Así como estaba, hecha un harapo, prometió, como tantas otras veces, no volver a tomar alcohol en su vida.

—Niña, ¿vas a desayunar o ya te preparo el almuerzo? —gritó del otro lado de la puerta Ignacia, la señora que trabajaba en las tareas del hogar.

—Ahí voy, ahí voy —murmuró Romina.

Arrastrando los pies llegó hasta el baño y tomó varios tragos de agua, apoyando la boca en la canilla de la pileta de lavarse las manos. Usó el agua helada para lavarse la cara y se miró al espejo. Se dio cuenta de que estaba totalmente desnuda. La ropa que había usado la noche anterior para ir a una fiesta en el Barrio Gótico estaba cuidadosamente doblada sobre una silla. Abrió el placar y decidió cubrir su desnudez con un vestido largo y ancho que le había comprado a unos senegaleses en las playas de la Costa Brava.

Cuando estaba por salir de su habitación, fantaseando con la tortilla de papas que sabía que Ignacia había cocinado, vio al costado de la cama su teléfono celular. La luz verde parpadeaba, tenía varios mensajes pendientes. Abrió primero el de Nadia. Lo tuvo que leer varias veces: «Te mando unas fotos que acabo de tomar. Necesito que le preguntes a tu padre o a tu hermano si conocen a estos dos hombres. Te adoro y gracias». Junto con el texto, le habían llegado cinco fotos. Romina las miró sin demasiada atención y empezó a mandar audios de voz: «Nadia, no entiendo estas fotos, pero claro que te averiguo. Primero le voy a preguntar a mi hermano».

Bajó las escaleras. En la cocina, Ignacia había dejado la mesa servida: tortilla de papas, huevos rotos, unas tostadas con tomate y aceite de oliva y una taza enorme de café con leche. Romina no pudo evitar sonreír, la mujer siempre le servía el café en el tazón de Mickey Mouse que habían traído del primero de los tantos viajes a Disney World. Hundió el tenedor en la tortilla y cerró los ojos para saborear la textura perfecta. Antes del segundo bocado, chequeó su teléfono: Nadia aún no había contestado. Le mandó otro mensaje: «Holaaaaa, Nadiaaaaa. Amor, contéstame. Imagino que si necesitas que mi hermano o mi padre miren esas fotos no debe ser nada limpio, ¿no? Muero de curiosidad. Llámame. Te amo».

Ignacia solía saltear con mucho ajo y pimentón los tomates para las tostadas, el sabor se impregnaba en el pan tibio. Romina agregó por arriba más aceite de oliva y masticó con ruido su tapa favorita. Sin embargo, no la pudo disfrutar: un nudo en la boca del estómago le indicaba que algo estaba mal. Apartó la tostada, se limpió los dedos en el mantel y volvió a su teléfono. Se metió en las redes sociales de Nadia: Instagram, Twitter, Facebook. Ni un comentario, ni un posteo reciente, ni siquiera una foto nueva de Ginebra. Nada.

Tomó de un solo trago media taza de café y amplió las fotos: dos hombres, un auto, una mujer de pelo corto, un bolso enorme y el detalle de la chapa patente del auto. Volvió a la segunda foto. No tenía dudas: la mujer del pelo corto era Chantal, la madre de Nadia. ¿Por qué Nadia estaba investigando a su madre? Romina se sirvió otra taza de café e hizo lo que su novia le había pedido. «Iván, cariño. Te envío unas fotos que me mandó una amiga. ¿Conoces a alguno de los que se ven?», fue el breve audio que le mandó a su hermano.

Cuando estaba subiendo a su habitación para cambiarse y salir a buscar a Nadia, un llamado telefónico la sorprendió. El que sonaba no era su celular, era el teléfono de línea. No recordaba cuándo había sido la última vez que había hablado por ese aparato que juntaba tierra en una mesita del descanso de la escalera; el único que lo usaba, muy de vez en cuando, era su padre.

—Hola.

—Soy yo —dijo Iván del otro lado de la línea—. Te hablo por aquí para no dejar nada registrado en los celulares. ¿Quién es la persona que te envió esas fotos?

—No me asustes, Iván. ¿Qué sucede?

—¿Quién te las envió? —insistió Iván con poca paciencia.

—Me las envió Nadia, mi… amiga. Bueno, tú sabes…

—Dile a tu amiga que se aleje de esa gente, es peligrosa. Y que se deje de sacar fotos y jugar a James Bond. Romina, esto no es chiste.

El nudo en el estómago que Romina había sentido mientras desayunaba se convirtió en una piedra caliente que le quemaba las entrañas. Pocas veces había escuchado a su hermano hablarle en ese tono de alerta.

—Iván, no me puedo comunicar con ella. Llamo, mando mensajes y no me atiende. Tengo miedo…

—Yo me ocupo. No hagas nada. Y te quedas en casa.

—¿Llamo a papá? —murmuró Romina. Sabía que, a pesar del amor que padre e hijo se tenían, a Iván no le gustaba demasiado ser siempre la sombra de su padre.

—No. Ya te dije que de esto me ocupo yo. Tú me haces caso —dijo y cortó la comunicación.

Antes de subir los cuatro escalones que la separaban de su habitación, Romina ya había decidido qué hacer. Mientras se cambiaba el vestido de playa por un equipo de gimnasia Adidas, le mandó otro audio a Nadia: «Tesoro, estoy preocupada. Mi hermano Iván ya tiene las fotos y cree que es gente peligrosa. Por favor, comunícate conmigo». Metió el celular, los documentos y sesenta euros en cambio en una cartera pequeña; se recogió el cabello con una cinta de raso color azul y salió, apurada, de su casa. No estaba en sus planes quedarse de brazos cruzados.

37

Lisandro Aguilera se subió a su moto, como hacía cada vez que la adrenalina le tomaba el cuerpo y la sangre de sus venas estaba por estallar. Solía circular por la ciudad a pie, escoltado por alguno de sus muchachos de gorrita verde o en un auto de vidrios polarizados que siempre manejaba Idelfonso, su chofer. La moto era solo para circunstancias especiales. La Ducati Diavel Carbon negra era su niña mimada, la que lo acompañaba como nadie más podía hacerlo. El asiento de cuero parecía haber sido fabricado para él: encajaba de manera perfecta entre sus piernas. Se colocó el casco y puso a su chica de dos ruedas en funcionamiento.

Durante el trayecto desde su casa en Lesseps hasta Badalona, no pensó en nada. Era una de las propiedades que poseía la Ducati: provocaba el olvido. Tampoco se fijó en las máximas de velocidad permitidas, necesitaba llegar lo antes posible al lugar en el que estaba una de las personas que más le importaba en el mundo. Y cuando a Lisandro Aguilera algo le importaba no existían los límites. Ninguno.

Estacionó la moto en el costado de un edificio sencillo pero elegante, que quedaba frente a la playa. Cuando se quitó el casco, el olor a mar lo inundó. Por un segundo, imaginó que ese sitio podría haber sido el suyo; que ese océano, a veces calmo, podría ser lo primero que sus ojos vieran en cada amanecer y el ruido de las olas que se deshacían en la orilla lo último que escuchara antes de dejarse llevar por el sueño. Sacudió la cabeza para quitarse las fantasías. Tenía cosas importantes que hacer.

Aunque no era necesario, se coló por la parte de atrás del edificio. Estaba acostumbrado a ocultarse. Su vida era una gran puerta de servicio; siempre iba detrás, en segundo plano. Sabía que nadie iba a contestar, pero igual tocó el timbre que estaba al costado de la puerta de madera lustrada; todavía guardaba algunas normas de conducta. Ante el silencio, apeló al código que solo una persona podía descifrar: tres golpes secos, un espacio, cuatro golpes más. Esperó unos segundos con la oreja pegada a la puerta. No pudo evitar sonreír cuando escuchó unos pasos arrastrados del otro lado y luego el sonido metálico de las llaves girando la cerradura.

Como cada vez que la veía, el corazón se le desbocó. No podía evitarlo. Tampoco logró controlar el escalofrío habitual ante la presencia de la mujer amada.

—Rocío, mi tesoro —murmuró en cuanto ella abrió la puerta.

Rocío Larrazábal parecía un espectro que vuelve de la muerte: unas ojeras oscuras intensificaban el color claro de sus ojos, los labios descoloridos, las mejillas hundidas y un camisón celeste de gasa que cubría un cuerpo que estaba en los huesos. No probar bocado desde hacía días y el estrés nervioso le habían provocado un descenso de peso notorio. Sin embargo, Lisandro la vio hermosa. Él, solo él, podía percibir el destello de vida que la mujer aún conservaba.

—¿Qué haces aquí, Liso? —preguntó Rocío y se lanzó a los brazos del hombre con desesperación y una mezcla extraña de tristeza atroz y felicidad.

A pesar de los años que habían pasado, ella le seguía diciendo Liso, un apodo que inventó motivada por los celos. Se negaba a nombrar al hombre amado con las mismas letras que lo nombraban tantas otras. Liso era solo de ella y para ella.

—¿Puedo pasar? —preguntó Lisandro, a pesar de que sabía que el marido de Rocío, Donato Melliá, no estaba.

Como toda respuesta, la mujer se alejó de la puerta y caminó hasta el centro de la sala. Se quedó parada, quieta, con la mirada perdida; por momentos no reconocía ni su propia casa.

—¿Has comido? No tienes que dejar de comer, no te hace bien y no ayuda a nadie —dijo Lisandro mientras tomaba a Rocío de un brazo y la acomodaba en el sillón de dos plazas como si fuera una muñeca.

—¿Ya te has enterado? —preguntó Rocío, confundida.

—Sí, Donato me ha contado todo.

Se quedaron un buen rato en silencio, con las manos entrelazadas, una sobre la otra; una costumbre que tenían desde que eran jóvenes, cuando no sabían qué decir o medían el tiempo entre una palabra y la siguiente. La relación que había empezado, delante de Donato, con la excusa de un reloj de oro perdido había continuado a escondidas durante años.

Repetían que lo que sentían no tenía futuro y, sin darse cuenta, construyeron un destino en común, una vida pequeña, esporádica y paralela: encuentros casuales y no tanto; visitas a contra horario; cartas escritas de puño y letra, muchas veces regadas de lágrimas, y con el paso del tiempo, choques de urgencias tan físicas como salvajes. Ni la llegada de Ofelia a la vida de Lisandro, ni la boda con bombos y platillos que convirtió a Rocío en la señora Melliá modificaron las turbulencias de una pasión profunda que había vuelto indisoluble el vínculo entre ambos, un vínculo nacido en las entrañas, que daba lugar a las celebraciones del otro.

La tristeza que Rocío experimentaba mes tras mes por una maternidad que parecía no llegarle nunca no le impidió compartir la felicidad de Lisandro ante la llegada de Iván, su primer hijo con Ofelia. Y celebró, también, el nacimiento de Romina Aguilera, mientras ella y Donato deambulaban de médico en médico, con la esperanza de que su útero se dignara a retener lo que Rocío más deseaba en la vida: un hijo.

—¿Qué te ha contado Donato? Seguro que sabes más que yo —aseguró Rocío sin quitar la vista del suelo.

Lisandro Aguilera se destacaba por decir lo que había que decir y, en este caso, coincidía con Melliá: el motivo del secuestro de Adela ponía en riesgo a su madre. Ninguno iba a arriesgar ni un centímetro del cuerpo de Rocío. En eso también coincidían. Rocío Larrazábal ejercía un poder involuntario sobre los dos hombres de su vida. Un encantamiento que nunca buscó e, incluso, intentó evitar sin éxito. Para Lisandro, ella era una ostra que convertía todo cuerpo extraño en una perla; para

Donato, una especie de flor del cerezo que, de tan fugaz, resignificaba su propia vida. En esa mujer de aspecto frágil, se escondía la naturaleza toda. La belleza, la voracidad y el amor.

—Hay detalles que no tienes que conocer —dijo Lisandro. No sabía, no podía ni quería mentirle—. Aunque hay algo que tienes que tener en claro y vine a decírtelo en la cara, mirando tus ojos...

Por primera vez desde que Rocío había abierto la puerta, conectó con el hombre que tenía frente a ella. Se había puesto una chaqueta de cuero que en el pecho tenía dibujada la marca de la moto que usaba en la desesperación. Pero no fue eso lo que llamó la atención de Rocío. Fue el pañuelo de seda amarillo lo que acaparó su mirada. Recordó esa noche, dieciséis años atrás, cuando se fueron juntos a pasar un fin de semana a Sigüenza, un pueblito encantador a pocos kilómetros de Madrid. Ella le había dicho a Donato que necesitaba pensar en soledad. Donato fingió creerle con la resignación de quienes se saben engañados y aceptan para evitar el mal mayor. Para Donato Melliá, el mal mayor era perderla.

Rocío y Lisandro se encerraron en una de las habitaciones del parador construido en roca y madera en el siglo XII. No caminaron por el pueblo, no visitaron la catedral, apenas tocaron con desgano la comida que les llevaron a la habitación. Dedicaron cada minuto a besarse y a acariciarse. Necesitaban reconocerse en el cuerpo del otro y comprobar lo que siempre habían sospechado: estaban destinados. Antes de volver a Barcelona, Rocío le anudó en el cuello el pañuelo que había sido de su abuela. Lo hizo en silencio, sin estridencias, como todo lo que hacía. Lisandro atesoró ese cuadrado de seda amarillo en el fondo de su caja fuerte. Se lo ponía despacio y cerrando los ojos cada vez que algo importante sucedía en su vida: el nacimiento de Iván, el de Romina y hasta la noche en la que Ofelia, enterada de la existencia de Rocío, decidió dejar todo atrás.

—¿Por qué te has puesto el pañuelo? —preguntó Rocío acercando las puntas de sus dedos. No se animaba a tocarlo, como si quemara.

Lisandro le agarró la cara, y el rostro blanco y delicado de la mujer quedó encerrado entre las manos oscuras y ásperas.

—Mi pequeña, necesito saber una verdad —murmuró—. ¿Adela es mi hija?

Aguilera jamás había imaginado esa posibilidad. Saltó de felicidad cuando supo que, luego de años de fracasada maternidad, Rocío estaba embarazada. Incluso durante un año se negó a ponerle una mano encima; no quería profanar lo que para él era sagrado: el cuerpo de una mujer gestando y dando vida.

—¿Por qué preguntas eso? —respondió Rocío, fingiendo una falsa sorpresa. Siempre supo que el momento de la pregunta llegaría, tarde o temprano.

—Cuando Donato vino a pedirme colaboración para encontrar a tu niña, tuve una sensación extraña —contestó sin dejar de mirarla a los ojos—. Pensé en ti, claro que pensé en ti, como siempre. Pero en mi cabeza aparecieron las imágenes de tu Adelita de bebé, luego de cuando era una niñita y... Bueno, tuve una angustia grande, como si se tratara de mi Romina. ¿Me entiendes?

Rocío asintió con la cabeza y respondió:

—No lo sé, Liso. No lo sé. Al tiempo de que volvimos de Sigüenza, mi período se retiró y no quise hacerme análisis. Estaba harta de desilusionarme. Preferí creer que era una cuestión hormonal o el cansancio... A los tres meses, confirmé que estaba embarazada. —No pudo evitar una sonrisa. Recordaba ese momento como el más feliz de su vida—. Pensé que podrías haber sido tú el causante del embarazo, pero también podía serlo Donato. No lo sé.

—¿Nunca quisiste saberlo? —insistió Lisandro, con los ojos húmedos.

—No. No quiero saberlo. Ni tú quieres, ni Donato quiere.

Rocío quitó las manos de Lisandro de su rostro y se puso de pie. Algo le había dado la energía que había perdido desde el momento en el que habían secuestrado a su hija.

—Hay una sola cosa que yo quiero saber. Quiero saber dónde está mi hija, ir a rescatarla y matar con mis propias manos a quienes me la arrebataron. Así sea lo último que haga, Liso. Lo último.

Lisandro Aguilera también se puso de pie y tomó con firmeza a Rocío, por los hombros.

—Yo lo haré por ti, pequeña. No importa si es o no es mi hija. Tú eres su madre y con eso me alcanza.

Rocío Larrazábal, en puntas de pie, buscó la boca gruesa de Lisandro y lo besó. Lo hizo con ternura, con amabilidad, con agradecimiento, pero sobre todo, con confianza: el padre de su hija no le iba a fallar. Nunca.

38

Todavía tenía en la piel el aroma de Cornelia. Se había bañado usando todos los geles perfumados del Suites Royal y, sin embargo, la fragancia de esa mujer no se quitaba con nada. Tampoco la latencia de los recuerdos, ese tiempo que nace una vez lanzado el estímulo y dura hasta la aparición de una respuesta; seguía ahí, frente a él, a punto de estallar. La Sirena se hacía grande en su ausencia.

Totalmente desnudo y con el pelo goteando por el cuello hasta los hombros, se enfocó de lleno en la computadora. Ciro Leone quería saber todo sobre ella. No le alcanzaba con haber paseado sus manos por el cuerpo ondeado de la mujer tan solo unas horas antes, ni con haber sentido el calor de su aliento, ni con haber percibido el temblor encantador de su boca durante el orgasmo. Quería más.

Abrió la página de Google, ansioso. Había dicho que se llamaba Cornelia Villalba. Escribió el nombre completo en el buscador, y la espera se le hizo un siglo. Una larga lista de resultados copó la pantalla. Hizo clic en el primero y tuvo que pestañear varias veces. Allí estaba ella, no cabía ninguna duda. La foto ilustraba una nota periodística vieja. Le impresionó ver a la mujer con la que había tenido el mejor sexo de su vida convertida en una adolescente de cabello corto, mejillas rozagantes y uniforme de colegio. El título y la noticia lo sorprendieron:

Buscan a una adolescente perdida en El Paraje

La chica de 15 años participaba de un viaje de estudios. La Policía Federal se suma a la búsqueda.

EL PARAJE – Una adolescente porteña está desaparecida desde hace veinticuatro horas en la pequeña localidad patagónica.

Cornelia Villalba, de 15 años, forma parte de un contingente del prestigioso colegio inglés Dullmich College, que llegó al pueblo en el marco de un viaje de estudios y convivencia. Según las declaraciones de sus compañeras, la última vez que la vieron fue en el bar del pueblo. La coordinadora del viaje de estudios, la docente Ludmila Roviralta, fue la que puso en alerta a las autoridades locales.

La nieve caída en las últimas horas dificulta la tarea de búsqueda de la chica. La gobernación ya puso a disposición un helicóptero de emergencia y, según pudo saber este matutino, un equipo de la Policía Federal estaría llegando en las próximas horas para sumarse a la pesquisa.

La chica desaparecida es la hija del reconocido médico Eugenio Villalba, premiado por la Academia Nacional de Medicina a raíz de la investigación de métodos de cura en la lucha contra el cáncer.

Cornelia Villalba mide 1,60 y pesa 50 kilos, tiene el cabello oscuro muy corto, con un flequillo irregular, ojos claros. En el momento de su desaparición vestía un pantalón de *jean* negro, una camiseta de mangas largas celeste, una chaqueta acolchada de color rosa y una bufanda a rayas violeta y blanca.

Se levantó de la silla de un salto. A pesar de que era la hora del desayuno, se sirvió un *whisky*; necesitaba algo más fuerte que un café con leche para digerir la noticia que tenía ante sus ojos.

Volvió a la pantalla y abrió los demás resultados de búsqueda. Eran todos de la misma época y sumaban poca información. Había fotos de los padres de Cornelia, siempre tomados de la mano y llorando, pero sin perder la elegancia. También encontró imágenes del hermano de Cornelia, un muchacho pelirrojo, con aspecto de galán de cine, y de las amigas, un grupito de chicas tan pequeñas, en esa época, como la desaparecida. A medida que avanzaba en las fechas, los reportajes eran cada vez más cortos; la noticia iba perdiendo interés y se mezclaba con otras sobre la siempre acuciante situación en la Argentina.

—No puede ser —murmuró Ciro.

Siguió buscando lo que sabía que no iba a encontrar: algo que anunciara que la chica perdida finalmente había vuelto a casa. El último archivo era reciente, tenía menos de dos años. El texto corto estaba ilustrado con una foto del interior de una iglesia. Ciro amplió la imagen y reconoció el Convento de Santo Domingo, su abuela solía llevarlo, cuando era un niño, a escuchar lo que para ella era el mejor órgano del país. En la imagen, el instrumento de tubo no aparecía. Se veía el pasillo larguísimo; a los costados, las sillas repletas de gente y, en el altar, un atril con la foto de Cornelia adolescente. La información era breve y precisa:

A diez años, sigue el dolor

Se cumplen diez años de la desaparición de Cornelia Villalba, ocurrida durante un viaje de estudios en la Patagonia argentina. Sus padres, Eugenio y Clara Villalba, convocaron a una misa de homenaje que tuvo lugar en el Convento de Santo Domingo. Se dieron cita amigos, familiares y excompañeras del colegio al que asistía la chica desaparecida.

Sin datos con respecto al paradero de la menor que hoy tendría 25 años, su madre pronunció, entre lágrimas, unas pocas palabras: «Mi hija está viva. Creeré eso hasta que alguien me demuestre lo contrario».

Ciro se puso de pie y caminó hasta la habitación. Durante un rato, se quedó dando vueltas sin saber qué hacer. Abrió la valija que le habían dado en el reclusorio y acomodó la ropa sobre la cama. Releyó la nota que, de puño y letra, le había escrito el Egipcio.

Leone: Puedes llevarte la maleta, es para ti. Espero que las prendas te queden. En el fondo vas a encontrar una billetera con dinero en efectivo, una tarjeta de crédito y tus documentos. Cuando salgas vas a tener un teléfono celular y un número rojo al que debes llamar apenas hayas pescado a la Sirena.

Todo depende de ti. Todo.
Khalfani Sadat, el Egipcio.

Con el papel en la mano y, todavía desnudo, volvió a sentarse frente a la computadora. Se cuestionó lo que siempre había considerado una virtud: su osadía. Las ganas de salir de la cárcel y el desafío que le había planteado Melliá, en el fondo, lo habían convencido. Ahora empezaba a sospechar que se había metido en un lugar demasiado fétido, del que no tenía claro cómo salir. Con el corazón acelerado, tecleó «Khalfani Sadat» en el buscador de Google. Ante la larga lista de archivos sobre su benefactor, tuvo miedo.

Respiró hondo y abrió el primero de los documentos. El artículo estaba fechado unos meses después de la misa de homenaje a Cornelia y contaba que el hombre había sido detenido en la Triple Frontera —el cruce entre Argentina, Brasil y Paraguay—, en un operativo internacional contra la trata de mujeres y la explotación sexual. Otro de los archivos estaba ilustrado con fotos de Sadat sacadas de distintos prontuarios policiales del mundo; en él, se daban detalles de las distintas causas por las que se lo había investigado y buscado durante años en varios países: abusos sexuales, drogas, blanqueo de dinero y trata.

Cerró la computadora, no quería saber más. Lo que había averiguado era suficiente para darse cuenta de que se había metido en un embrollo, con gente pesada de verdad.

Eligió unos pantalones de lino marrones y una camisa blanca. Se acomodó sin ganas el cabello frente al espejo y demoró varios minutos en definir qué par de zapatillas se iba a calzar. Una estrategia pueril para dilatar el momento de recordar parte de la conversación que había tenido con

275

Cornelia durante la cena de la noche anterior. Las palabras de ella le ardían en el pecho. «Hasta hace un año me dediqué a la trata de mujeres, pero ahora estoy retirada», había dicho a modo de chiste, sin gracia y sin risas.

Ciro se quedó analizando el comentario. Ninguna persona con dos dedos de frente confesaría semejante delito ante un desconocido, aunque recordó que él también le había dicho, sin tapujos, a lo que se dedicaba. Pero no había sido la naturalidad con la que había hablado sobre su pasado, ni la manera desvergonzada con la que había contado cómo se ganaba la vida lo que a Ciro Leone lo convenció de la veracidad de las palabras de la Sirena. La certeza surgía de su nula voluntad para mentir. Podría haberse presentado como Nadine Basset, Charo Balboa o Vera Garcés; sin embargo, le había dicho su verdadero nombre: Cornelia Villalba.

Guardó todo en la valija y la arrastró dentro de uno de los placares. En su cabeza repiqueteaba una pregunta: ¿Cornelia era un ángel o un demonio? No lo tenía claro. Lo que sí sabía era que debía elegir entre estar en la vereda de Khalfani Sadat o en la de Cornelia Villalba.

Agarró la billetera con las tarjetas y el dinero que le habían dado, y la metió en el bolsillo interno de su chaqueta de cuero. Se paró delante de la ventana. El sol brillaba sobre Barcelona. Marcó el número rojo en el teléfono celular que le habían dado y le dejó un mensaje a Donato Melliá. Usó muy pocas palabras, solo las necesarias. Ciro Leone había tomado una decisión.

39

Se quedó esperando en la playa. Recorrió el mismo camino que había hecho Adelita antes de que se la llevaran. Levantó varias veces la vista hacia el cielo, convencido de que varias de las gaviotas que sobrevolaban el mar, alguna vez, habían sido alimentadas por su hija.

Extrañaba las sonrisas que siempre le regalaba cuando, a escondidas, le traía una barra de su turrón favorito; el tono de voz agudo que usaba para cantar canciones de Britney Spears mientras se daba un baño; las conversaciones delirantes en las que planificaba su futuro como dueña de una campo gigante, en el que pudiera albergar a los animales lastimados y abandonados del mundo y los besos, esos besos sonoros con los que su hija cubría sus mejillas cada vez que llegaba a casa.

En los últimos días, Donato Melliá había resignificado el dolor. Desde muy joven, transitaba su vida con una angustia perenne que lo acompañaba sin interrupciones; pareja, suave, como una musiquita que, aunque pareciera que no estaba, sonaba igual. Solo en algunos momentos, la angustia batía palmas y se hacía sentir. A veces, llegaba con dolores de cabeza y mareos; otras, con acidez en el pecho y, muy de tanto en tanto, con lágrimas.

Era su mujer, Rocío, la que sacudía la modorra y subía el volumen de la musiquita, pero la ausencia de Adelita provocaba una laceración atronadora. Su dolor por Rocío había pasado a un plano casi invisible. En definitiva, Donato Melliá siempre supo que la única opción para tener a su mujer era compartirla con Lisandro Aguilera y, con el tiempo, había aceptado que las partes siempre son mejores que nada.

Se sentó en la arena y prendió un cigarrillo, un vicio que había dejado hacía años. Miró hacia el balcón de su casa: estaba vacío y con las persianas cerradas. Apenas había dado dos caladas cuando vio a Lisandro Aguilera dar la vuelta al edificio, mientras se ponía el casco; había dejado la moto estacionada a unos pocos metros. Entre ellos, hacía tiempo que se había perdido el decoro de las buenas costumbres. Todo estaba dicho y las cartas echadas.

—¡Aguilera! —gritó Donato desde la playa.

A pesar de que el casco le cubría la cabeza, Lisandro lo había escuchado. Para sobrevivir en su trabajo, tenía que tener los sentidos superdesarrollados. Y mal no le iba. Levantó una mano, se quitó el casco, metió los pies en la arena y se acercó.

—¿Cómo la viste a Rocío? —preguntó Melliá.

—Decidida a matar a quien tenga a su hija.

Donato no pudo evitar sonreír, siempre le había parecido curiosa la manera en la que Rocío se desdoblaba: con él era una mujer frágil, vulnerable, una especie de junco que a cada rato está a punto de quebrarse; con Lisandro se mostraba dura, aguerrida, una mujer capaz de matar.

Muchas veces pensó que la manera que ejercitaba Rocío para no engañar a ninguno de los dos era justamente esa: fabricarse otra. Una para cada uno.

—No va a ser necesario que mate a nadie. Para eso estamos tú y yo —dijo Donato con los ojos clavados en el mar—. ¿Qué pudiste averiguar?

Lisandro se sentó en la arena y con un dedo empezó a diseñar pequeños caminos, le gustaba pensar mientras sus manos se entretenían.

—No te metiste con cualquiera, Donato, el Egipcio es cosa seria…

—Tú también lo eres y yo lo soy —interrumpió Melliá—. Además, está en un calabozo, ya no es lo que era.

—Muy cierto, sí. Barcelona nunca fue una plaza fuerte para el Egipcio. Su lugar de trabajo estaba afincado en Ibiza, otro poco en el Mediterráneo francés y en Latinoamérica, pero tiene sus contactos en Madrid y Barcelona…

—¿Quiénes? ¿Dónde? —insistió Donato con ansiedad.

—Donato, te calmas. Tenemos que tener la cabeza fría. El Egipcio tiene a mano a unos sabuesos bastante ramplones, una bandita que maneja putas de los Balcanes, nada grande, pero son perros fieles. Usan como distintivo gorras rojas. Son mano de obra barata que Khalfani solía pagar con las mujeres de descarte, las que le sobraban de las plazas importantes. Estoy seguro de que si confió en alguien para secuestrar a tu hija fue en ellos, no tiene muchas opciones en Barcelona.

—Muy bien, vamos por ellos, por cada uno de ellos —dijo Donato con certeza criminal.

Lisandro dejó de jugar con la arena y se sacudió las manos.

—Hay algo mucho más fácil y rápido, amigo. Hay que darle al Egipcio lo que el Egipcio quiere…

—La Sirena —murmuró Melliá poco convencido—. Tengo a alguien tras los pasos de la chica, pero…

—Pero… ¿qué? —preguntó Lisandro con curiosidad. Sintió que no estaba al tanto de toda la situación.

—Es un preso de poca monta que largué para que encontrara y siguiera a la mujer, pero ella es rápida, está entrenada por Khalfat en persona y no quiero dejar la vida de mi hija en manos de un muchacho que ni conozco…

—¿Y la ubicó? Porque si la tiene en la mira, puedo poner a mi gente a cazarla. Se la entregamos al Egipcio a cambio de Adela y asunto terminado. Esta noche Rocío tiene a su hija durmiendo en casa.

—El muchacho me llamó hace un rato a un teléfono rojo que le facilitó el Egipcio. Dijo que en unas horas me entrega a la Sirena…

—Es una gran noticia —lo interrumpió Lisandro, impaciente.

—No confío, Aguilera, no confío. Esta mujer se sacó de encima tipos más rudos. Quiero ir en paralelo…

La vibración de su teléfono celular lo frenó en seco. Un sudor frío le corrió por la espalda. Melliá sacó el celular de su bolsillo y lo miró indeciso, ese aparato guardaba todos los terrores del mundo. Su mano empezó a temblar.

—¿Qué sucede? —preguntó Lisandro al ver la reacción de Donato. Sin pensar demasiado, le quitó el teléfono.

—La clave es 7283 —susurró Donato. Prefirió que fuera Aguilera quien mirara el mensaje. En ese momento, pudo entender a su mujer: Lisandro cubría todo con un aura de seguridad pasmosa.

Aguilera tecleó la clave y miró la foto que le habían enviado a Donato. En la imagen se la veía a Adela, estaba despeinada y llorando; debajo del ojo derecho, se notaba claramente un moretón violáceo: la habían golpeado. Lisandro borró la foto, no era necesario cargar más tintas sobre Donato y Rocío. Sin soltar el teléfono, se puso de pie de un salto y cruzó la playa. Se paró en la orilla del mar. La espuma de las olas le lamía la punta de las botas de cuero. Se dio media vuelta y le gritó a Donato, que estaba petrificado unos metros más atrás:

—¡Tengo un plan, mi amigo! Lisandro Aguilera siempre tiene un plan y nunca falla.

Donato lo miró y asintió con la cabeza. Nadie como él tenía tan clara esa afirmación: «Lisandro Aguilera nunca falla».

40

Los vecinos se juntaban detrás de los vallados que había colocado la policía para cortar el Paseo de Gracia. Muchos se quedaban allí parados por curiosidad; otros, porque no tenían otra opción de paso. La unidad de Seguridad Ciudadana, la de Investigación Judicial y el área de regulación de tránsito habían organizado un operativo coordinado a la perfección. Romina nunca había visto semejante despliegue.

Había salido de su casa con un solo objetivo: encontrar a Nadia. El mensaje de alerta de su hermano Iván la había preocupado. Tomó el metro en la estación Lesseps, se bajó en Plaza Cataluña y caminó a paso rápido las cuadras que la separaban del edificio en el que vivía su novia.

—Señorita, por el otro lado, por favor. No se puede pasar por aquí —le dijo un Mozo de Escuadra.

—Es que tengo que pasar, voy para ese lado —insistió Romina, apelando a su vocecita de niña inofensiva y señalando hacia adelante con un dedo.

El policía negó con la cabeza y no le dio más explicaciones. Romina intentó sortear el vallado por un costado, pero le resultó imposible. La zona se había convertido en pocos minutos en un caos: autos que intentaban salir del atolladero de tránsito, personas que necesitaban cruzar hacia el otro lado y turistas que tomaban fotos con sus celulares.

Tres mujeres que acababan de discutir, sin éxito, con los oficiales hablaban en voz alta indignadas. Romina se acercó para entender lo que estaba sucediendo.

—Parece que hubo un robo —dijo una de las mujeres mientras que, en puntas de pie, trataba de ver más allá de lo que le permitía su altura.

—No creo —dijo otra con los brazos cruzados sobre el pecho—. Tanto despliegue por un simple robo me resulta extraño.

Un muchacho se sumó al debate, cargaba varias bolsas del supermercado del Corte Inglés y se lo notaba ofuscado.

—Ha sido un asesinato, han matado a alguien. Escuché a uno de los policías hablar por el *handy* —dijo con el entusiasmo del que logra acaparar la atención develando un misterio.

Romina sintió cómo se le aflojaban las rodillas.

—¿Qué asesinato? ¿Qué pavada dices? —increpó al muchacho de las bolsas.

—Que sí. Yo lo escuché, han matado a alguien en el edificio ese bonito, de las columnas de mármol —insistió aportando un nuevo dato.

Era el edificio en el que vivía Nadia. Una fuerza salida desde algún lugar que desconocía la impulsó a correr y dar la vuelta a la manzana, tenía que llegar hasta la puerta sí o sí.

—Quiero pasar —le dijo a una mujer policía, que la tuvo que frenar tomándola de los hombros.

—No se puede.

—Yo vivo en el edificio de las columnas de mármol —mintió Romina.

Tal vez fue el rostro desencajado, los ojos llenos de lágrimas, el tono desgarrado de su voz o el temblor de su cuerpo lo que, finalmente, convenció a la oficial.

—Muy bien, pasa por aquí. En la puerta te identificas con mi compañero —dijo.

Romina no llegó a darle las gracias. Corrió los metros que la separaban de la puerta como si sus piernas pudieran flotar en el aire. El policía que estaba de consigna no pudo pedirle sus documentos, ni siquiera pudo frenarla. Romina se quedó tiesa cuando vio el cuerpo sin vida que estaban fotografiando sobre una camilla. No necesitó preguntar ni que nadie le dijera nada. La imagen era muy clara: Gerardo, el encargado de seguridad del edificio de Nadia, había sido asesinado.

En la parte derecha del rostro, unos moretones violáceos hacían difícil determinar dónde empezaba y dónde terminaba la mejilla. El pecho de la camisa blanca de trabajo estaba bañado de sangre. La cabeza de Gerardo caía hacia un costado como si fuera la de un muñeco roto y descuidado: lo habían degollado.

Cuando Romina Aguilera reaccionó, lo primero que vio fue su propio vómito en el medio de la calle. La mujer policía que la había dejado, a fuerza de mentiras, cruzar el vallado estaba a su lado y le ofrecía una botellita de agua.

—¿Estás mejor? Te has desmayado —dijo.

El cuerpo de Gerardo ya no estaba. El camión de investigaciones forenses se lo había llevado.

—Sí, gracias. Necesito encontrar a una persona que vive en este edificio. Vine para buscarla, es urgente...

—imploró Romina. Le costaba hablar, todavía estaba mareada.

—Mira, en este edificio viven pocas personas. Es un edificio de gente de mucho dinero. Están muy impactados, creo que el hombre asesinado era el encargado del lugar. Todos los vecinos deberán declarar como testigos, claro. En la cafetería de la esquina están algunos de los que encontramos en sus departamentos...

Romina no la dejó terminar de hablar. Volvió a agradecer y se apresuró para llegar a la cafetería. Nadia seguía sin responder sus mensajes.

El lugar era pequeño, tan solo un mostrador y unas pocas mesas. La policía había desalojado el sitio. Una de las mesas, la más grande, era la única que estaba ocupada. Un grupo de seis vecinos tomaba café en silencio. Se los notaba contrariados. Dos de ellos estaban vestidos con el pijama y se cubrían los hombros con abrigos prestados. Habían salido con lo puesto.

Romina frenó detrás de la vidriera y, con desesperación, buscó en el grupo a Nadia. No estaba. Tampoco estaba Chantal, su madre. El ladrido de un perro la distrajo, bajó la mirada y la vio: Ginebra estaba atada con su correa a la puerta de la cafetería. A su lado, quien había tenido la gentileza de no dejarla sola había puesto un tarro con agua limpia. Se agachó y abrazó a la perrita que, con la lengua suave y caliente, lamió durante un buen rato las lágrimas de Romina. Nadia jamás hubiese dejado sola a Ginebra, jamás. Algo grave le había pasado.

Con el dorso de las manos se limpió la cara y le dio un último beso a la perra. Respiró hondo y se puso de pie. No se iba a quedar llorando como una niñita. Ella era Romina

Aguilera y la sangre de los Aguilera nunca se convertía en agua estancada.

El miedo con el que había recorrido todo el camino hasta la cafetería desapareció a la hora de desandar sus pasos. Salir del vallado policial fue fácil. Nadie la frenó ni le preguntó absolutamente nada. Mientras cruzaba la plaza Cataluña, le mandó un mensaje a su hermano Iván. Le pidió que se comunicara con ella, no quería que se enterara por teléfono de que había desobedecido la orden de quedarse quieta en su casa. No insistió con el teléfono de Nadia, ya sabía que no le iba a responder.

El viaje en metro se le hizo corto. Se acomodó en uno de los asientos del fondo y cerró los ojos. La adrenalina había bajado y sus músculos se sentían laxos y un poco cansados. Bajó en la estación Lesseps y la tranquilidad se esfumó de golpe. Algo no estaba bien. Miró hacia un lado y hacia el otro. Caminó despacio hasta las escaleras de salida y giró de golpe. Nada parecía fuera de lugar.

Los pasajeros entraban y salían del tren en calma, las filas en las máquinas expendedoras de *tickets* eran las de siempre y la señora que vendía artesanías en uno de los andenes hacía su trabajo con normalidad. Sin embargo, algo en la escena diaria, alrededor del metro, estaba desacomodado.

Sin dejar de prestar atención, subió los primeros cuatro escalones y se quedó quieta unos segundos. Siguió hasta llegar al final de la escalera, dio media vuelta y, desde arriba, hizo foco en la estación.

—¡Mierda, mierda, mierda! —murmuró.

Los gorritos verdes no estaban. Los guardianes del barrio que respondían a su padre tenían a la estación

Lesseps como lugar de vigilancia permanente. Lisandro Aguilera quería saber quiénes entraban y quiénes salían del barrio. Y ahora no estaban. La estación estaba descubierta.

Antes de salir de las escaleras, Romina metió la mano en su carterita y desenfundó un tubo de gas pimienta que su hermano le había enseñado a utilizar. El banco de contacto que solía usar su padre estaba vacío y Javier, el guardián del puesto, tampoco estaba.

Respiró hondo y corrió sin mirar atrás las cinco cuadras que la separaban de su casa. Pocas veces se había sentido tan insegura. Desde niña, la seguridad familiar estaba garantizada por el ejército verde de su padre. No llegó a sacar las llaves de la puerta de su casa ni a tocar el timbre con la esperanza de que Ignacia le abriera. Tres muchachos, apenas unos años mayores que ella, le interrumpieron la carrera. Uno frenó con su cuerpo el envión que traía Romina, mientras que otro le atenazó la muñeca para hacerle largar el tubo de gas pimienta.

—Te quedas quieta y tranquila o te rajo esa bonita cara que tienes —la amenazó el primero, ostentando una navaja cerca de los ojos de Romina.

La chica asintió levemente y obedeció, no tenía otra opción. Sin embargo, en silencio, intentaba recordar si alguna vez había escuchado a qué banda pertenecían los matones que usaban gorras rojas como los tres hombres que tenía enfrente. El más alto y fornido se le acercó con una sonrisa cargada de lascivia. Romina dio un paso atrás cuando notó que la mano del muchacho iba directo a uno de sus pechos.

—Epa, qué arisca resultó ser la niñita Aguilera —masculló.

—Si me pones una mano encima, lo vas a pagar muy caro. No sabes con quién te estás metiendo —dijo Romina con la seguridad típica de los hombres de su familia.

—Con los Aguilera me estoy metiendo, bobita. Claro que lo sé. —El muchacho levantó ambas manos y miró hacia los costados—. También sé que los gorritas verdes que te cuidan no están, desaparecieron. Puf, magia.

Los compañeros dejaron estallar la misma risa forzada que usaban para contentar al jefe; además de guardaespaldas, oficiaban de bufones. Romina no gastó energías en contestar, necesitaba evaluar si tenía opción de escape.

Una camioneta negra subió a la vereda e interrumpió el monólogo del muchacho. El chofer bajó de un salto y se acercó al grupo, en las manos traía una caja de zapatos. Romina lo reconoció al instante: era uno de los hombres que Nadia había fotografiado.

—¿Dónde está Nadia? —preguntó sin medir las consecuencias—. Tú lo sabes. ¿Qué le hicieron?

El hombre corrió a los muchachos, con una mirada de hielo fue suficiente, y se plantó frente a Romina.

—Deja de hacer preguntas, Aguilerita. En esta historia las preguntas las hago yo y las órdenes las doy yo...

—Nadia no está sola. Si lastiman a Nadia esto va a ser una masacre —dijo Romina, que manejaba a la perfección la irreverencia y, además, se había criado entre mafiosos—. Yo me voy a ocupar de que esto sea una masacre.

El hombre sonrió. Le gustaba que una chica tan joven transitara el miedo como si fuera un hombre. Pensó que, si alguna vez tenía la oportunidad, iba a felicitar a Lisandro Aguilera por esa hija.

—Ya sé que Nadia no está sola. Tú no sabes quién es Nadia por lo que veo —dijo el muchacho y estiró los brazos. Puso la caja de zapatos frente al cuerpo de Romina—. Ahora me escuchas bien: te llevas esto.

—¿Qué es? —preguntó la chica.

—Es un regalo para tu padre.

Romina sostuvo la caja con ambas manos. No pesaba, parecía vacía.

—Él va a entender —aclaró el muchacho de gorra roja.

Los tres se subieron a la camioneta con quien parecía ser el jefe y desaparecieron a toda velocidad.

Romina se quedó parada sola, en el medio de la vereda de su casa. Levantó la tapa de cartón de la caja y miró el interior. Espantada, pegó un grito y dejó caer la caja. Sintió cómo se le desgarraba la garganta, el cuerpo le temblaba como si hubiese pisado un cable de electricidad. Los ojos de Romina Aguilera se clavaron en aquello que había caído sobre una de las baldosas. Era una oreja humana. Del lóbulo colgaba un arito con forma de calavera. Era la oreja de su hermano Iván.

41

Mis días en Barcelona estaban contados. Lo supe con el mismo grado de certeza que sentí cuando tuve que dejar Besalú. Mis corazonadas nunca fallan.

El Egipcio me respiraba en la nuca, sentía la llamarada de su odio cada vez más cerca. No era algo que me quitara el sueño, nunca fui una persona que le diera demasiado valor a las vidas humanas y en ese paquete de desintereses también estaba mi vida, claro. Cuando a fuerza de golpes, violaciones, humillaciones y sometimientos descubrí la enorme capacidad que tenía para retener mi vida, dejó de importarme demasiado. Así con todo.

El huracán solo se me despierta cuando las personas que captaron mi atención, habitualmente por alguna razón efímera, cruzan de vereda. Y no me molesta la traición, para nada. En definitiva, ¿la traición no es, acaso, una opción acomodaticia de la que también yo hice uso más de una vez? Lo que me enfurece es que otro elija a esas personas que yo descubrí primero, con la algarabía de quien encuentra una pepita de oro en medio del carbón. Una pepita que me corresponde, que es mía. Cada vez que eso sucede, la necesidad de arrasar con todo se impone. Lo lamento por la Cobra, por Claudia, por Celestino; no lo pude evitar. O sí pude y, en realidad, no lo lamento demasiado. No lo sé. Y tampoco me importa.

El último beso que me dio Ciro Leone me dejó con la boca hinchada, latiendo, y con el cuerpo húmedo y preparado para recibirlo cuantas veces él hubiera querido. Pero no quiso.

Volví a mi habitación y me di un baño largo, la rutina habitual para sacarme a los hombres del cuerpo. Algunas veces lo hacía solo por higiene; otras, por asco. En el caso de Ciro, fue por desesperación. Tal vez por eso el agua corrió por más tiempo.

Leí en una novela policial que los asesinos siempre dejan algo en la escena del crimen y que también se llevan algo. Las escenas de sexo funcionan de la misma manera. En nuestro caso, Ciro dejó unos tatuajes invisibles que hizo con su dedo sobre mis brazos y mi espalda, y yo dejé mi verdad en forma de nombre y apellido: Cornelia Villalba.

De mi valija saqué unas calzas y una remera de mangas largas negra, un par de borceguíes y una chaqueta corta de cuero color marrón. No tuve ganas de secarme el pelo, me calcé un gorro de lana que me había tejido doña Josefina en Besalú. Pensé por unos segundos en ella y me pregunté qué sueños la habrían visitado durante las últimas noches.

Abrí mi libro de Joyce y memoricé las anotaciones que había hecho en una hojita arrancada de la libreta del Hotel Regiá y que había guardado entre las páginas del *Ulises*. No era seguro llevar el papel conmigo, mi memoria ha sido siempre la caja fuerte que más garantías puede ofrecerle a cualquier información: no existe presión ni dolor que me hagan hablar cuando he decidido callar.

Pasé a una mochila de lona los fajos de euros que estaban escondidos en el fondo de la valija, los cubrí con una remera y encima puse la documentación que necesitaba. Metí en un bolsillo interno la foto original del pasaporte de Charo Balboa y el documento que ya no me servía. También guardé el arma que le había quitado a Alexandre, el desahuciado de Besalú.

Estuve a punto de sentarme a desayunar las delicias que cada mañana los pasteleros del Suites Royal acomodaban sobre las mesas del salón, pero no pude pasar más allá de las dos columnas de la entrada: la imagen de la mesa que, unas horas antes, nos tuvo como protagonistas a Ciro y a mí me quitó el hambre de golpe. Preferí un café en vaso térmico de la cafetería de la esquina y las puntas de un *croissant* que dejé sin terminar.

Tuve que hacer tres combinaciones de metro para llegar a destino. Me bajé en la estación Vilapicina, en el corazón de Nou Barris, uno de los barrios más populosos de Barcelona. No recuerdo quién me dijo alguna vez que en ese lugar vivía la gente más luchadora de la ciudad, los que no bajaban los brazos y con la cabeza en alto aguantaban la marginación y la desigualdad.

Caminé hasta el Parc del Turó de la Peira, me acomodé en el mirador para ver desde lo alto parte de la sierra de Collserola y también el mar. Me pregunté si la persona a la que estaba buscando se había sentado alguna vez bajo la frondosidad de esos árboles para encontrar algo de paz o, simplemente, para llorar. Giré la cabeza hacia ambos lados y llegué a la conclusión de que era un gran lugar para llorar. Aunque le ponga esfuerzo, las lágrimas no se me dan bien; así que decidí seguir andando con la misma parsimonia con la que había llegado.

Unos pakistaníes se me acercaron con los brazos repletos de carteras idénticas a las que se suelen ver en las vidrieras más exclusivas del Paseo de Gracia.

—¿*English, spanish, french?* —me preguntó uno de ellos en el intento de adivinar un idioma en el que pudiera comunicarse conmigo.

—Español —respondí.

—Señorita, tengo bolsos buenos, de calidad... Bolsos de marca.

Miré con atención una mochila de un material similar al cuero, de color azul; abrí y cerré para chequear el funcionamiento del cierre de un bolso grande rojo, repleto de dibujos de ositos, y por último, metí la mano en una riñonera de charol amarillo.

—Quiero esta, la amarilla —dije.

—Quince euros —determinó el segundo pakistaní.

Saqué veinte euros del bolsillo de mi chaqueta, me colgué la riñonera vacía en la cintura y me fui sin esperar el vuelto.

Cuando estaba por salir del parque, un olor delicioso me hizo cambiar el rumbo que tenía grabado, junto con el mapa de la zona, en mi cabeza. Me dejé llevar por el olfato hasta una especie de toldería a cielo abierto; un cartel grande, con letras pintadas a mano, anunciaba: «Feria boliviana».

Las carpas eran grandes y funcionaban como pequeños locales en los que se vendían productos originarios de Bolivia. Sentada en un banquito, una mujer soplaba una quena inundando el lugar con una melodía suave. La voz de una niña interrumpió el sopor agradable que me provocaba el ritmo parejo y armónico de la cueca.

—¿Quiere un gaznate, señorita? —me preguntó y puso ante mí un plato rebosante de confituras.

Tenía las trenzas más negras y brillantes que había visto en mi vida. Acepté con una sonrisa y le extendí cinco euros; pude ver la sonrisa luminosa de la niña mientras mi paladar estallaba al contacto con la masa dulce. Mientras tragaba y me arrepentía de no haber tomado dos gaznates del plato, intenté recordar cuándo había sido la última vez que me había sentido tan feliz. Un fogonazo con el rostro de Ciro Leone vino a mi mente y lo descarté con la habilidad de una asesina serial de recuerdos.

De repente, la música se interrumpió de golpe; los vendedores abandonaron sus puestos; un grupo de pakistaníes, incluidos los que me habían vendido la riñonera, cruzó rápido ante mis ojos y la niña de los gaznates dejó el plato sobre una mesita de plástico y corrió tras ellos. Los gritos llegaban desde la otra cuadra, donde algo inusual estaba ocurriendo. Eran hombres, mujeres y niños que, sin entender demasiado, sumaban sus voces al reclamo. Obedeciendo un impulso, terminé siendo una más en la fila de vecinos, y nos quedamos plantados frente a la puerta de hierro negra de una casita sencilla, de fachada destartalada.

Una mujer encabezaba el griterío. Desde su garganta, salían aullidos desgarrados. Era joven, muy joven; sin embargo, alrededor de los ojos y en los costados de la nariz, unos surcos profundos la hacían parecer vieja. Movía los brazos, cubiertos con un abrigo oscuro; en uno de los codos, tenía un agujero similar al que se veía en su gorra de lana celeste. Me colé entre la gente y quedé a metros de ella. Con las palmas abiertas, comenzó a golpear la puerta de hierro. Lo hacía con desesperación, sin notar que las manos se le iban poniendo, en cada golpe, más rojas.

—¡*Mes enfants, mes enfants!* —gritaba en el que, seguramente, era su idioma—. *La porte est fermée.*

Miré a los costados y noté el desconcierto de muchos de los que suponían que tenían que ayudar, pero no entendían cuál era el conflicto que los convocaba.

—¡*Aide moi, aide moi! S'il vous plaît, mes enfants…* —insistía la mujer con mayor intensidad.

Me acerqué y ostenté dos de mis virtudes: mi fuerza física para arrancarla de la puerta y los conocimientos de francés que tantas camas parisinas me habían otorgado. La chica de la ropa agujereada se llamaba Colette y su escándalo callejero tenía nombre y apellido: Simone y Lionel, sus hijos.

Entre lágrimas, congoja y apuro, me contó que había estado trabajando como niñera durante toda la noche en un departamento del centro, que sus niños de tres y seis años habían quedado durmiendo solos y que esa puerta de hierro cerrada a cal y canto no era la puerta original: alguien la había cambiado y no sabía si los niños estaban encerrados o, en el peor de los casos, se los habían robado.

Mientras hablaba en un francés arremolinado, me quedé pensando en la paradoja de una mujer que trabajaba cuidando niños y tenía que dejar sin cuidado a los propios; opté por no hacer comentarios al respecto. En voz alta, traduje lo que la chica me había contado. Antes de que terminara mi relato, la turba enfurecida me corrió de un empujón y una catarata de manos y pies intentaron derribar la puerta.

Con la sensación de la buena acción del día cumplida, me di media vuelta y un chorro de agua fría me mojó por completo. Corridas, más gritos, más agua y, en el fondo, el aullido ininterrumpido de esa madre desesperada. Un grupo de hombres vestidos de negro había insertado una manguera en la salida de agua de los bomberos y a manguerazos intentaba dispersar a la gente que resistía. Me lancé contra una pared y me quedé apoyada con el único fin de salir de la línea del agua helada; murmuré un par de insultos y me prometí no meterme nunca más donde no fuera llamada. Y menos gratis.

Un estruendo repentino me dejó temblando y con la boca abierta. Dos mujeres de cuerpo rollizo cargaban un tubo macizo de hierro; en la parte superior, tenía una manija de goma desde donde lo sostenían. Como si hubieran ensayado una coreografía y al grito de «uno, dos, tres», hacían que el tubo impactara contra la puerta de la casa de Colette. Al tercer impacto, la puerta cedió un poco y asomó una pequeña hendija por el costado. Al mismo tiempo, dejaron el tubo en el piso. La mujer más gorda metió la mano en la brecha, mientras la otra insertaba una tabla de madera. Empujaron hacia adentro con tanta fuerza que sus rostros se congestionaron y se pusieron rojos. Me acerqué. La curiosidad es una irreverencia que nunca logré domar y despunta sin reflexión alguna, en cualquier momento. La puerta quedó abierta de par en par, con uno de sus costados doblados; parecía una guerrera sometida en batalla. Sonreí.

Finalmente, las dos mujeres salieron con los niños en brazos. Mientras los vecinos se peleaban con los hombres de negro, el agua y la manguera, la verdadera historia se desarrollaba ante mis ojos. Colette, que había perdido la gorra de lana celeste en la trifulca, se lanzó a abrazar a sus hijos. Volví a sonreír.

Coronando la escena, aparecieron dos adolescentes vestidos con ropa deportiva, aritos en la nariz y las zapatillas más coloridas que vi en mi vida. Uno de ellos tenía una flor tatuada en la parte superior de la frente, uno de los pétalos continuaba en el cuero cabelludo y quedaba oculto bajo un mechón de pelo teñido de rojo. Con actitud ceremoniosa, le alcanzaron a la mujer más gorda un megáfono de plástico negro.

—Vecinos de Nou Barris, atención —gritó con la boca pegada al micrófono del megáfono, el plástico quedó manchado con lápiz labial naranja—. Los convoco esta tarde a una reunión en el parque. La situación no puede seguir así. Muchas familias están siendo desalojadas y los bancos tabican las puertas sin fijarse en nada. Hoy han dejado a dos niños encerrados, hasta aquí llegó nuestra paciencia.

De a poco, se acercaban más hombres y mujeres; muchas de ellas, cargando a sus hijos pequeños en los brazos. Me quedé mirando con atención cada uno de los rostros que se iluminaban, como si las palabras de la mujer del megáfono les dieran la contención que nadie les daba.

—Estoy cansada de ver a mi gente enferma —siguió hablando—. Depresión, angustias, infecciones que no se curan. Cada vez trabajan más horas y no logran pagar sus hipotecas. La vivienda es un derecho que se nos está escapando, no puedo quedarme de brazos cruzados…

Los aplausos y las arengas interrumpieron el discurso.

Los automóviles se habían detenido, era imposible circular por la cantidad de gente que cortaba la calle.

—Teodora, ¿convocamos la reunión esta tarde a las dieciocho horas en el parque? —se impuso una voz desde el fondo.

No llegué a escuchar la respuesta, aunque sé que la hubo. El azar, que solía serme esquivo, esa vez jugó de mi lado: la mujer gorda del megáfono era Teodora Millán, la persona a la que yo había ido a buscar. Volví a sonreír.

42

«En horas entrego a la Sirena», fue todo lo que Ciro Leone tenía para decirle a Donato Melliá. Corto, simple y claro. Pero antes, tenía varias cosas que hacer si quería salvar el pellejo.

Bajó a la sala del Hotel Suites Royal en la que se servía el desayuno. El lugar estaba muy distinto de como lo había dejado la noche anterior: las mesas ya no tenían los manteles blancos de lino, los arreglos florales ni las velas en candelabros de plata. Era como si un ejército de hadas hubiese trabajado toda la madrugada: los individuales rojos, las servilletas con el escudo del hotel bordado con hilo dorado y la vajilla de color marfil daban al desayuno el toque señorial que prometían las cinco estrellas con las que estaba catalogado el alojamiento.

Caminó hacia las mesas rectangulares en las que habían dispuesto la comida: confituras, tostadas, embutidos, budines, yogures de cuatro sabores diferentes, cereales y, para su sorpresa, un recipiente de cristal enorme repleto de dulce de leche. Sin que nadie lo viera, hundió el dedo en esa crema marrón que tenía el sabor de su vida pasada;

esa vida de barrio, tango y fútbol de potrero. Sus ojos lo invitaban a comer absolutamente todo, pero un nudo en el estómago le indicaba lo contrario; partió la diferencia y tostó una rodaja de pan de corte perfecto. Se acomodó en la mesa pequeña y redonda en la que la noche anterior había cenado con Cornelia y pidió que le sirvieran un café con leche.

Muy cerca, el mozo que unas horas antes los había sorprendido estrenando un beso lo miró con timidez y con una pizca de complicidad. Ciro dejó intacto el desayuno, se paró con rapidez y se acercó. Dio inicio a lo que mejor le salía: actuar.

—Buenos días, ¿ha visto por aquí a mi novia? —le preguntó—. Se levantó muy temprano y me dejó solo en la cama...

—Sí, la vi. Salió hace un rato, no quiso desayunar.

—Ah, debe haber ido de compras... Ya sabe cómo son las mujeres —remató.

Le dejó diez euros de propina y cruzó hasta la recepción. La recepcionista, María Emilia según decía el cartelito que tenía colgado en la solapa del uniforme, lo miró de arriba abajo con disimulo.

—Hola, María Emilia. Necesito que me hagas un favor —dijo usando el recurso de su sonrisa infalible. La chica asintió con la cabeza, dispuesta a todo—. Resulta que hoy es el aniversario con mi novia. Ella está alojada en este hotel por trabajo y yo, para sorprenderla, me alojé en otra habitación. Necesito poder entrar a la suya para dejarle un regalo, sin que lo advierta.

—No está permitido habilitar habitaciones a extraños...

Ciro apoyó una mano sobre la de ella y respondió:

—Yo no soy un extraño. Soy su novio y un pasajero del hotel. Por favor...

María Emilia lo miró con una sonrisa complaciente.

—¿Cuál es el nombre de su novia?

—Vera Garcés.

—Sí, aquí la tengo. ¿Y su nombre?

—Ciro Leone.

La recepcionista cargó los datos en la computadora.

—Muy bien. Le voy a dar una tarjeta magnética temporaria. Le pido por favor que me la devuelva en menos de media hora.

Ciro la miró exultante y, ya con la tarjeta en la mano, le agradeció con un sonoro beso en la mejilla.

Subió hasta la habitación en la que Cornelia se había registrado con una identidad falsa, apoyó la tarjeta en la manija de la puerta y entró. Lo primero que hizo fue poner la traba. No quería ningún tipo de sorpresa. Después echó un vistazo a la habitación. Se parecía mucho a la de él, pero los cortinados eran de un color borgoña intenso. La cama estaba extendida y nada parecía haber sido usado. Había una valija grande, abierta, en el medio de la sala. Evidenciaba que era un lugar habitado.

Ciro miró la hora en su reloj, se arremangó la camisa y comenzó lo que había ido a hacer. Hundió las manos en la pila de ropa que sobresalía de la valija, y la esparció por la sala y la habitación. Arrancó el acolchado y lo tiró arriba de un sillón, hizo lo mismo con las sábanas y las almohadas. Fue hasta el baño, abrió la ducha y prendió la luz.

Se quedó parado en el medio de la sala, con las manos en la cintura, y recorrió con la mirada los rincones. Abrió el frigobar y destapó un champán. Tomó dos copas y sirvió un poco en cada una, luego tiró el resto del contenido de la botella en el inodoro. Apretó el botón y lamentó ver cómo esa bebida cara y deliciosa se desvanecía por las cañerías.

Volvió a la sala y repasó el desorden que había generado. Estaba por irse cuando un detalle que sobresalía de la valija de Cornelia le llamó la atención. Era un libro. La tapa dura estaba bastante reblandecida, a punto de perder su condición; las hojas, ajadas y muchas ilegibles. Con extremo cuidado, Ciro fue pasando una por una las páginas. Había párrafos marcados con lápiz negro. Uno de ellos se diferenciaba del resto porque estaba encerrado dentro de un círculo de carbonilla: «¿Qué es un fantasma? —preguntó Stephen—. Un hombre que se ha desvanecido hasta ser impalpable, por muerte, por ausencia, por cambio de costumbres». No tuvo dudas de que las marcas habían sido hechas por Cornelia Villalba. ¿Quién mejor que ella podría hacer foco en lo intangible, en lo que desaparece, en lo que no está?

Memorizó una frase que le había gustado. Sintió una pequeña aguja clavándose en su corazón. Evaluó la posibilidad de dejar el libro en la valija, pero cambió de idea. Caminó hasta el baño. El vapor del agua de la ducha, que seguía corriendo, había empañado el espejo gigante. Por los azulejos blancos caían gotas de agua. Abrió el libro por la mitad y, cuando lo estaba por apoyar en el mármol que sostenía el lavabo, un pedazo de papel cayó al piso. Por el vapor, tuvo que salir para ver de qué se trataba.

Era una de las hojas de las libretas que regalaban en el Hotel Regiá. Cornelia había arrancado la página sin ningún tipo de cuidado, la parte superior estaba desgarrada. En este caso, también había usado un lápiz de grafito; entre las líneas de letra redonda y prolija se notaban los manchones negros de arrastre. A medida que descifraba lo que había escrito Cornelia, la aguja en el corazón se le hundía más y más; hasta tuvo que masajearse el pecho. Nunca había imaginado que algunas personas duelen en el cuerpo.

Se guardó el papelito en el bolsillo y, a último momento, también decidió llevarse el libro de Joyce. Lo metió en el fondo de una pequeña mochila de cuero marrón. Nunca antes estuvo tan seguro de lo que tenía que hacer.

43

—¡Tú y tu gente han hecho todo mal, *merde*! —le gritó Chantal a Joel y contuvo una arcada.

El matón no era afecto a la higiene personal, un olor rancio lo acompañaba de manera permanente. El hombre se quitó la gorra roja y agachó la cabeza en silencio.

—Ordené que cambiaran a la gorda de lugar de cautiverio, jamás dije que capturaran a mi hija.

—Dijiste que tu hija estaba por descubrir todo y yo no puedo dejar cabos sueltos, Chantal. Tú sabes que el Egipcio es implacable —argumentó Joel.

Chantal sonrió con una mueca. Caminaba de un lado a otro del salón haciendo tronar los tacones de sus botas contra el suelo de madera.

—Claro que lo sé. Tú no me vas a contar, justamente a mí, quién es el Egipcio —dijo al tiempo que se levantaba la remera y mostraba una cicatriz enorme que le atravesaba el abdomen—. ¿Ves esta marca? ¿La ves bien? Bueno, esto fue un regalito del Egipcio. Le gusta jugar con cuchillos cuando se pone implacable.

Unos días atrás, cuando el Egipcio la llamó desde la prisión para que se hiciera cargo de un «paquete», no imaginó en ningún momento que estaba hablando de una persona y, menos aún, que se trataba de Adela Melliá, la hija de un jefe penitenciario. Había arriesgado el pellejo muchas veces cuidándole drogas, armas y putas, pero el Egipcio jamás había llegado tan lejos.

Lo primero que pensó fue que el encierro lo había enloquecido o que, tal vez, alguien lo estaba presionando. Pero cuando nombró a la Sirena, Chantal no le dio demasiadas vueltas y tomó enseguida una decisión: lo iba a ayudar. A cambio, le pidió un millón de euros en efectivo y en partes.

A Chantal Lamonier le gustaba el dinero, pero la motivación real no tenía que ver con billetes. Consideró una justicia poética que Khalfani le pagara una fortuna por una tarea que hubiese hecho gratis. Incluso, habría pagado para ver a la Sirena desaparecer del planeta. Lo que nunca sospechó era que la situación se iba a complicar tanto. Nadia, su *petite*, ya no era la niña manipulable a la que había criado.

—Entiendo, Chantal, y le doy mis disculpas, pero le aclaro que a Nadia ni la tocamos, eh —se excusó Joel.

—No estarías hablando conmigo si hubieses lastimado a Nadia. Estarías bajo tierra. Pero mataron al portero de mi edificio y tengo a toda la policía en mi casa, idiotas. Ahora vete, yo me encargo de la gorda y de mi hija.

Habían desplazado el lugar de cautiverio a un edificio con oficinas y alquileres temporarios; durante el día, tenía bastante movimiento y, por las noches, quedaba prácticamente vacío. El departamento disponía de un salón grande en el que solo había una mesa y cuatro sillas; tres habitaciones, cada una de ellas con una cama de una plaza y dos con baño propio; una cocina con mesadas de mármol blanco y un balcón terraza desde el que se veía el Camp Nou. El Egipcio era muy hábil para atesorar propiedades que, llegado el caso, servían de aguantadero de sus delitos. Y este era el caso.

Chantal cruzó el pasillo que conectaba las habitaciones y con delicadeza abrió la puerta en la que estaba retenida Adela Melliá. La cama era angosta, pero tenía sábanas limpias, con un diseño de flores y estrellas, y un acolchado finito de color azul que nadie había usado antes; de una de las puntas colgaba, todavía, la etiqueta del Corte Inglés.

Adela estaba sentada con la espalda apoyada en el respaldo de madera de la cama. Seguía vestida con la misma ropa con la que había sido raptada. Su cabello era una maraña de nudos y el rostro redondo se mostraba demacrado. Debajo de uno de sus ojos, un falso moretón. Unas horas antes, Chantal se había presentado ante la chica con sus paletas de maquillaje para dibujar con pericia un golpe que nunca existió. El motivo del embuste había sido generar en Donato Melliá una urgencia de rescate.

Adela Melliá estaba confundida. El encierro y la escasa comunicación con un entorno invisible la habían hundido en un sopor de irrealidad. Ya no lloraba, no tenía claro si lo tenía que hacer o, en todo caso, si existía algún motivo para hacerlo. Los sedantes en gotas colaboraban en sostener esa niebla de la que no podía escapar.

Antes de abrir la puerta de la habitación contigua, respiró hondo. Su hija Nadia también estaba sobre una cama angosta, pero dormía con aparente profundidad. Chantal se acercó y la arropó con una manta tan nueva como la de Adela, pero de color morado. Lo hizo despacio, para no despertarla, y contuvo las ganas de darle un beso en la mejilla. Estaba a punto de salir de la habitación cuando, a sus espaldas, la voz de Nadia la sacudió.

—Necesito saber qué pasa, mamá. No me podés hacer esto. ¡Te odio! —gritó llena de furia y desilusión.

Chantal había sobrevivido a todos los padecimientos imaginables, los del cuerpo y los del corazón. A los quince años, se había enamorado perdidamente de un *dealer* callejero que le daba cigarrillos de marihuana a cambio de sexo y que le enseñó, sin proponérselo, que el amor no es más que un intercambio de placeres mutuos. No imaginó que tiempo después la iba a entregar a una red de trata a cambio de cocaína. Su familia adoptiva no hizo demasiado ante la desaparición, la fantasía oculta de quienes la criaron siempre había sido volver el tiempo atrás y que ella no estuviera más en sus vidas. En definitiva, la concretaron sin mover más que algunas cajas de pañuelos de papel con los que se secaron lágrimas más mentirosas que la misma Chantal. Pero ni los golpes ni las violaciones de bienvenida a los burdeles le causaron una laceración tan grande como la posibilidad de que su hija la odiara.

Se acercó a la cama y se acomodó junto a Nadia. Quiso abrazarla, pero no se animó. Nadia había heredado la capacidad de generar un hielo invisible entre ella y las personas a quienes dirigía sus enojos.

—*Ma petite*, no puedo explicártelo ahora…

La chica se levantó de la cama de un salto. Cuando apoyó los pies en el piso, sintió que estaba pisando nubes; se mareó.

—Por favor recuéstate, todavía no se te ha ido el efecto...

—Me sedaron, mamá, y tú lo permitiste...

—Fue para salvarte, *ma fille*. Hay cosas que es mejor que no sepas. No saber es lo único que, a veces, nos protege.

Nadia no aceptó el argumento de su madre. No quería tenerla cerca. Prefirió quedarse de pie, a riesgo de caer como una bolsa de papas al piso.

—¿Dónde está mi teléfono? Dame mi teléfono —reclamó con la voz más firme que logró articular.

Chantal sacó del bolsillo de sus *jeans* el celular de Nadia y se lo mostró, sin intenciones de devolvérselo.

—Este aparato me hizo tomar la decisión, *ma fille*. No entiendo por qué me seguiste y me fotografiaste, y menos entiendo por qué le enviaste fotos a Romina Aguilera.

Escuchar el nombre de Romina en boca de su madre hizo que Nadia tuviera que sentarse. Sus piernas no la sostenían, y no era como consecuencia del sedante. El terror copó su cuerpo.

—¿Qué le hiciste a Romina, Chantal? —preguntó usando una estrategia que sabía eficaz: dejar de decirle «mamá».

—Nada. No le hice nada —contestó sin mirarla.

Nadia no le creyó. Hizo memoria y, entre la nebulosa de sus pensamientos, recordó que le había pedido a Romina que le preguntara a su padre o a su hermano si reconocía a los dos hombres de la foto. No llegó a conocer la respuesta de su novia, pero tenía la certeza de que ella había hecho lo que tenía que hacer: ayudarla.

—Dame mi teléfono. Quiero saber qué me contestó Romina y quiero saber si decís la verdad o me mentís —insistió.

—*Ma petite*, las veces que te he mentido siempre fueron con el fin de cuidarte. El mundo suele ser hostil con las mujeres. Te juro que Romina está bien, a ella no la han tocado...

—¿Y a quién han tocado?

Chantal guardó el celular y se frotó las manos contra las mejillas, los nervios solían provocarle un cosquilleo incómodo.

—Su hermano Iván metió las narices donde no debía y se lo han hecho saber. Pero no está muerto, te lo juro —se apuró a aclarar cuando vio la cara de espanto de su hija.

—¿Dónde metió las narices? ¿Quiénes le han hecho saber qué cosa? No entiendo... —La confusión y la ira ahogó a Nadia en un ataque de llanto.

—Ven aquí, *ma petite*. Vamos a hablar —imploró Chantal. No podía seguir más con una farsa que la enfrentaba a lo único que tenía y amaba, y no quería perder.

Como si fuera una niña pequeña, Nadia obedeció y se sentó junto a su madre. Sin saber por qué, apoyó su mano fría sobre la mano, más fría aún, de Chantal.

—En unas horas esto se acaba. Me han dado para cuidar a una muchacha. Estaba en la habitación de servicio de nuestra casa, pero tú estabas por descubrirla y eso nos ponía en riesgo —explicó y le apretó fuerte la mano a Nadia, no quería dejar de sentirla cerca—. Es un negocio ajeno, *ma petite*. Esta situación no volverá a repetirse, te lo juro...

—¿Un secuestro, mamá? ¿Me estás hablando de un secuestro? —preguntó, azorada, Nadia.

—No, bueno... No es así como tú lo dices. Solo le cuido algo a una persona...

—¿Qué persona?

Chantal bajó la cabeza, sin responder.

—¿Qué persona, mamá? —insistió. Quiso retirar la mano de entre las de su madre, pero no pudo.

—Khalfani Sadat —dijo Chantal con voz fuerte y clara.

Nadia se dio media vuelta y se acercó a la ventana. Apoyó la frente contra el vidrio y lloró.

44

Los informes de inteligencia descansaban en una punta del escritorio; estaban digitalizados, pero Donato Melliá prefirió pedir las copias en papel. Desconfiaba de la voluntad de quienes cargaban datos viejos en los sistemas nuevos, sobre todo cuando los investigados eran peces gordos. Seis carpetas anilladas con fotos, fotocopias de documentos falsos y causas, algunas abiertas y otras cerradas, en más de una decena de países formaban el rompecabezas del universo criminal del Egipcio. Pero existía otra carpeta de tan solo dos páginas en la que asomaba el mundo privado de Khalfani Sadat, un mundo que, llegado el caso, podía condicionarlo por sangre o por afecto.

En El Cairo, su ciudad natal, no le quedaba más que una tumba en la necrópolis conocida como la Ciudad de los Muertos. En ese lugar debajo de las colinas Mokattam, entre los siete kilómetros de tumbas y mausoleos, estaba enterrada Basira, su madre. No había información del paradero de su padre ni de sus hermanos. Solo una línea en el costado de la primera hoja hacía referencia a un profesor de la Universidad de Ciencias, en la capital de Egipto, con quien el joven Khalfani había establecido una relación de amistad: Asim Badrú, un químico que murió sin ver hasta dónde había llegado su alumno dilecto.

En la segunda página, había una pequeña referencia a Nadine Basset, alias «la Sirena»; una aclaración remitía directamente al informe criminal. Donato Melliá sonrió con resignación ante la impericia de quien había decidido no ahondar en la historia de la Sirena, pues no existía en el mundo nada más personal para el Egipcio que esa mujer. La información remataba con un párrafo impreciso: «Algunos agentes de inteligencia de Gran Bretaña sostienen que Khalfani Sadat mantiene o mantuvo durante años a una mujer llamada Chantal Lamonier y a una niña. Fuertes indicios, que no se pudieron comprobar con la certeza requerida para esta instancia, indican que se trata de la hija de Sadat. A la menor, que lleva el apellido paterno y materno, se la pudo identificar como Nadia Basira Sadat Lamonier».

—Mierda —masculló Donato.

Un llamado a su celular lo sacó de sus cavilaciones. En la pantalla estaba el nombre de Aguilera. Los gritos de Lisandro lo obligaron a alejar el aparato de su oreja.

—¡Voy a matar a la lacra del Egipcio! Estoy yendo para el reclusorio. Me abres ya mismo la reja y me lo dejas a mí. ¡Lo voy a asesinar con mis propias manos!

—Ey, ey, Lisandro, ¿qué dices?

—Lo que escuchas. Hoy mato al mierda ese y tú me vas a facilitar las cosas —dijo Lisandro subiendo la voz.

—Basta —respondió Donato, también a los gritos—. ¿Qué carajos pasa?

—Le cortó la oreja a mi hijo. ¡El hijo de puta le cortó la oreja a Iván!

Donato Melliá se tuvo que poner de pie, su cuerpo no resistió la sensación de su sangre en ebullición.

—Dios mío —fue lo único que atinó a murmurar.

Lisandro no paraba de insultar, amenazar y gritar. De fondo, se escuchaban los sonidos de motores y bocinas. Donato lo imaginó hablando por teléfono mientras maniobraba su moto.

—Mi hija Romina recibió un mensaje con fotos y le pidió ayuda a su hermano. Iván pagó las consecuencias de saber que quienes aparecían en las fotos eran miembros del grupo que trabaja con el mierda del Egipcio, los gorras rojas...

La señal del teléfono por momentos se cortaba.

—Esto ya es personal... mí... voy a matar...

—Lisandro, estoy en el reclusorio. La comunicación se corta... Ven, que hablamos bien —propuso Donato, sabiendo que del otro lado tampoco se escuchaba con claridad. Lisandro seguía y seguía hablando.

—Tengo a mi hija custodiada por mi gente... el hospital... tengo las fotos que recibió Romina... una tal Nadia... llegando.

—¿Nadia? Hola, hola, Lisandro. Repite lo último que has dicho, que se entrecorta —insistió Donato.

—Que las fotos que hicieron reaccionar al mierda del Egipcio se las envió a mi hija su amiga, una tal Nadia.

Donato Melliá rodeó su escritorio y clavó los ojos en la última página del informe sobre Sadat y repasó el nombre: Nadia Basira Sadat Lamonier. No podía ser una casualidad, estaba seguro.

Mientras esperaba a Lisandro, metió en el buscador de Google el nombre completo de la chica. Lo primero que apareció fue una página de Facebook. La pantalla de la computadora le devolvía la foto de una adolescente de aspecto extraño: cabeza rapada, arito en la nariz y una ropa bastante masculina. Sin embargo, los rasgos de la chica eran de una delicadeza que el aspecto general no lograba opacar. Revisó con varios clics las fotos que Nadia había dejado en estado público: varias de una perra pequeña color caramelo; dos de ella, con el pelo largo y teñido de rojo y una que llamó la atención de Donato. Se veía a Nadia de niña, no tendría más de seis años. Estaba vestida con una camisa blanca con voladitos y una pollera escocesa. Tenía el cabello brillante, separado en dos trenzas que le llegaban a la cintura, y una sonrisa que se notaba actuada. A su lado, una mujer le pasaba un brazo por los hombros y también sonreía.

Donato agrandó la foto y prestó atención a la mujer que parecía ser la madre de la niña: ambas compartían un color de ojos de un gris pocas veces visto. Lucía un vestido negro, entallado, que marcaba su cuerpo escultural. El cabello muy corto la dotaba de una sofisticación abrumadora. No tenía una gota de maquillaje, sus facciones perfectas no lo necesitaban. Parecía una sirena. Otra sirena, pero con más años. Las mujeres del Egipcio parecían hechas a medida.

Se levantó y tomó un trago de *whisky* directamente del pico de la botella. Sintió el calor pasando por la garganta. Por primera vez en los últimos días, pensó que podía ganar la pulseada y recuperar a Adelita. Las armas estaban a su favor; contaba con el odio de Lisandro Aguilera y con el dato de que el Egipcio también tenía una hija.

—Jefe, lo buscan —dijo por el intercomunicador uno de los agentes penitenciarios.

Lisandro entró hecho una tromba. Los rulos negros habían formado alrededor de su cabeza una especie de cofia enredada. Sus mejillas estaban rojas, parecían ardidas, y los ojos, inyectados en sangre. La furia lo había tomado por completo. Donato le puso las manos sobre los hombros y apretó con fuerza.

—Vamos a ordenarnos. ¿Tus dos hijos están protegidos? —preguntó con real interés.

—Sí. Tengo un ejército que los rodea —respondió Aguilera.

—Muy bien —dijo Donato.

Rodeó su escritorio y dio vuelta la pantalla de la computadora. Lisandro se acercó con curiosidad.

—Esa es la Nadia, sí. La amiga de mi hija Romina —dijo sin sorpresa.

Donato Melliá apagó la computadora de golpe, para que Lisandro le prestara atención.

—Es más que la amiga de Romina. Nadia Basira Sadat Lamonier es la hija del Egipcio.

Lisandro Aguilera abrió la boca, su mandíbula no pudo contener el asombro. Donato siguió:

—Mi querido amigo, ahora soy yo el que tengo un plan. Vamos por todo.

45

A Ciro Leone también lo habían mojado los hombres de negro cuando decidieron dispersar a los vecinos del Nou Barris a los manguerazos. Siguiendo la ruta que Cornelia había anotado en el papel que se llevó de su cuarto, la ubicó sin demasiado esfuerzo. Pudo verla desde la parte de abajo del Parc del Turó de la Peira, asomada por la baranda del mirador, con los ojos cerrados y la cara hacia el sol. Se sorprendió con el mal gusto de Cornelia, nunca imaginó que pudiera comprarles a los pakistaníes una riñonera amarilla tan fea. Tuvo ganas de probar una de las confituras bolivianas de la feria pero no llegó a tiempo, los gritos de la mujer francesa que golpeaba sin parar la puerta de hierro de una casa interrumpieron su deseo gastronómico. Vio a Cornelia cruzar la calle a paso acelerado y formar parte de todo el escándalo que terminó en una especie de rebelión de vecinos al mando de la mujer gorda que tanto llamaba la atención.

—¿Quién es la mujer del megáfono? —le preguntó Ciro a un señor mayor que, arrastrando un par de muletas, se había acercado al grupo más alejado de los vecinos.

—Teodora Millán —contestó como si hablara de alguien famoso.

—Ah, nunca la escuché nombrar... —dijo Ciro.

—Porque usted no es de este barrio. Ella nos representa y nos defiende —explicó el hombre—. Es vasca, de Bilbao, pero vive acá hace añares, cuando los obreros de toda España y de otros países nos juntábamos y éramos la fuerza de trabajo de Cataluña. Tuvimos nuestro esplendor, pero desde hace un tiempo, la vida aquí está difícil. Hay desalojos, casas tomadas por familias desesperadas, hombres y mujeres desocupados y una nueva ola inmigratoria que no encuentra un lugar para hacerse un camino. Cada barrio de nuestro distrito sangra.

Mientras hablaba, los ojos se le humedecían y con una de las muletas daba pequeños golpecitos en el suelo; sin embargo, la voz del hombre era intensa y firme.

—¿Y Teodora Millán cómo los ayuda? —insistió Ciro. Si a Cornelia le interesaba la Millán, él necesitaba saber los motivos.

—Teodora es una de los nuestros. Es pobre como nosotros, pero consigue alimentos, ropa de abrigo y, a veces, algún que otro trabajo. Todo lo entrega sin pedir nada a cambio. Muchas veces hasta comparte las poquitas cosas que tiene su nietito con otros niños del barrio. Y, además, usted la vio, eh... Cuando pasan injusticias, ella habla con la policía o los políticos que muy de vez en cuando se acercan. Y una vez hasta salió en la televisión.

—¡Qué bien! —exclamó Ciro—. Es buena gente Teodora, entonces.

—Más que buena gente, ella es la mejor de todos nosotros. Y sufre, sufre mucho, pero su prioridad siempre son los otros. Ella se posterga.

Ciro se estaba por ir cuando se le ocurrió otra pregunta.

—¿Y por qué sufre mucho?

—Se le murió la hija y ella se quedó sola criando a su nieto.

El hombre dejó de mover su muleta, la acomodó debajo de la axila y, sin despedirse, se fue caminando con dificultad.

De a poco, los vecinos se dispersaron; cada uno volvió a su actividad comentando, por lo bajo y por lo alto, los sucesos de los que habían sido testigos y parte. Ciro se tuvo que esconder detrás de una camioneta que descargaba el reparto de botellas de agua mineral en un comercio; sin la gente que le sirviera de tapadera, quedaba expuesto a ser visto por Cornelia, que se había quedado en la vereda conversando con Teodora Millán.

Cuando ambas mujeres cruzaron la calle y se metieron en el parque, tuvo que dar toda una vuelta para poder seguirlas a una distancia prudencial. La riñonera amarilla que colgaba de la cintura de Cornelia lo ayudó a seguirles el rastro que, por momentos, se perdía entre la gente y la vegetación. Anduvieron en silencio durante diez cuadras, doblaron en una avenida grande y se metieron en un callejón angosto. Ciro se vio obligado a dar una vuelta incierta, no había posibilidad de escabullirse por el callejón sin ser visto.

A medida que avanzaban, el barrio era más tranquilo y también más humilde. Muchas de las construcciones no estaban terminadas y otras se habían ido descascarando, seguramente por el paso del tiempo y la falta de mantenimiento; sin embargo, parecía existir un acuerdo entre vecinos por el que las calles y las veredas estaban impecables: ponían los residuos en contenedores gigantes y las alcantarillas se veían sin basura.

Una ola de gritos infantiles sorprendió a Ciro, a pocos metros de una escuela. Miró su reloj y calculó que era la hora de la salida. Dobló por una calle arbolada y se acercó a la reja que limitaba el patio de juegos. Desde allí, podía ver a Teodora y a Cornelia junto a un grupo de otras mujeres que esperaban en la puerta.

Un nene que no tendría más de cinco años se acercó a ellas corriendo. No corría como los demás, aunque lo intentaba. Una dificultad en una de sus piernas hacía que su carrera corta se viera defectuosa, pero abnegada. Vestía un pantalón de corderoy azul y un pulóver de lana rojo, de su espalda colgaba una mochila pequeña con la imagen de Superman. Se quedó unos segundos mirando a Cornelia sin saber si saludarla o no y optó por abrazar a su abuela, que lo esperaba agachada para estar a su altura, con los brazos abiertos.

El sonido de su celular lo distrajo. Miró la pantalla y contuvo la respiración. Alguien lo llamaba desde el teléfono rojo. Tosió para aclararse la garganta y atendió. Donato Melliá dejó de lado la formalidad del saludo y fue directo a lo que le importaba.

—¿Dónde estás, Leone? —preguntó.

—Cumpliendo con mi trabajo —contestó mientras el niño, finalmente, le daba un beso a Cornelia.

—Pregunté dónde estás, no qué estás haciendo —observó Melliá.

—La Sirena estuvo alojada en el Suites Royal. Esta mañana su habitación apareció toda revuelta —mintió Ciro imaginando que, tarde o temprano, la gente del Egipcio llegaría hasta la *suite*—. Tengo la sospecha de que alguien se la llevó. Contra eso no puedo hacer nada.

Un vendedor de helados se acercó con su carrito a las mujeres, el niño comenzó a aplaudir entusiasmado.

—Es la última vez que lo pregunto, Leone. ¿Dónde estás? —La voz de Melliá se había ido endureciendo durante la conversación. A Ciro le resultó extraño que estuviese más interesado en su paradero que en el de la Sirena.

Cornelia sacó dinero de su bolsillo y se lo dio al heladero, a cambio el hombre puso en las manos del niño un cono gigante de chocolate y crema. Teodora sonreía sin dejar de acariciar el cabello dorado de su nieto.

—Estoy por plaza Cataluña, tras una pista que me han dado sobre la Sirena —volvió a mentir Ciro.

Apenas terminó la frase, comprendió el motivo de la insistencia de Melliá: quería saber si lo estaba engañando. Al mismo tiempo, pudo ver cómo dos hombres de gorra roja se paraban detrás de Cornelia; lo hicieron despacio y en silencio. Ella, sin darse vuelta, como si los hubiera presentido, levantó las manos en un gesto de clara rendición.

Ciro Leone cortó la comunicación y miró la pantalla de su teléfono. Sin quitar los ojos de Cornelia, tocó varias veces la pantalla y echó un vistazo rápido. Un líquido amargo le subió por la garganta: el celular tenía activado el localizador. Contra su voluntad, acababa de entregar a la Sirena a sus asesinos. Lo único que podía hacer era dar la vuelta y enfrentar a los dos hombres que la acorralaban, calculó que no había más de cuatro metros de distancia. Ciro tenía la certeza de que estaba en condiciones físicas de ganar una eventual pelea. Pero no llegó ni a dar un paso. Un golpe a la altura de las costillas lo dejó contra la reja del colegio. Su agresor era un muchacho de aspecto adolescente, con espalda ancha, brazos con músculos marcados y un cuello que le daba aspecto de perro bulldog.

Respiró hondo para recuperar el aire perdido. Una puntada en el lugar en el que había recibido el impacto le nubló la vista. Sin embargo, pudo aferrarse con ambas manos a la reja y darse impulso. La patada fue certera, justo en el medio del pecho del muchacho, que trastabilló hacia atrás. Ciro aprovechó el desconcierto y llegó a pegarle un golpe seco en la nariz. El grito y el insulto en catalán llegaron acompañados de sangre.

Recuperó el aire y arrancó la carrera hasta la puerta del colegio. Una camioneta Trafic blanca le interrumpió el paso. Dos hombres con un tamaño que duplicaba el del primero de los agresores bajaron de un salto y lo rodearon. Ciro agachó la cabeza con resignación e imitó el gesto que, instantes atrás, le había visto hacer a Cornelia: levantó los brazos, entregado.

46

Huelo el peligro. Huelo la adrenalina de los hombres. Huelo lo que sea que exuden por los poros cuando están por hincarle el diente a la presa. Las presas gestan en sus entrañas un pequeño poder que, llegado el momento, las hace fuertes: saberse presas y escapar a tiempo. Y yo siempre he sido una presa.

No tenía dudas de que los dos hombres que había percibido a mis espaldas eran gente del Egipcio. Levanté los brazos por gentileza. Nadie mejor que yo sabía que esos dos cuerpos llenos de anabólicos podían convertirse en picadillo para alimentar perros si fallaban conmigo. «¿Qué es lo peor que me puede pasar?», pensé. ¿Dolor físico? Ya estaba acostumbrada. ¿Encierro? Una pavada de la que sobreviví con apenas quince años. ¿Violencia sexual? No se me ocurría otra manera de tener sexo. ¿La muerte? Siempre me dio intriga. Nadie sabe de lo que es capaz una mujer para salvar su vida, sobre todo si su vida le importa poco.

—¿Quién mierda son ustedes, monos? ¡Fuera de aquí! —El grito imperativo de Teodora me arrancó de mis divagaciones.

De un manotazo, puso a su nieto detrás de ella; su cuerpo enorme y rollizo lo cubría por completo. Bajé los brazos de a poco y evalué mis alternativas de escape. El desconcierto de los dos hombres estuvo a punto de arrancarme una carcajada, hice el esfuerzo y me contuve. Era obvio que nadie les había dado instrucciones sobre qué hacer ante semejante situación.

—Señora, no es con usted. Llévese al niño de aquí —tartamudeó uno de los matones.

A una distancia prudencial, el resto de las personas que habían ido a buscar a sus hijos al colegio miraban la escena con curiosidad.

—¿Quién eres tú para decirme a mí lo que tengo que hacer? ¡Ala, ala, monos, fuera de mi barrio! —se envalentonó Teodora.

Por el rabillo del ojo, pude ver que el segundo hombre acercaba la mano a su cintura. No necesité nada más para saber que iba a desenfundar un arma. Hay movimientos que me sé de memoria, los sicarios no suelen ser muy originales.

—¿Me buscan a mí? —pregunté, y me paré entre Teodora y el hombre armado. No iba a permitir que ella fuera mi escudo.

—Sí. Tú vienes con nosotros —dijo el primero de los hombres.

Me encogí de hombros y ostenté mi mejor sonrisa.

—Si me quieren, me van a tener que llevar por la fuerza. ¡Adelante! —dije muy fresca mientras hacía tiempo.

Cada vez se acercaban más vecinos; muchos de ellos habían estado frente a la puerta de la mujer que clamaba por sus hijos encerrados. Confié en que fueran leales a Teodora.

Giré sobre mis pies y crucé una mirada rápida con la Millán. Bastó que levantara un brazo para que, al unísono, hombres y mujeres rodearan a los matones. Ellos también cruzaron miradas sin tener muy claro qué decisión tomar. Solo sabían cumplir órdenes, no estaban fabricados para pensar.

Teodora me agarró de un brazo con firmeza y me tiró hacia atrás. La fuerza del envión por poco me deja despatarrada en el piso.

—¡Corre, niña! —gritó la mujer. Con un brazo sostenía a su nieto y con el otro me arrastró.

Los vecinos armaron alrededor de mis cazadores un círculo tan compacto que dejé de verlos por completo. Fue como si los hubieran engullido.

Los kilos de más y las piernas cortas de Teodora no le impidieron huir a gran velocidad. El pantalón, la campera deportiva y las zapatillas marca Nike la hacían ver como una atleta fuera de forma, pero con el ímpetu de los ganadores. La seguí sin dudar, no recuerdo haber confiado tanto en alguien en toda mi vida. Dimos vuelta a la manzana y bordeamos la reja que separaba el patio de juegos del colegio de la vereda.

—Sigamos derecho y en la tercera salida doblamos a la izquierda. Iremos a mi casa —gritó la mujer, agitada.

Logré divisar un bulto de cuero marrón en medio de la calle, parecía una pelota de cuero desinflada. Me desvié unos metros y, sin dejar de correr, levanté del piso lo que resultó ser una mochila pequeña.

—No te distraigas, coño. ¡Corre! —dijo Teodora.

La velocidad del principio iba mermando. El niño parecía pesarle cada vez más en sus brazos. Apresuré mi marcha hasta que pude ponerme a su lado.

—Deme al niño, yo lo cargo —dije.

Frenó unos segundos para pasarme al niño, que se agarró de mi cuello con fuerza. Me alegró comprobar que la Millán también confiaba en mí. En la tercera salida doblamos. Ya no era necesario correr, estábamos casi a salvo.

—Allí es, en la puerta roja —dijo señalando una casita a medio terminar.

El niño se lanzó de mis brazos al suelo y se metió en el jardincito delantero de la casa, por un agujero enorme que había en la tela de red metálica que, sin éxito, protegía la morada. Lo hizo lo más rápido que le permitió su pierna de hueso deformado. Cruzamos la entrada y Teodora abrió la puerta roja.

—Vamos, niña, adentro. Aquí te quedas —ordenó.

Antes de meterme en la casa, abrí la mochilita que acababa de encontrar durante la huida. Nunca fui una mujer de emociones tradicionales. Lo usual era que me impulsaran a la acción el odio, la ira o la revancha. Sin embargo, cuando descubrí que dentro de la mochila estaba mi libro, el *Ulises* de Joyce, y la billetera con los documentos de Ciro Leone, quise llorar. Y lo hice.

47

A pesar de los golpes y de las patadas, Ciro no pudo impedir que lo subieran por la fuerza a la camioneta blanca que le había frustrado la huida. Una piña debajo del ojo lo había dejado atontado y sin capacidad de resistencia. Pudo sentir cómo se le astillaba el hueso de la mejilla y la rapidez con la que la parte derecha de la cara se le hinchaba. El olor a desinfectante que había dentro de la camioneta le dio náuseas. Por un momento, creyó que iba a vomitar sobre el asiento trasero en el que lo habían tirado como si fuera una bolsa de papas.

—¡No sabes con quién te has metido! —le gritó el joven al que Ciro había llegado a golpear. De su nariz seguía saliendo sangre.

Ciro Leone tenía bien claro con quiénes se había metido, podía hacer una lista: el jefe de un penal de máxima seguridad, uno de los mafiosos más custodiados de España y una chica misteriosa que se ufanaba de ser tratante de mujeres.

La camioneta arrancó a toda velocidad. Los tumbos hicieron que Ciro quedara apretado contra el vidrio de la ventanilla trasera; a su lado, uno de los matones lo apuntaba con un arma. Los otros dos iban en los asientos de adelante.

—¿A dónde me llevan? ¿Qué quieren? —preguntó tratando de mantener la calma. Necesitaba saber si existía alguna instancia de negociación.

Como respuesta obtuvo una amenaza.

—Si no te callas, mi compañero te va a silenciar de un balazo —dijo el hombre al volante.

No tuvo otra opción que obedecer. Del lado de adentro, los vidrios estaban cubiertos con unas planchas de papel manteca, pero a contraluz y con esfuerzo, se podía adivinar el recorrido que, sorteando las velocidades máximas, estaba haciendo la camioneta. Ciro pudo determinar que estaban saliendo de Barcelona por el noreste de la ciudad, dato que no le servía de mucho. Solo le quedaba intentar mantener la calma y, llegado el caso, pelear por su vida. No más que eso, y no menos.

El sonido de la llamada entrante de un teléfono lo puso en alerta, el conductor lo conectó en alta voz.

—Aquí habla Beltrán —dijo.

—Quiero novedades —exigió del otro lado una voz ronca y calma.

—Dividí al equipo en dos, señor. Yo estoy con la camioneta blanca y tengo al encargo número dos.

—¿Y el encargo número uno?

Beltrán hizo un breve silencio.

—Repito, Beltrán. ¿Y el encargo número uno?

—No lo sé, señor —balbuceó.

—Ya sabes lo que tienes que hacer.

Ciro no tenía dudas de que se referían a Cornelia cuando hablaban del «encargo número uno». ¿Habría podido escapar? ¿Estaría en poder del otro grupo de gorras rojas?

Dentro de la camioneta, nadie se animó a decir una palabra. En medio de ese silencio, Ciro encontró una posibilidad remota de marear a sus captores. No era momento de perder tiempo pensando en la Sirena, se tenía que concentrar en salvar sus huesos.

—Beltrán, ¿el que llamó era el Egipcio, no? —dijo apelando a la desfachatez que tantas veces lo había sacado de situaciones complicadas.

Beltrán lo miró por el espejo retrovisor de la camioneta. Las cejas negras y tupidas provocaban sobre su mirada un efecto sombra, una virtud genética que le daba un aspecto amenazante.

—¿Tú quieres que te abolle el otro lado de la cara para que te quede pareja? —preguntó ostentando un poder prestado.

—No es necesario, amigo. Al final, ustedes y yo estamos del mismo lado… Aunque yo, un casillero más adelante.

El hombre que tenía sentado a la izquierda interrumpió la tarea de limpiarse con un pañuelo húmedo la sangre de la boca, la barbilla y el cuello y lo miró de reojo. Beltrán giró un poco y, sin soltar el volante, dijo intentando mantener la calma:

—Tú y yo no estamos en el mismo lado. Tu lado es el de los que van a morir y te juro que vas a rogar para que el trámite sea rápido.

Ciro forzó una sonrisa. El pómulo, cada vez más hinchado, le ardía como si se hubiese prendido fuego.

—Es lo que te digo, amigo. Primero muero yo y luego ustedes. Conozco al Egipcio desde hace años. Fuimos muy

amigos, sé de sus planes y de sus perversiones —mintió—.
No querrías saber, Beltrancito...

—¡Que te calles! —respondió Beltrán, ofuscado.

—Me callo, me callo. Solo les advierto. Son muy jóvenes y tal vez nadie les contó cómo trabaja el Egipcio —insistió Ciro, jugándose las pocas fichas que le quedaban.

El hombre que estaba sentado en el lugar del copiloto abrió la boca por primera vez. Se lo notaba algunos años mayor que sus dos compañeros y, tal vez por eso, más templado.

—¿Y cómo trabaja el Egipcio? —preguntó con verdadera curiosidad.

—¡Bueno, basta de idioteces! —exclamó Beltrán con hartazgo. No quería tener precisiones sobre su eventual empleador—. Pablo, no le des aire a este mamarracho.

Pablo no le hizo caso. Se recostó sobre su hombro y giró para verle la cara a Ciro. Seguía interesado. Para él la información, cualquiera que fuera, sí era importante.

—¿Vas a contar o no cómo trabaja el Egipcio? —preguntó nuevamente.

—Trabaja con objetivos móviles. Hoy el objetivo soy yo, y aquí me tienes, rumbo al cadalso —inventó Ciro, entusiasmado con la atención que le prestaba el hombre—. Luego los objetivos cambian, y el Egipcio apunta a los testigos, a los que trabajaron para él... Y ahí yo les recomendaría que corrieran lo más rápido posible.

Pablo le clavaba los ojos, su cerebro dirimía a velocidad si creerle o no. Cuando lo convocaron para formar parte de un eventual pequeño ejército al servicio del Egipcio, había dudado. No tenía reparo alguno en trabajar para un mafioso, ese había sido siempre su trabajo; lo que a Pablo nunca lo había terminado de convencer era la tarea de perseguir y atrapar a una puta. Su madre lo había sido, su hermana lo era.

—¿Tú trabajaste para el Egipcio? —preguntó.

—Claro, ¿quién no? —respondió Ciro.

Nadie más dijo nada. En el fondo, cada uno de ellos pensaba cuánto tiempo de vida le quedaba. Ciro Leone tenía razón: todos estaban del mismo lado.

48

La puerta del Hospital Central estaba rodeada. En las es-
calinatas de entrada, tres hombres montaban guardia con
disimulo. Delante de las columnas de ingreso a emergencias, por el lado derecho del edificio, otros dos miraban
con atención a las personas que, caminando, corriendo o
en sillas de ruedas, cruzaban el portón para hacerse atender por algún médico. A la izquierda, la cafetería estaba
vigilada por dos mujeres sentadas a una mesa y un hombre altísimo de espaldas anchas, apostado en la puerta del
baño. Todos vestían ropa oscura y gorras verdes. El ejército
clandestino de Lisandro Aguilera se había convertido en
un grupo de fieras con orden de matar.

Iván Aguilera seguía internado en el segundo piso.
Después de haber estado largas horas en terapia intensi-
va, los médicos habían decidido pasarlo a una habitación
común en la que estaba solo. La crueldad que los gorras
rojas, a las órdenes del Egipcio, habían aplicado sobre
el cuerpo del muchacho le había provocado heridas que
iban a tardar varios días en sanar, pero ya no corría riesgo
su vida.

Sus amigos le habían llevado una pila de revistas de motos, sus preferidas, y una *tablet* con una cantidad infinita de juegos para pasar el rato. Todo reposaba en una mesita junto a la cama. Iván no había tocado nada de eso, prefería pasarse las horas mirando el techo o la pared. Tampoco comía demasiado; mordisqueaba con indiferencia los panes recién horneados que le traían en una bandeja, o bebía algo de sopa caliente o los licuados de frutas que le acercaban. La única persona que le producía una ola de entusiasmo era Romina, su hermana. Con ella podía ser sincero; desde niños, habían construido una relación exenta de mentiras.

Lisandro, su padre, lo visitaba varias veces por día. Iván cerraba los ojos y fingía un estado de sopor causado por los calmantes que le inyectaban. Hacerse el dormido era la manera que había encontrado para ocultar la vergüenza que le provocaba no haber estado a la altura de un Aguilera, no haber sido un muro de contención para proteger aquello que el mandato paterno ordenaba: la familia y el apellido.

Lo descubrieron por no haber borrado los mensajes de texto que le había mandado su hermana. Casi lo matan. Una distracción imperdonable. Como consecuencia, lo llevaron a un galpón de la zona de los gorras rojas y le pegaron por turnos hasta cansarse; lo escupieron y orinaron sobre sus heridas sangrantes. Por último, con una navaja, le cortaron una oreja. El cuerpo de Iván fue abandonado, como si fuera un despojo, en la zona de los gorras verdes. Fue una provocación final de la que tampoco se privaron.

Romina llegó con una sonrisa y ese aroma a chicle de canela que inundaba todo a su alrededor. Cada vez que daba tres golpecitos en la puerta y la abría sin esperar respuesta, Iván no podía evitar sonreír, aunque se le abrieran las múltiples cortaduras de los labios.

—Hola, cariño —dijo, y se recostó pegadita al cuerpo de su hermano.

No usaba la silla de madera ni el sillón de dos cuerpos que decoraban la habitación. A Romina le gustaba tirarse junto a Iván y conversar tomados de la mano como lo hacían desde pequeños, cada vez que alguno de ellos necesitaba la presencia del otro.

—Romi, ¿qué sabes de Nadia? —preguntó el muchacho de golpe, como si las palabras hubiesen anidado en su garganta.

—No es momento, cariño. Papá me dijo que no habláramos de cosas que te alteren…

—¿Qué sabes de Nadia? —repitió Iván y le apretó la mano.

—Nada. Volví a su casa luego de… Bueno, tú sabes. De que…

—Dilo, Romina. Luego de que te mandaran mi oreja en una caja. Yo estaba ahí cuando la metieron en una caja… —dijo mientras se señalaba el vendaje enorme que le cubría casi toda la cabeza.

—Bueno, sí. Luego de eso, volví al departamento de Nadia y de su madre. Supe que un vecino está cuidando a Ginebra, la cachorra. Nadia y su madre desaparecieron.

—Nadia está bien, no te preocupes —aseguró Iván.

—¿Y tú cómo lo sabes? —preguntó Romina. Se apoyó de costado sobre su antebrazo y lo miró.

—No lo sé, lo supongo. No sé…

Iván no quería que su hermana tuviera datos sobre el Egipcio. Aunque le tocara violar la norma de no mentirle

339

nunca, este caso era una excepción de vida o muerte y no iba a arriesgar a su hermana nunca más.

Romina se relajó y besó con un amor infinito la frente de su hermano.

—Tengo hambre. Voy a comprar una hamburguesa o una *pizza* y vuelvo. ¿Quieres algo de afuera?

—Un chocolate que tenga almendras —respondió Iván, intentando una sonrisa.

Cuando Romina salió al pasillo, se topó con un hombre de gorra verde que, en silencio, la siguió hasta el ascensor.

—¿Tengo niñera ahora? —preguntó ella con las manos en la cintura y tono burlón.

La respuesta se la dio otro hombre que apareció por el hueco de la escalera. Era su padre.

—Sí, mi tesoro. Miles de niñeras que darían la vida por ti. Ya has visto lo que han hecho con tu hermano. No quiero ni pensar lo que harían contigo —dijo Lisandro Aguilera.

—*Okey, okey* —concedió Romina—. Voy a buscar algo para comer.

—¿Tu hermano está despierto?

—No, está dormido —mintió la chica.

La puerta del ascensor se abrió de manera automática.

—No la pierdas de vista —ordenó Lisandro al guardaespaldas.

Caminó hasta la habitación en la que estaba su hijo. Empujó la puerta despacito y se acercó a la cama. Como cada vez que lo veía en ese estado calamitoso, sintió cómo una daga de odio se le clavaba en las tripas. Le puso la mano en la frente, como durante tantas fiebres, dolores panza y empachos de la niñez. Esta vez Iván no fingió, extrañaba a su padre.

—Hijo mío —murmuró Lisandro cuando lo vio abrir los ojos—. No te alteres, tranquilo. ¿Te siente mejor?

—Hola, papá. Sí, mejor —contestó. Las lágrimas le llegaron de a poco, contenidas, hasta que no pudo evitar un llanto acongojado—. Perdón, papá. No estuve a la altura.

Aguilera sacó la mano de la frente de su hijo y la apoyó en su boca.

—Shhh, silencio, hijo. Nada de qué disculparse. Has puesto tu vida en riesgo para cuidar a tu hermana.

—¡No, no es así! —exclamó Iván, atorado de tanta angustia—. He puesto en riesgo a Romina...

—No vuelvas a decir eso, hijo mío.

El teléfono de Lisandro sonó e interrumpió la conversación. Ambos se sintieron aliviados, no eran personas muy dadas a las sensiblerías. En la pantalla aparecía el número de Melliá. Lisandro lo había agendado bajo un nombre falso. «Estoy en el pasillo, tengo que hablarte», decía el mensaje.

—Hijo, salgo un minuto a la puerta. Necesito atender una cuestión. No tienes nada de qué preocuparte.

Iván volvió a cerrar los ojos, la descarga del llanto lo había dejado agotado.

Dos muchachos gorras verdes rodeaban, con disimulo, a Donato Melliá.

—Estos dos no me dejaron avanzar hasta la habitación de tu hijo —le dijo a Lisandro con una media sonrisa. La barba le había crecido desprolija y dos sombras negras debajo de los ojos lo hacían parecer un espectro.

—Cumplen con su trabajo —contestó Aguilera. Miró a los guardaespaldas y, con un gesto discreto, los hizo salir de la escena—. Te escucho.

Donato tomó del brazo a Aguilera y lo llevó hasta el hueco de la escalera. No quería que ninguna de las personas que iban y venían para visitar a sus enfermos escuchara ni una palabra.

—Tengo novedades, amigo. La gente del Egipcio ubicó a la Sirena y al preso que yo había puesto a seguirla. El muchacho nos traicionó…

—Bala en la cabeza a los traidores —interrumpió Lisandro, aportando sus soluciones sin que se le moviera un pelo.

—No podemos. Él tiene información sobre la Sirena que no nos cuenta…

—Entonces no la ubicaron todavía —volvió a interrumpir Lisandro.

—Estamos en eso. El plan es el siguiente: hacer que el muchacho cante, y reventar, en paralelo, cada casa del barrio en el que se la vio por última vez. Estaba acompañada de una tal Teodora Millán, una líder barrial…

—¿De Nou Barris, no? —preguntó Lisandro achinando los ojos, mientras armaba en su cabeza el mapa de una Barcelona que conocía al detalle.

—Exacto, allí se esconde. En cuanto la tengamos, en un operativo secreto voy a liberar por unas horas al Egipcio. Esa es la condición que me pone para devolverme a Adelita.

—¿Lo vas a dejar ir y fingir una fuga?

—No, él no quiere eso. Nada más quiere unas horas para matar con sus manos a la Sirena.

—¿Y luego? —preguntó Aguilera.

—Luego Khalfani Sadat es todo tuyo. Te lo puedo entregar dentro de la cárcel, desarmado. Será tu momento de vengar lo que le hizo a Iván.

Lisandro Aguilera lo miró en silencio, contaba los minutos que faltaban para borrar de la faz de la tierra al hombre que había humillado a su hijo.

En el codo de la escalera, con una caja de *pizza* en una mano y un chocolate enorme en la otra, Romina Aguilera había escuchado, agazapada, el final de la conversación entre su padre y el hombre al que no había llegado a ver. Siempre había sabido que Khalfani Sadat, el padre de Nadia, era un hombre extraño, que aparecía muy poco en la vida de su hija, pero enterarse de que había sido él quien había lastimado a Iván le provocó escalofríos. Pero eso era lo de menos. Una duda que empezaba a gestarse en su cabeza la estaba destrozando por dentro: ¿Nadia había tenido algo que ver en el secuestro y las torturas que había recibido su hermano? Se mordió el labio inferior hasta que sintió el sabor metálico de la sangre. Apoyó la caja de la *pizza* y el chocolate en uno de los escalones e hizo lo que su cuerpo le exigía a gritos: corrió.

49

Nadia se distrajo unos minutos sintiendo cómo la temperatura del vidrio de la ventana en el que había apoyado su frente mutaba de frío a caliente. Respiró hondo y se dio vuelta despacio. Su madre, recostada en la cama, la miraba con una mezcla extraña de resignación y pena.

Durante años, Chantal se había esforzado en construir la imagen de un padre atento y proveedor; había cubierto sus ausencias con la maestría en la que estaba entrenada. Lo hizo con tanto detalle y delicadeza que, por momentos, ella también llegó a creer que todo lo que hacía Khalfani era para que su hija tuviera una vida fabulosa.

—Mamá, ¿qué tiene que ver mi padre con esta locura? —preguntó Nadia.

Por la cabeza de Chantal, pasaron algunas posibles respuestas y también un par de preguntas. ¿Cómo explicarle a su hija que a ella y a su padre los movía el odio? ¿Cómo decirle que todo, absolutamente todo, era culpa de una mujer? ¿Era correcto confesarle que se arrepentía de no haber matado a la Sirena cuando todavía era una jovencita que se hacía llamar Nadine Basset y, con modos de niña y pericia sexual de experta, le había arrebatado, de a poco, a su Khalfani?

Entre tantas dudas, también se hizo presente un recuerdo doloroso: aquella tarde en la que había encontrado a la Sirena desnuda, tomando champán en la cama de Khalfani Sadat. Del cuello, le colgaba una cadena gruesa de oro con un dije de diamante, la misma cadena y el mismo dije que su hombre le había prometido a ella unos días antes frente a la vidriera de una joyería de París. Rememoró la manera displicente en la que Nadine había dejado la copa de cristal a medio tomar sobre la mesa de luz. Sin asustarse ni sorprenderse, sin siquiera inmutarse. La recordaba gozosa ante el hecho de haber sido descubierta. En la memoria de Chantal, resonaron los insultos vomitados en francés y una amenaza: «Esto que estás haciendo acaba de despertar el caos». «El caos soy yo», le contestó aquella vez la Sirena. Aún recordaba esa respuesta que, tantos años después, cobraría su auténtico sentido.

La insistencia de Nadia la trajo de nuevo al presente.

—Mamá, no te quedes callada. ¿Qué tiene que ver mi padre con todo esto? —dijo con la esperanza de que su madre le mintiera como tantas otras veces.

Pero Chantal Lamonier, la Sirena que no fue, no mintió. Por primera vez optó por la verdad. Con el tono que suelen usar las madres cuando develan, finalmente, que los Reyes Magos no existen, le relató, edulcorando algunas partes por pudor, quién era el Egipcio. Mientras lo hacía, no se animó a mirar a Nadia a los ojos. No fue necesario, sentía el temblor del cuerpo menudo de su hija.

—Mamá, necesito hacerte una pregunta —murmuró cuando su madre dejó de hablar—. ¿Tú me quisiste parir? ¿Fui una niña deseada por ti?

—Sí, Nadia. Yo te escogí contra el mundo, y lo volvería a hacer —respondió con una certeza abrumadora.

—¿Tú eres cómplice del Egipcio? —preguntó. Ya no le podía decir «padre» a ese monstruo.

—A veces, para retener el amor, hija, una puede ser capaz de cualquier cosa.

Esa respuesta fue lo que Nadia necesitaba para terminar de tomar una decisión.

—Está bien, mamá, te entiendo —dijo mientras se levantaba de la cama. Ya se sentía mucho mejor; por lo menos, las piernas le respondían—. ¿Puedo ir a la cocina a buscar un vaso de agua?

—Yo voy —dijo Chantal—. ¿Quieres que mejor te traiga un té?

Nadia asintió, y se quedó mirando cómo su madre cerraba la puerta; enseguida escuchó que le ponía llave por afuera. A los pies de la cama, estaba su campera de cuero. Metió la mano en uno de los bolsillos. Un subidón de entusiasmo le corrió por el pecho cuando tanteó la cajita de cartón rojo que había guardado en la cocina de su casa, allí había puesto el frasquito de sedante con el que su madre mantenía dopada a la secuestrada. Abrió la tapa y, con extremo cuidado, lo escondió en el hueco de su mano, para no volcar el líquido color ámbar.

Cuando su madre regresó, la encontró sentada en la cama, esbozando una sonrisa.

—Aquí traje el té, *ma petite*. Es un *chai* —anunció mientras apoyaba la bandeja con las dos tazas en la mesa de luz.

Chantal dio media vuelta para cerrar la puerta que había dejado abierta, la cerradura era vieja y tuvo que dar un tirón para quitar la llave. Fue el tiempo suficiente que necesitó Nadia para volcar una parte del contenido del frasquito en el té de su madre.

—Muy bien, aquí estoy —dijo Chantal—. Te prometo que en unas horas podrás volver a tus cosas.

Nadia sorbió un trago de té.

—¡Está muy caliente! —exclamó—. Pruébalo, fíjate.

—*Ma petite*, qué dramática eres —dijo Chantal, muerta de risa.

Le hizo caso a su hija y tomó varios tragos de té seguidos, para demostrarle que la temperatura era la adecuada.

—Está perfecto —remató—. Lo hice con el agua a ochenta grados. Delicioso. Se nota el sabor de la pimienta y la canela.

Muy de a poco, Chantal empezó a moverse en cámara lenta, como si cada parte de su cuerpo le pesara toneladas. Nadia le quitó la taza de las manos para evitar que el líquido caliente se le derramara encima.

—Ay, *ma fille*, qué cansancio… Podríamos dormir unas horas, *n'est ce pas?* —propuso Chantal con los ojos semicerrados.

—Sí, claro, mamá —respondió Nadia, y la ayudó a recostarse en la cama.

Las gotas sedantes eran efectivas: en menos de veinte minutos, Chantal estaba totalmente dormida. Nadia revisó los bolsillos de los pantalones de su madre y recuperó su celular y un manojo de llaves. Antes de salir de la habitación, aguzó el oído. El silencio era absoluto.

Recorrió el departamento y certificó lo que sospechaba: estaban solas. Se paró frente a la única puerta cerrada e intentó abrirla con las llaves que le había quitado a su madre. En el tercer intento, tuvo éxito.

La habitación solo estaba iluminada con la luz que se filtraba entre los listones de una persiana de madera. Nadia sabía que se iba a encontrar con una chica, la secuestrada, pero eso no evitó la impresión que le dio verla tirada en la cama, abrazando la almohada como quien se agarra de lo único que tiene para salvarse. Se acercó despacio y le tocó la mejilla. Estaba caliente, demasiado.

—Ey, mi nombre es Nadia. Vengo a rescatarte —dijo en voz baja, mientras le sacudía el brazo con delicadeza.

—Quiero agua —murmuró la chica, sin abrir los ojos.

—Vamos a buscar agua, pero necesito que te despiertes bien y te levantes lo más rápido que puedas —dijo Nadia con un dejo de desesperación—. ¿Cómo te llamas?

—Adela, me llamo Adela.

Nadia la dejó unos minutos sola y corrió hacia la cocina. Llenó un vaso con agua de la canilla y volvió a la habitación. Adela Melliá había logrado incorporarse y la esperaba sentada.

—Aquí tienes, toma el agua.

Adela tomó dos tragos de agua. Nadia le mojó la cara con el resto, para que terminara de despabilarse.

—Me siento mal —llorisqueó Adela.

—Tienes fiebre, estás hirviendo. Necesito que me escuches y me hagas caso. Nos vamos a ir de aquí, pero tienes que colaborar. Tienes que ser fuerte.

—Yo soy fuerte —contestó Adela con la mirada perdida y una sonrisa.

—¡Muy bien!

Mientras Adela tomaba otro poco de agua, Nadia fue a buscar algo a la cocina. Luego entró a la habitación en la que estaba su madre y acomodó en el piso, junto a la cama, dos botellas de agua mineral que encontró en la heladera y un plato con frutas. Antes de dejarla profundamente dormida, la arropó como un rato antes Chantal había hecho con ella y le dio un beso leve en la frente. Cerró la puerta con llave y fue hasta la sala principal.

En la esquina de un sillón, estaba semiabierta la cartera de Chantal. Nadia revisó el contenido y se quedó con las llaves del auto, seiscientos euros en efectivo y el celular. Intentó leer los mensajes pero no pudo: estaba bloqueado con una clave. Volvió a la habitación de Adela. La chica estaba de pie y movía de forma alternada las piernas.

—Muy bien, Adela. Vas a sentir que tus piernas están blandas y que no logran sostenerte, pero te sostendrán —dijo Nadia con dulzura—. ¡Ahora nos vamos, no hay tiempo!

Salieron por la puerta de servicio, tomadas de la mano. Nadia nunca elegía las entradas o las salidas principales. Si andaba por los márgenes, se sentía más segura. Bajaron hasta la cochera. Nadia sabía que su madre jamás estacionaba el auto en garajes públicos ni en la calle.

—¿A dónde vamos? —preguntó Adela. Seguía hablando con voz bajita y pastosa.

La pregunta descolocó a Nadia, pero no eran momentos de incertidumbres.

—A ese auto azul, ¡vamos! —indicó—. Quiero que te subas y te acuestes en el asiento trasero.

Adela obedeció sin ningún tipo de cuestionamiento. A pesar de las indicaciones, se sentía libre. El auto de Chantal olía a pino, era el perfume favorito de su madre. Siempre repetía que el sueño de su vida era comprar una casa grande en medio de un pinar. Los ojos de Nadia se humedecieron, la contradicción la abrumaba: quería creer que su madre era una víctima y, sin embargo, sentía la imperiosa necesidad de escapar de ella como si fuera la villana de los cuentos infantiles que tanto disfrutaba de pequeña.

Se colocó el cinturón de seguridad y sacó su teléfono celular. Tenía decenas de mensajes de WhatsApp sin responder y notificaciones de sus redes sociales. No tenía tiempo de leer todo, solo un llamado podía salvarla a ella y a Adela. Marcó el único teléfono que se sabía de memoria. Era su último reducto.

50

Romina bajó corriendo la escalera del hospital; sacudía la cabeza de un lado a otro, como si con ese movimiento pudiera despejar las dudas que tenía sobre Nadia. Sentía detrás de ella los pasos apresurados del guardaespaldas que su padre le había asignado. Lamentó no ser varón; de haberlo sido, habría girado sobre sus pies y, sin mediar palabra, le habría dado un puñetazo en el medio de la nariz. Ya en la planta baja, se tuvo que contentar con aminorar la carrera y enfrentarlo con palabras.

—Necesito ir al baño. ¿Me vas a acompañar hasta el inodoro? —dijo hecha una furia.

—En la habitación de Iván hay un baño... —respondió el hombre con tono burlón.

—La enfermera me dijo que no puedo usarlo —mintió Romina, sabiendo que lo que decía era poco creíble, pero el guardaespaldas no estaba en condiciones de discutirle nada.

—Te espero en la puerta —contestó el muchacho con firmeza.

Romina entró al baño y cerró de un portazo la puerta. Mientras se lavaba la cara con agua helada, una señora dejó de secarse las manos para mirarla. Vestía un abrigo enorme, tejido con lanas de varios colores; de su cuello colgaba un barbijo de género blanco. A su lado, había una silla de ruedas vacía. Romina se puso en alerta.

—¿La puedo ayudar en algo? —inquirió con agresividad.

—No, gracias. Oye, ¿tú no eres la hija de Aguilera, la Romita?

Solo una persona en el mundo la había llamado «Romita».

—¿Marilú? ¿Eres Marilú? —preguntó Romina. El humor acababa de cambiarle.

Como respuesta, la mujer la abrazó a los gritos.

—¡No lo puedo creer! ¡Qué bonita que estás, niña!

Habían pasado diez años desde la última vez que se habían visto. Marilú Baltazar había cuidado a los hijos de Lisandro Aguilera cuando Ofelia, la madre de ambos, los había abandonado. Para Romina, la mujer no había cambiado demasiado: ante los ojos de los niños, siempre había sido vieja. Mantenía las mismas arrugas alrededor de los ojos, el mismo cabello blanco y esponjoso que cubría con los gorros tejidos por ella, como el que tenía puesto en ese momento.

—¡Qué lindo verla, Marilú! ¿Qué hace aquí? ¿Está enferma?

—No, Romita. Vine a visitar a una amiga, la operaron de la vesícula. Me traje mi barbijo porque estos lugares están llenos de virus, mis pulmones son muy frágiles…

La mujer interrumpió su relato cuando vio que la chica le prestaba atención a la silla de ruedas vacía.

—Ah, la silla… No te asustes. Ando con problemas de rodillas, salgo con mi silla y, si no puedo andar más, tomo asiento hasta que se desinflamen.

El teléfono celular de Romina interrumpió la conversación. Estaba tan interesada en saber qué había sido de la vida de la mujer que les preparaba las mejores sopas de verduras del universo que atendió la llamada sin mirar la pantalla.

—Romi, soy yo, Nadia.

La sangre se revolucionó en las venas de Romina. Una amalgama de bronca, curiosidad y alivio la llenó por completo: Nadia estaba viva. No supo qué contestar, se quedó muda.

—Tienes que ayudarme, estoy sola. No tengo a nadie más que a ti —dijo Nadia al tiempo que rompía en llanto.

—Calma, Nadia. No llores. Tengo mil preguntas para hacerte, muchas dudas, pero te amo. Eso lo tengo claro —aseguró Romina. Nadia suspiró.

Marilú escuchaba atenta. «A la Romita le gustan las mujeres, quién hubiera dicho», pensó.

—Necesito un refugio seguro —dijo Nadia—. No le cuentes a nadie de este llamado.

—Ya lo sé —respondió Romina y pegó la boca al teléfono, para que Marilú no escuchara—. Mi padre quiere asesinar al tuyo.

—Ojalá lo haga.

Esa respuesta le dio a Romina la seguridad que necesitaba; como siempre, su novia decía todo lo que ella quería escuchar.

—Tengo las llaves. Nos vemos en media hora, ya sabes dónde.

Romina Aguilera cortó la comunicación. Tenía que resolver cómo salir del baño y del hospital sin que el guardaespaldas de su padre, que seguramente seguía parado frente a la puerta del baño de la planta baja del hospital, la interceptara. Miró a Marilú y sonrió. Una idea se había dibujado en su cabeza.

51

Lo bajaron de los pelos. Una patada en las costillas lo volteó boca abajo, en el medio de un descampado. Ciro Leone solo podía ver con un ojo; el otro, de tan hinchado, estaba cerrado, casi sellado. No tuvo ni fuerzas para escupir la tierra que se le había metido en la boca. Tenía gusto a hierbas y a sangre.

Los tres hombres que lo habían secuestrado en Nou Barris se apostaron alrededor de su cuerpo despatarrado. Beltrán, cerca de la cabeza; Pablo, a sus pies, y el otro, el más joven, en un costado. Lo patearon por turnos; entre patada y patada, le daban unos segundos para recuperarse. Ciro no tuvo otra opción que ponerse en posición fetal y resistir. Cuando consideraron que ya lo habían golpeado lo suficiente, Beltrán lo levantó de un brazo como si fuera un muñeco de trapo y lo sentó con la espalda apoyada contra las piernas de Pablo.

—¿Dónde escondiste a la puta? —preguntó a los gritos.

Ciro escupió saliva, tierra y sangre, e intentó levantar la cabeza.

—Alguien se la llevó —dijo—. Cuando entré en su habitación, todo estaba revuelto.

Los tres hombres se miraron, pero no hicieron ningún comentario. Otra patada, esta vez en la espalda, fue la manera que encontró Pablo para sacarse a Ciro de encima.

—¿Dónde la tienes? Sabemos que tú la escondes —dijo Beltrán.

Ciro se puso en cuatro patas y pudo ver cómo la sangre que caía de su rostro coloreaba una mata de hierba. «No han atrapado a la Sirena», pensó.

—No la escondo —murmuró.

No tenía sentido intentar convencer a sus captores, no le iban a creer. Les habían pagado para conseguir una respuesta a la medida de su jefe. Y esa respuesta no existía.

—Díganle al Egipcio que la busque por otro lado. Le han quitado a la puta y no he sido yo.

Después de hablar, Ciro cerró los ojos esperando otra patada, un golpe, un disparo. Ante la falta de reacción inmediata de ellos, pudo imaginar a los tres hombres debatiendo en silencio qué hacer con él. Algo le quedaba claro: nadie había dado la orden de matarlo. Todavía.

El ruido del motor de una moto le llamó la atención. Ciro Leone sabía que estaban cerca de la ruta, pero la moto se aproximaba cada vez más. Quiso levantar la cabeza para mirar, pero no pudo. Los brazos se le vencieron y volvió a caer de bruces contra la tierra.

La moto frenó justo detrás de la camioneta. Lisandro Aguilera y Donato Melliá bajaron de un salto. Donato tuvo que agarrar de un brazo a Lisandro: los tres hombres que retenían a Ciro eran gorras rojas.

—Tranquilo, mi amigo —le dijo Melliá al oído—. No fueron estos los que lastimaron a Iván.

—Todos son la misma mierda —respondió Aguilera entre dientes.

—Ya será tu turno, Lisandro.

Los tres sicarios agacharon la cabeza. Sabían quién era Lisandro Aguilera y le temían. Beltrán fue el único que se animó a hablar.

—Lo estamos ablandando a golpes, pero se niega a hablar —dijo señalando con un gesto el cuerpo inerte—. Podemos ser más duros si ustedes quieren.

Melliá asintió. Pablo tomó a Ciro por los tobillos y lo dio vuelta en un solo movimiento. Beltrán volvió a darle un patadón, esta vez en la cadera.

Lisandro Aguilera avanzó unos pasos. Antes de que Beltrán volviera a usar su pierna letal, mientras sacaba un arma de la cintura y apuntaba al sicario, le ordenó a los gritos:

—¡Para, imbécil! ¡Deja al muchacho de una vez!

—Recién empiezo, señor —gritó Beltrán como si fuera un animal salvaje, sediento de sangre—. Yo hago hablar hasta a las piedras.

—¡Te ordeno que pares! —repitió Lisandro y, sin dudar, le disparó en la pierna.

El grito de dolor de Beltrán se mezcló con los gritos de todos los demás. Melliá también desenfundó su arma y apuntó a los otros dos golpeadores, temía una reacción de revuelta.

—¡Quietos! ¡Si se mueven, los lleno de plomo a todos! —exclamó con el tono que funcionaba con los lúmpenes—. Tiren las armas al piso, donde yo las pueda ver. Y tú,

Beltrán, deja de quejarte como un niño, que solo ha sido un raspón.

Los tres obedecieron. Sin soltar su revólver, Lisandro se agachó para socorrer a Ciro.

—¡La puta madre que lo parió! Muchacho, ¿en qué lío te has metido? —preguntó con tono paternal.

—Lisandro, mierda, ¿qué estás haciendo? —dijo Donato. No entendía lo que estaba sucediendo.

—Este de aquí es Ciro Leone —contestó.

—Sí, claro. Ya te he dicho que saqué a un preso para seguir a la Sirena y que nos traicionó. Tú mismo dijiste que a los traidores hay que meterles plomo —explicó cada vez más confundido.

—Nunca me dijiste el nombre. Ciro Leone es intocable, ¿me entiendes? —dijo mientras levantaba al muchacho del piso—. Este harapo, así como lo ves, salvó a mi hija Romina de un ataque sexual callejero. Mi familia tiene con él gratitud eterna. Los Aguilera somos gente de lealtades, Donato.

Ciro no sentía su cuerpo. Algunas partes estaban dormidas y otras, las despiertas, le provocaban un dolor lacerante. En el medio de un estado de semiinconsciencia, seguía esperando la siguiente patada, el próximo golpe, rogando que fuera el último, el definitivo. Sin embargo, lo que recibió fue una voz que le llegaba desde lejos, una voz conocida, amable: la voz de Lisandro Aguilera.

—¿Aguilera? —murmuró.

—Sí, hijo, sí. Ya pasó todo, tranquilo. Tú salvaste el honor de mi hija, yo no me olvido —dijo Lisandro, y lo cargó por los hombros hasta la camioneta.

—Ayúdame a salvar el honor de la Sirena —murmuró.

—Anda, sube. Nos vamos de aquí —dijo Aguilera sin prestarle atención.

—Ciro se incorporó como pudo y puso su mano firme sobre el hombro de su salvador. Lo miró con un solo ojo.

—Ayúdame a salvar el honor de la Sirena. Ahora te toca a ti.

—Ciro, esa mujer no tiene honor.

—Sí lo tiene.

Lisandro Aguilera no respondió. Acostó a Ciro en el asiento trasero de la camioneta blanca, la misma con la que lo habían secuestrado, mientras Donato recogía las armas y los teléfonos celulares de los matones.

—Tú te regresas en tu moto y yo llevo a tu protegido en la camioneta —dijo Melliá con ironía—. Estos tres tendrán que caminar.

Antes de subirse a la moto, Aguilera arrebató las gorras rojas de los tres hombres, escupió cada una de ellas y las dejó tiradas en la tierra.

52

—Marilú, ¿se acuerda de cuando yo era pequeña y una vez usted me dijo que era capaz de hacer cualquier locura para ayudarme? —preguntó Romina apelando a dos cuestiones: su vocecita infantil y el engaño.

Marilú se acomodó el gorro tejido, como si con ese movimiento pudiera, al mismo tiempo, acomodar su memoria. No recordaba haber hecho alguna vez semejante promesa, pero tampoco confiaba demasiado en sus recuerdos que, con los años, se empañaban cada vez más.

—¡Por supuesto, Romita, claro que sí! Tengo una memoria privilegiada —exclamó.

—Qué bien, porque necesito que me ayude a salir del baño y de este hospital —explicó la chica.

—Mi niña… Pero si te sientes mal, aquí hay médicos de sobra. Ya mismo los busco.

—No, por el contrario. No quiero médicos. Resulta que vine por un dolor de oídos y el médico de guardia me dijo que me tenía que meter un tubo enorme para destaparlo. —Mientras inventaba la historia, Romina movía las manos y hacía gestos de espanto—. De solo pensarlo, siento que me muero, me muero. Entonces me escondí aquí y las enfermeras me persiguen. ¡Imagine qué cosa tan tremenda! Me persiguen para torturarme. Necesito ayuda.

—¡Ay, Romita! ¡Lo que me cuentas parece una película de miedo, mi querida! —exclamó Marilú, tomándose la cabeza con las manos—. Bueno, no te dejaré sola en manos de esos matasanos tan crueles, por muy estudiados que sean. No, no. Dime tú qué necesitas que haga.

Del lado de afuera, el guardaespaldas de Romina caminaba de un lado a otro del pasillo; de vez en cuando, daba un vistazo a la puerta del baño de mujeres. Se acercó aprovechando la entrada de una señora con un bebé y preguntó a los gritos si todo estaba en orden. Romina contestó, también a los gritos, que estaba un poco descompuesta, que no se preocupara, que en unos minutos seguro iba a estar mejor. Un hombre con uniforme de seguridad se acercó al guardaespaldas.

—¿Algún inconveniente, señor? —preguntó con cara de pocos amigos.

—No, ninguno —contestó el hombre de Aguilera mientras se acomodaba la gorra verde.

—Muy bien. Le pido que se aleje de la puerta del baño de damas y no las moleste, o me voy a ver obligado a sacarlo por la fuerza.

El gorra verde tuvo que morderse los labios para no empezar ahí mismo una trifulca a los golpes. Don Aguilera les había ordenado no hacer ningún tipo de escándalo, salvo que la seguridad de sus hijos estuviera en riesgo. Rápido de reflejos, respondió:

—Estoy esperando a mi novia, que no se siente del todo bien, señor. Nada más.

El cruce de palabras entre el guardia de seguridad del hospital y el guardaespaldas de Romina duró el tiempo necesario para que una señora de pelo blanco sacara en silla de ruedas a una mujer enfundada en un abrigo de lana multicolor. Llevaba la boca y la nariz protegidas con un barbijo, una gorra que hacía juego con el tapado le cubría la frente y las cejas. Solo se le veían los ojos.

Apenas llegaron al estacionamiento al aire libre del hospital, Romina le devolvió la ropa y la silla de ruedas. Se despidieron con un abrazo y varios besos sonoros.

—Gracias, Marilú de mi corazón. Te adoro.

—De nada, mi querida —respondió la mujer, encantada con la aventura que acababa de vivir.

Romina cruzó la calle corriendo y sin mirar atrás. Se metió en el primer colectivo que pasó, tenía que llegar lo antes posible a encontrarse con Nadia. Necesitaba abrazarla, consolarla y que le confirmara, mirándola a los ojos, que ella no había tenido nada que ver con la brutal golpiza contra Iván.

El departamentito en el que ambas solían encontrarse quedaba muy cerca; sin embargo, la ansiedad por llegar hizo que el viaje le resultara largo. El amigo que solía prestarles el espacio para sus amoríos estaba de viaje por Portugal y la llave había quedado a cargo de Romina.

Llegó agitada. Miró hacia los costados: la cuadra estaba vacía, no había nadie. Caminó hasta la cafetería de la esquina. Una mesa estaba ocupada por una pareja que parecía considerar que dirimir sus cuestiones a los gritos estaba bien. En cuanto la vio entrar, el mozo la reconoció y se acercó a saludarla.

—Hola, bella, ¿te sirvo alguna cosita?

—No, gracias. ¿Has visto a Nadia por aquí?

—Hace un rato. Pero no estaba sola —aclaró—. Andaba con una niña gordita. ¿Se han separado ustedes?

—No —contestó Romina. Se despidió del mozo y salió del bar.

Regresó a la entrada del edificio. Dejó pasar unos minutos y, finalmente, decidió entrar. Prefería esperar entre cuatro paredes, la calle no era un lugar seguro. Nadie como Romina Aguilera conocía la capacidad de despliegue de los gorras verdes de su padre. Tenía que tragarse los nervios en absoluto silencio; no quería dejar en su teléfono ni en el de Nadia ningún rastro. Había aprendido la lección, el precio había sido alto.

El departamento estaba limpísimo y olía a lavanda. Levantó las persianas y el sol cálido se coló por la ventana. Al rato, un golpe suave en la puerta provocó que cruzara el salón de dos pasos. Cuando abrió, allí estaba Nadia. Se abrazaron en silencio.

—Pasa, adelante —dijo Romina.

Tal como le había dicho el mozo del bar, Nadia no estaba sola. Detrás de ella, apareció Adela, que las miraba con curiosidad.

Las tres se acomodaron en el sillón. Abrieron unas latas de sardinas, y rescataron de la alacena unas galletas de arroz y unas fetas de queso de la heladera. Para beber solo había agua. Adela pidió permiso para ir al baño, aún no se hacía a la idea de que estaba libre. Nadia y Romina aprovecharon para cruzar unas palabras en voz baja.

—Hay que devolver a la niña a su familia, Nadia. La estamos secuestrando nosotras ahora —dijo Romina con una lógica implacable.

—Tenemos que pensar. No es fácil para mí. Mis padres son dos secuestradores, Romina. Mi mundo no existe más —respondió. Las lágrimas caían de a gotas por las mejillas.

—La niña no tiene que ver con eso.

Una voz tímida interrumpió el murmullo.

—Me llamo Adela Melliá —dijo, y se quedó parada frente a Romina y Nadia. Estaba tranquila, no demostraba ni un ápice de temor—. ¿Puedo comer algo?

—Sí, claro. Ven aquí —dijo Romina y le hizo lugar en el sillón—. Quédate tranquila, no te haremos daño.

—Lo sé —dijo Adela, y con confianza se armó un sándwich de queso y sardinas. Estaba muerta de hambre, por primera vez en días se sentía segura—. ¿Dónde estoy? ¿Quiénes son ustedes?

Nadia le hizo un relato pormenorizado de la situación. La parte más difícil se presentó cuando tuvo que hablar de Chantal, su madre.

—Ella es buena, Adela, aunque no te lo haya parecido. Mi madre es una víctima de mi padre, un hombre del que yo no sabía casi nada hasta… Bueno, hasta ahora.

—No te pongas triste —dijo la chica—. No somos responsables por las cosas que hacen nuestros padres. Ustedes dos me han rescatado y me convidaron estas sardinas tan buenas…

Las tres estallaron en una carcajada de alivio. La primera risa después de días de angustia y miedo. Romina no se contuvo y abrazó a Adela. Luego hizo lo mismo que hacía con su hermano Iván: con una mano le sostuvo la nuca y, con la otra, le frotó la espalda.

53

Hasta ese momento, Teodora Millán se había considerado intocable dentro de su barrio, el Nou Barris. En esas calles, las lealtades valían mucho más que varios fajos de dinero y ella siempre encabezaba la lista de leales. Cuando le dije que teníamos que huir del lugar que consideraba su fortaleza, se enojó.

—¡Que yo no me voy a ningún lado! Estas paredes, humildes como las ves, son más seguras que la bóveda de un banco. Nadie, pero nadie, óyeme bien, se atrevería a violentar mi casa —me gritó entre sorprendida e indignada.

—Tú no sabes nada —le dije, y contuve las ganas de darle una cachetada. Nunca se me dio bien el ejercicio de la paciencia y, para convencer de algo a Teodora, había que ser dueña de una paciencia infinita.

—Es cierto. Tampoco sé nada de ti y sin embargo, sin preguntar, te ayudé a huir vaya una a saber de quiénes...

No supe qué contestar, tampoco me sale lidiar con el otro cuando tiene razón. Opté por mirar al nieto de Teodora. El niño se había tirado en el piso y se disponía a armar un rompecabezas de pocas piezas. Ni la carrera que habíamos emprendido minutos antes ni los gritos de su abuela lo habían intimidado. Naufragaba los momentos de tensión como alguien provisto de cierta experiencia.

—Teodora, ahora soy yo la que tengo que ayudarte a ti y al niño —le expliqué con el tono que supuse usan las maestras en los colegios—. No podemos quedarnos en este lugar. Me han visto escapar contigo y tú en este barrio eres una *rock star*.

La Millán sonrió, le había gustado el mote.

—¿Con cuánto tiempo contamos? —preguntó.

—No hay más tiempo —aseguré.

Fue hasta la habitación de su nieto y cargó algunas cosas en una mochila grande con dibujos de Batman. Debajo de la cama, escondida, había una bolsa repleta de caramelos de colores.

—Oye, mi vida, guarda aquí tu rompecabezas. Vamos a dar un paseo y si te comportas, todos estos dulces serán para ti —le propuso al niño que obedeció entusiasmado.

Miré por el ventanal que daba a la calle. Un cartel colgado en el edificio de enfrente me arrancó una sonrisa: en un costado, tenía el logo de un banco.

—Ey, Teodora, ¿qué hay en esa vivienda del cartel?

—Es un edificio pequeño, de apenas dos pisos. Hace una semana vino gente del banco, desalojaron a los pobres diablos que vivían allí y cerraron con candados la puerta.

—Vamos —le indiqué.

Cruzamos la calle agazapadas, mirando a un lado y al otro. Parecíamos prisioneras huyendo de una guerra. Un poco lo éramos. La diferencia radicaba en que el botín de la lucha era yo. La puerta del edificio estaba trabada con un candado de hierro grande.

—Esto está cerradísimo, cariño —murmuró Teodora.

—Tápale los ojos al niño —le pedí. A pesar del desconcierto, lo hizo.

Saqué de mi mochila de lona verde el arma que, con buen tino, había decidido cargar. Apunté al candado y disparé. Teodora pegó un grito ahogado, el niño siguió mudo.

Entramos y logramos cerrar la puerta. No tenía seguridad alguna, pero lo disimulaba bastante bien. El olor a humedad y a encierro nos hizo arrugar la nariz, pero no impidió que subiéramos los dos pisos por la escalera. Algunos escalones estaban encharcados con pequeños laguitos de agua estancada.

—Se debe haber roto algún caño —elucubró Teodora.

El segundo piso era un galpón grande. No tenía divisiones, baño ni cocina. Imaginé que en algún momento habría funcionado como depósito. «A pesar de ser un mal lugar, es un buen lugar», pensé.

—¡Mira, abuela, mira! ¡Estoy muy grande, puedo correr! —exclamó el niño como si se hubiese activado de golpe.

Con la bolsa de caramelos en una mano, empezó a dar vueltas en redondo. El defecto de una de sus piernas era notorio, aunque su renguera no le impedía correr o creer que lo hacía. No pude evitar preguntar.

—¿Qué le ha pasado al niño en la pierna?

—El padre se la quebró con un martillo cuando era apenas un bebé —contestó Teodora y, al ver mi cara de espanto, agregó—: Era pequeño, no creo que lo recuerde… O sí, no quiero saberlo.

—¿Y qué pasó con ese hombre? ¿Lo han denunciado o algo?

—Sí, mi hija lo hizo una y mil veces, hasta que la pobrecita Charo se enfermó de cáncer.

Siempre quise saber quién había sido Charo Balboa, la mujer a la que le usurpé la identidad durante más de un año. Su nombre me regaló los únicos momentos felices que recuerdo. Gracias a los apuntes de Sofía-Miranda, la supuesta prima de la Cobra, supe se había muerto de cáncer y que su madre había quedado a cargo de Romeo, su hijo. Pero esta historia detrás de la historia me tomaba por sorpresa en un momento en el que mi capacidad de asombro estaba moribunda.

—Mi Charito cometió un solo error: enamorarse locamente. El hombre era maestro, como ella, pero tenía varios años más. Al principio él andaba que se bebía los vientos por mi hija. Regalos, flores, hasta la invitó un fin de semana a Madrid. Todo cambió cuando la Charito se quedó embarazada.

—¿No quería tenerlo? —pregunté con genuina curiosidad.

—Claro que quería, estaba feliz. Iba a tener un hijo con el hombre que amaba. El que no quería era él y allí comenzó la pesadilla.

Los ojos de Teodora se enturbiaron. Su cuerpo grande y rollizo se hizo pequeño y frágil. A pesar de que los labios finos le temblaban, siguió hablando:

—Mi hijita me mentía, me ocultaba los golpes. Andaba en pleno verano toda cubierta. Ella me decía que el embarazo le daba frío, y yo… Yo no supe ver, no me di cuenta. Se mudaron juntos a una casita sencilla y ahí mi niña quedó a merced de esta bestia.

—Tú no tienes culpa, Teodora…

—Yo creo que sí, que tengo. Una madre no puede distraerse ni un minuto. Y yo me distraje y el hombre le siguió dando y dando. Hasta que nació el Romeíto, tan bonito. Si lo hubieras visto... —Sonrió con ternura, como cada vez que nombraba al niño—. Y un día la Charo se apareció en mi casa, en plena noche, gritaba y lloraba. Tenía al niño en brazos. El niño no lloraba, siempre tan valiente mi tesoro, pero tenía la piernita negra y toda doblada. Fuimos al hospital y ahí la Charito me dijo lo que la bestia había hecho y lo denunciamos.

—¿Y? ¿Nadie hizo nada?

—Las denuncias de los pobres molestan, cariño.

La Millán hizo un silencio largo, plagado de recuerdos. Tuve miedo de comentar algo e interrumpir las cosas que pasaban por su mente. Caminó hasta la ventana del galpón y se acodó en un rincón. La seguí y me pegué a su cuerpo. Continuó con el relato:

—Y luego, mi Charito enfermó. El cáncer la consumió todita en muy poco tiempo, y el bestia seguía amenazando.

—¿Quería llevarse a su hijo?

—¡Qué va! Él no quería al niño, él quería a mi Charo. Y yo no se la di. Yo nunca entrego a las mujeres, ya tú sabes.

Asentí con la cabeza. En ese momento, con su hombro pegado al mío, y con un rayo de sol tibio que nos cubría, fui un poco, otra vez, Charo Balboa. Pero la sensibilidad me duró menos que nada. No era momento de bajar la guardia, y le pedí a Teodora que nos quedáramos cerca de la ventana para, desde allí, vigilar su casa.

La ventana era pequeña, pero alcanzaba para que las dos, una pegada a la otra, pudiéramos ver lo que pasaba en la vereda de enfrente, dos pisos más abajo. Un grupo de matones —tres con palos en la mano y uno con un arma en alto— estaban entrando en la casa de Teodora Millán. Los cuatro tenían en sus cabezas gorras rojas. A patadas, rompieron la reja que separaba el pequeño patio de la calle y siguieron con la puerta roja. Por el ventanal que ocupaba un buen tramo de la fachada, pudimos ver parte de los destrozos que hacían adentro y lo que no vimos, lo imaginamos.

Arrancaron las cortinas blancas, dieron vuelta la mesita de madera a la que cada tarde Teodora se arrimaba para ayudar a su nieto en las tareas escolares, abrieron los cajones de un mueble y se metieron en los bolsillos algunas cosas que consideraron de valor. Tomaron del pico de una botella de cerveza que estaba en la heladera e hincaron los dientes en una tarta de verduras. Recorrieron cada centímetro de la casa. Me buscaban a mí.

54

Las indicaciones de Lisandro Aguilera habían sido claras: no había que llevar a Ciro Leone a ningún hospital. Donato Melliá estuvo de acuerdo: en cuanto lo identificaran, no tendría manera de justificar por qué uno de sus presos había sido molido a golpes fuera del reclusorio que él dirigía. Acordaron llevarlo a la casa de un médico amigo de Aguilera. El doctor Pinela tenía en el fondo de su casa una clínica clandestina, en la que atendía a los lesionados de las guerras callejeras entre bandas. Una tarea que nada tenía de altruismo y mucho de gusto por bolsos hasta el tope de euros.

Ciro Leone estaba desmayado en el asiento de atrás de la camioneta. Por momentos temblada y emitía unos quejidos suavecitos y entrecortados que hacían que Donato Melliá, que iba al volante, se diera vuelta a cada rato para chequear que no se hubiese muerto. Por el espejo retrovisor, podía ver a Lisandro Aguilera, que los escoltaba con su moto. Aunque jamás lo iba a reconocer en voz alta, la presencia de Aguilera en esta situación le traía un poco de alivio. Percibía, a nivel físico, que ambos compartían el interés por encontrar a Adelita. De todos modos, prefería no ahondar en los motivos.

La pantalla de su teléfono celular se iluminó. Sin dejar de mirar la ruta que se abría ante sus ojos, tocó la pantalla. «Tenemos rodeado el encargo número uno, señor», decía el mensaje de uno de los gorras rojas a cargo del grupo cuyo trabajo era cazar a la Sirena. Contestó un apático «ok» y volvió a chequear que Ciro siguiera respirando.

Aguilera se le adelantó y, con un brazo, le hizo un gesto para que lo siguiera. Iban a salir de la autovía. Antes de pegar el volantazo, Donato Melliá le mandó un último mensaje a su mano derecha en el penal. «Activa el operativo. Libera al Egipcio. El encargo uno fue capturado».

55

Vimos cómo salían de la casa de Teodora, cómo amenazaban al vecino con un arma y seguían allanando de manera ilegal las casitas de la cuadra. Los gorras rojas no iban a parar hasta encontrarme.

—Saben que estoy en esta zona. No se van a detener —dije más para mí que para Teodora.

—Sí, los veo. Me preocupa Romeo —dijo la Millán. Por primera vez la noté con miedo—. Si me pasa algo, este pequeño se queda solito…

—No te va a pasar nada —le aseguré, esta vez sin mentir.

Caminé hasta el centro del galpón. Romeo estaba tirado intentando armar el rompecabezas que le había quedado pendiente. Me agaché y noté que apenas le faltaba insertar dos piezas. Esperé hasta que lo hiciera y sonreí. Volví con Teodora, que no se había movido de la ventana.

—Tenemos que hablar muy en serio —le dije poniéndole una mano en el hombro—. Vamos a la planta baja. Dejemos al niño aquí un momento.

Teodora me miró con desconfianza, sin embargo me siguió. Bajamos la escalera. Cuando llegamos a la planta que conectaba con la salida, le di mi mochila de lona verde.

—¿Qué es esto? —preguntó.

—Ábrela —ordené.

Metió la mano y sacó uno de los tantos fajos de euros que yo había llevado.

—Es dinero. Adentro hay más, mucho más. No tuve tiempo de contarlo, pero te va a servir para arreglar tu casa y aguantar un tiempo largo —dije y seguí hablando a pesar de la cara de sorpresa de Teodora—. Lo guardas bien en este lugar y no sales hasta que todo esté en calma. En el bolsillito interno hay algo tuyo.

La mujer metió la mano y sacó la foto del pasaporte original de su hija y su pasaporte español. Lo abrió con cuidado y me clavó lo ojos.

—Sí, es el pasaporte de Charo, de tu hija. No puedo darte explicaciones ahora, pero es tuyo —dije. De mi cintura saqué el arma con la que había volado el candado de la entrada y agregué—: Toma esto también. Te puede servir llegado el caso.

—No sé disparar —murmuró mientras las lágrimas le saltaban.

—Nadie sabe disparar. Aprieta el gatillo sin dudar, eso es disparar.

De la mochila rescaté el pasaporte a nombre de Vera Garcés y lo guardé en la riñonera amarilla que les había comprado a los pakistaníes. Teodora no era tonta y se dio cuenta de mis intenciones: puso su cuerpo enorme entre la puerta y yo.

—No, cariño, ni se te ocurra —dijo con firmeza—. Yo no sé quién eres, ni qué has hecho para que te busquen así, pero…

—Permiso, Teodora, déjame pasar —dije intentando que se apartara para poder salir—. Yo sé lo que hago.

La firmeza y la convicción con las que pronuncié esas últimas palabras fueron suficientes. Teodora Millán bajó la cabeza y movió su cuerpo. Abrí la puerta. Un aire cálido y húmedo se me coló por la nariz. Levanté las manos y caminé hacia donde estaban los gorras rojas. Me metí en el caos que yo misma había generado.

56

Desde que lo habían metido preso, casi dos años atrás, un pensamiento se volvió recurrente y, muchas veces, insoportable: ¿qué ropas vestir cuando volviera a tenerla frente a frente? Cada día que pasaba recreaba la escena en su cabeza. A veces, con amor; otras, con odio. Su Sirena le había hecho creer que lo amaba y él, que no confiaba ni en su propia sombra, le había creído.

Cuando le contaron que Adalberto Calixto, el hombre que durante años había sido su mano derecha, había terminado dando la vida en una redada en la Patagonia argentina para salvar a la Sirena, quedó de cama. Veinticuatro horas con una fiebre que no bajaba de los cuarenta grados lo tuvo postrado en un catre de mala muerte, en el hotel cutre de la Triple Frontera, donde se tuvo que esconder de la policía de tres países.

El Egipcio podía compartir el cuerpo de la Sirena; no le molestaba que cobrara o que se quitara la ropa gratis, que se revolcara con hombres o con mujeres. Con uno, con dos, con mil. Para Khalfani, el sexo no era más que un divertimento con el que hacer dinero; le parecía bien que su mujer tuviera sus negocitos. El engaño más profundo y secreto que le había causado la Sirena no era de la piel, había sido del alma.

Eligió ropa de lino. Un pantalón y una camisa. Todo en azul marino.

—Ya estamos, Sadat —le dijo un guardiacárcel del otro lado de la reja de su celda.

Antes de salir, fue hasta el mueble en el que guardaba sus pertenencias más valiosas y sacó una cajita verde. Adentro, una botella del mismo color atesoraba un perfume con notas de madera y jazmines. Era su perfume favorito, una pieza que solo se conseguía en un local muy pequeñito y exclusivo de El Cairo. Se perfumó detrás de las orejas, en el cuello y en las muñecas. Así había aprendido de las tantas mujeres que, por voluntad o por la fuerza, lo habían acompañado en distintas etapas de su vida. También se miró, por última vez, en un espejo que guardaba debajo de la cama. Durante un largo rato, se acomodó los rulos hacia atrás y se ocupó de que su afeitado estuviera prolijo y al ras. Algunas arrugas nuevas alrededor de los ojos le daban un aspecto cansado, pero nada podía hacer con eso y optó por volver a guardar el espejo en su lugar.

—Vamos, estoy listo —le dijo el Egipcio al guardiacárcel mientras se calzaba un saco de gamuza color marrón que estrenaba para la ocasión.

Cruzaron los pasillos del reclusorio y, por dentro, recorrieron todo el perímetro del penal. En una salita que lindaba con la calle, los esperaba Amílcar Vélez, el hombre que secundaba a Donato Melliá en el reclusorio.

Vélez tenía la inteligencia de los hombres que nunca preguntan, carecía de cuestionamientos éticos. Hacía lo que se le ordenaba y punto.

—Sadat, espero que esté bien —dijo y le tendió la mano como si fuera el botones de un hotel recibiendo a un pasajero de lujo—. Me han dejado instrucciones muy claras que paso a comunicarle.

El Egipcio asintió en silencio, sabía que Donato Melliá había dejado redactadas sus condiciones de salida.

—Solo tiene cinco horas. Un auto lo está esperando en la calle, lo va a llevar hasta donde usted indique, lo va a esperar y lo va a traer de regreso —explicó.

—¿Y mi custodia? —preguntó Sadat.

—El chofer del auto está armado y preparado para actuar.

—¿Preparado para defenderme de enemigos o preparado para actuar en mi contra? —preguntó, inquieto.

—Preparado para ambas cuestiones —respondió Vélez con calma y sin sacarle los ojos de encima.

El Egipcio se pasó las manos por los rulos tiesos de gel de peinar y suspiró con resignación.

—Muy bien. Que me saquen ya mismo. No quiero perder tiempo.

57

La fachada parecía la de una fábrica alejada del casco urbano. Paredes de ladrillo a la vista pintados de celeste muy clarito; los marcos de las puertas y de la única ventana, de un azul intenso. Sobre el portón principal, un cartel grande decía, en letras negras: «Hermanos Pinela. Todo para el hogar». En el costado inferior izquierdo, en rojo, figuraba el número de un teléfono celular.

En cuanto la moto de Lisandro Aguilera subió a la vereda, escoltada por la camioneta manejada por Donato Melliá, el portón se abrió de golpe, como por arte de magia. Estacionaron en un playón enorme junto a otros autos, algunos de alta gama.

—Aguilera, qué placer verte —dijo a los gritos un hombre vestido con un ambo de médico.

No medía más de un metro sesenta y su cabeza, sin un solo pelo, brillaba como si la hubiesen acabado de lustrar. A su lado, un muchacho muy joven arrastraba una camilla.

—Pongan al herido en la camilla y vamos rápido al fondo —dijo el doctor Pinela—. Ahí tengo mi quirófano.

Ciro Leone no se movió cuando entre Donato y Lisandro lo sacaron del asiento trasero de la camioneta para acomodarlo en la camilla. Ambos sintieron alivio al notar que seguía respirando.

El doctor Pinela no estaba solo. Junto a él, sus hijos, también médicos, prepararon todo lo necesario para hacerse cargo de ese despojo de huesos sobre el que metieron mano en cuanto le aplicaron suero y sedantes.

—Tenemos para largo —dijo el doctor—. *A priori,* ya veo que tiene varios huesos rotos y heridas cortantes. Vamos a hacerle un par de estudios para saber si tiene alguna hemorragia interna.

—¿Todo ese equipamiento es de ustedes? —preguntó Donato, sin poder creer lo que estaba viendo y escuchando.

El médico y Lisandro cruzaron una mirada y sonrieron.

—Todo esto y más, amigo mío —exclamó Aguilera—. Esto está mejor equipado que una clínica.

Donato quería saber quiénes sostenían económicamente el hospital clandestino y cómo lograban mantener el secreto, pero no se atrevió a preguntar; no era el momento y él no era la persona indicada.

—Al fondo, a la derecha, hay una salita bastante linda y tranquila. Hay café, algún bocadillo. Pueden esperar en ese lugar si quieren —sugirió Pinela.

—Claro que sí. Necesito un café doble o triple para despabilar la cabeza —dijo Lisandro. Miró a Donato y le preguntó—: ¿Vienes conmigo?

—Claro. Ve tú primero. Creo que dejé el teléfono celular en la camioneta —respondió mientras se tocaba los bolsillos de la chaqueta.

Al mismo tiempo que Lisandro Aguilera se servía un café,

Donato revisaba los asientos de la camioneta. Su celular no estaba en ningún lado. Se agachó y miró por debajo del vehículo. Nada. Intentó recordar cuándo había sido la última vez que lo había usado. Finalmente, lo encontró en el piso, entre los pedales. Durante el poco rato que no lo había tenido en la mano, le habían entrado unos cuantos mensajes.

Mientras miraba la pantalla, avanzó hacia la sala para reencontrarse con Aguilera. Un teléfono celular que no tenía agendado le había hecho más de diez llamadas, una detrás de la otra. Sin pensar demasiado, apretó el botón verde y devolvió una de las tantas.

Cuando escuchó la voz de su hija del otro lado de la línea, creyó que se iba a caer de lleno al suelo.

—¿Adelita? Hija, ¿eres tú? —preguntó casi sin aire.

—Sí, papá, soy yo. Estoy a salvo, me han liberado —respondió la niña, envuelta en llanto.

Lo primero que pensó Donato fue que el Egipcio era un hombre de palabra, pero Adelita desarmó de inmediato su teoría.

—Me han salvado unas chicas, papá. Estoy bien.

—¿Qué chicas? ¿Qué dices, hija? ¡Por Dios! —exclamó sin poder contenerse.

—Dos chicas, papá. Romina y Nadia, así se llaman.

De fondo, Donato escuchó las voces de dos mujeres.

—¿Estás con ellas, hija? ¿Dónde estás?

—Sí, estoy con ellas. En un departamento de Romina, creo.

La sangre le había vuelto a correr por la venas. La sentía rugir por cada parte de su cuerpo. Con el teléfono en la oreja, y sin dejar de preguntarle cosas a Adelita, entró corriendo en la sala.

Lisandro se había preparado un tazón gigante de café y masticaba un *croissant*. Cuando se dio cuenta de que Donato hablaba con Adela, se acercó con los ojos abiertos como platos.

—Muy bien, Adelita, ya tengo la dirección. No te muevas de ahí, ya salgo a buscarte. Te amo, hijita mía.

Cuando cortó la comunicación, abrazó a Lisandro. Un abrazo que para ambos fue mucho más que un arrebato.

—Tu hija, Lisandro, tu hija salvó a la mía —balbuceó Melliá. No recordaba cuándo había sido la última vez que tantas lágrimas le habían mojado las mejillas.

—¿Qué dices? ¿La Romina? —preguntó extrañado por la situación, pero sin demasiada sorpresa. Sabía que su hija llevaba la sangre Aguilera.

—Sí, tu hija Romina y Nadia, la hija del Egipcio.

—¡La puta mierda, amigo! —exclamó Aguilera y echó un silbido—. Vamos para que abraces a tu hijita, mientras yo pongo en vereda a la mía. Presiento que se libró de su custodia.

Donato largó una carcajada.

—Si tocas a Romina, te mando al reclusorio, Aguilera.

Ambos volvieron a reír. Dejaron a Ciro en manos de los doctores Pinela y subieron a la camioneta. Lisandro se puso al volante. A Donato todavía le temblaban las manos. Antes de llamar a Rocío, quería certificar que su hija estuviera en perfectas condiciones. No habían avanzado ni diez cuadras cuando Aguilera hizo la pregunta de la que ambos se escapaban:

—¿Dónde está la Sirena?

—Se entregó a los gorras rojas —respondió Donato mirando hacia el frente.

—¿Y el Egipcio?

—Yendo a su encuentro.

Lisandro estacionó unos metros antes de llegar al departamento donde estaban Romina, Nadia y Adela. Lo hizo a los apurones y en doble fila.

—Amigo, ¿vas a dejar que el Egipcio mate a la Sirena? —preguntó.

Donato le clavó lo ojos. Para ambos fueron los segundos más largos y más intensos.

—Quiero ver a mi hija —contestó Melliá a media voz.

La decisión ya estaba tomada.

58

No me ataron, no me vendaron los ojos, no me amorda-
zaron. No me golpearon ni me amenazaron. Pude ver la
ruta que recorrimos durante menos de dos horas a una
velocidad extrema, leer los carteles y enterarme de que me
habían llevado a un lugar cercano a Cadaqués.

Me bajaron del auto y me dejaron sola en el medio de una
playa pequeña. Antes de irse, uno de mis captores me dijo
que me quedara quieta y me anunció que pronto iba a tener
novedades. Como despedida, lancé una carcajada aguda.

De un lado, el mar; del otro, arena y unas montañas
de piedra, cubiertas por planchas de pasto verde. Por el
efecto del sol, en algunas partes parecía amarillo. Caminé
hasta la orilla, me saqué las botas y las medias. Hundí los
dedos en la arena húmeda y dejé que el mar me llegara
hasta la cintura, justo hasta la riñonera de plástico amarillo que todavía tenía colgada de mis caderas. Por un momento, se me cruzó la idea de seguir y seguir y seguir, hasta
que el agua salada me cubriera por completo y entrara por
mi nariz y por mi boca. ¿No es eso, en definitiva, lo que se
espera de una Sirena?

No lo hice, y no por falta de valor; agallas me sobran. Decidí no hundirme en el mar por una sola razón: yo también quería ver al Egipcio. Durante mucho tiempo, casi toda mi vida, fue la única figura rectora que tuve. Khalfani Sadat estrenó todos mis sentimientos: odio, cariño, miedo, sumisión, complicidad y tantos otros que no me alcanzarían las horas para enumerar.

Salí del agua con la ropa empapada. Me senté en la arena buscando los últimos rayos de sol que bañaban la bahía. Me crucé de piernas como si estuviera por arrancar una clase de yoga y cerré los ojos. Las olas que iban, venían, golpeaban contra las piedras y se desarmaban en la orilla provocaban un concierto que entraba en mis oídos con una intensidad tan salvaje que, por un momento, sentí el impulso de ponerme de pie y bailar. Tampoco lo hice.

Fue su olor lo que me sacó de la ensoñación. Madera y jazmines. El olor a El Cairo.

—Parece que nuestra relación solo funciona en la huida, Sirena. O cuando me abandonas.

No me moví, me quedé en la exacta posición en la que estaba. Solo esbocé una sonrisa, porque sabía que estaba a mis espaldas.

—Yo no quiero abandonarte. Yo solo quiero verte perder —dije en el tono que le gustaba. Una voz entre aniñada y firme. Fue, tal vez, el último regalo que le hice.

Me puse de pie despacio, mientras me sacudía la arena que se había quedado pegada en mi ropa mojada. Por el rabillo del ojo, pude ver su gesto de sorpresa ante mi nuevo aspecto.

—Te queda bien el cabello oscuro y más corto —dijo—. Aunque esa ropa no es de tu tipo.

Lo miré a los ojos por primera vez después de tanto tiempo. Esos ojos oscuros que me habían dedicado todo tipo de miradas.

—¿Te apropiarás de mi muerte en beneficio de tus convicciones, como sueles hacer con cualquiera? —pregunté con real interés.

Se me acercó y apoyó su mano caliente y callosa en mi mejilla. Lo hizo con ternura. Hasta noté un brillo extraño en sus pupilas.

—No, de ninguna manera. Te mataré porque es lo único que nadie ha hecho por ti antes.

Con una delicadeza que nunca había tenido, bajó su mano por mi rostro y la abandonó sobre mi cuello. Noté un leve temblor en la punta de sus dedos. Hizo lo mismo con la otra mano.

—Cierra los ojos —murmuró.

—No lo haré, mi Rey —dije apelando a su apodo privado, aquel que pronuncié en decenas de camas alrededor del mundo—. Quiero verte mientras lo haces.

Sentí sus dudas, las ganas de apretar mi cuello hasta que cada hueso sonara y se mezclara con el sonido del mar, su arrepentimiento, sus ganas de quitar las manos y darme, otra vez, una vida. Sus deseos de besarme, sus ansias por golpearme hasta verme sangrar, como tantas veces. La voluntad de matarme, la tentación de dejarme vivir.

Yo era la única persona en esta tierra que podía develar los misterios del Egipcio, como si su cerebro fuera un papiro hallado en alguna pirámide. Él lo sabía. Matarme era matar una parte de sí mismo. Contra eso luchaba mi Rey cuando un movimiento detrás de uno de los peñascos de piedras me llamó la atención. No quise clavar los ojos en ese lugar para no alertar a Khalfani.

—¿Puedo elegir el lugar en el que voy a morir? —pregunté para hacer tiempo.

Aflojó las manos y asintió con la cabeza.

—La dignidad ante todo, mi Sirena —dijo.

Me acerqué al peñasco y me aseguré de que el Egipcio quedara de espaldas al lugar que me había llamado la atención. Me besó en la frente, fue un beso de despedida. Su actitud me dio la oportunidad que necesitaba. Lo abracé y, ya más cerca, pude ver que un hombre se agazapaba entre las piedras. Tenía un arma y una gorra de color verde.

El disparo fue tan certero como letal. Las gaviotas salieron disparadas. El ruido de los aleteos desesperados y sus chirridos opacaron la furia del mar.

Khalfani Sadat murió en mis brazos. Y fui yo la que cumplí su deseo.

Hice lo único que nadie había hecho por él: le cerré los ojos. Después le acaricié la frente y, en silencio, lo encomendé a la mujer que más lo había amado: a Basira, su madre. La verdadera Sirena.

59

Donato Melliá tomaba su café matinal en el balcón de su departamento, frente al mar. Desde el sillón podía ver a Rocío, su mujer, ayudando a Adelita en la tarea de alimentar a las gaviotas. Sonrió. En la mesita de vidrio, junto a un plato con tostadas, había un diario. En la portada, se anunciaba la noticia:

Matan a Khalfani Sadat

El temido delincuente apodado «el Egipcio», acusado de varios delitos graves, incluida la trata de mujeres para la explotación sexual, fue encontrado muerto en su celda. Investigan si se trató de una riña entre presos o de un ajuste de cuentas.

A pesar de las explicaciones que Donato iba a tener que dar por escrito y personalmente a las autoridades de seguridad, no se arrepentía de las decisiones que había tomado. Su hija había sido liberada por Nadia y por Romina.

El Egipcio no había cumplido su palabra, él tampoco lo hizo.

El cruce de mensajes con Amílcar Vélez había sido claro: «Saca al Egipcio del reclusorio. Un amigo mío pone al chofer que lo llevará al encuentro con el encargo uno». El chofer gorra verde también tenía instrucciones claras, de la propia boca de Aguilera:

—Deja que se despida. En cuanto la mujer esté en riesgo, dispara y me traes el cadáver del Egipcio.

—¿Y qué hago con la mujer? —había preguntado el sicario, dispuesto a todo.

—Ella no me interesa, ni la toques. La dejas ir.

Mientras Donato Melliá se preparaba una segunda taza de café, a varios kilómetros, en el Aeropuerto Internacional Barcelona-El Prat Josep Tarradellas, una mujer de pelo corto, platinado, se acercaba a uno de los mostradores de Air France.

—Hola. ¿Despacho aquí mi maleta y la retiro en destino o la tengo que buscar en la escala de París?

—No, señora Garcés. La retira directamente en Buenos Aires.

Vera Garcés sonrió. Estaba por volver a casa.

Nota de la autora

En enero de 2019 viajé a España invitada a participar en el encuentro literario Barcelona Negra. Tenía la intención de, entre sangrías y tapas, profundizar la estructura de la novela en la que estaba trabajando. Una historia que había sido deseada y planeada.

Un domingo, me levanté temprano y emprendí un viaje de casi tres horas a los pueblos medievales. Me hacía mucha ilusión ver los Pirineos de cerca y conocer esos paisajes que parecen existir únicamente en las fotos de las pantallas de las computadoras.

Lo primero que sentí cuando llegué a Besalú fue frío. Me recibió una helada de tres grados bajo cero para la que no estaba preparada. Sin embargo, no fue la única sorpresa que me depararía ese pueblo de dos mil quinientos habitantes, construido en roca del siglo x.

Antes de buscar un bar en el que tomar un café caliente, caminé por las calles angostitas; frené un rato ante cada una de las casas y me protegí del viento en los recovecos que se forman en algunas de sus esquinas. «Qué buen lugar este para esconderse», pensé. Y fantaseé: «Si yo fuera una prófuga de la justicia, sin dudas me vendría para acá».

Durante la recorrida, un pequeño túnel me llamó la atención. A un costado, crecía una enredadera repleta de flores naranjas que se colaba en la estructura. La imagen era hermosa; «instagrameable», como se dice ahora. Saqué una foto y me dispuse a cruzarlo. En la mitad, me quedé tiesa. Alguien, con pintura negra, había escrito un nombre en una de las maderas interiores del pasadizo: «NADINE». Lo tuve que leer dos veces: «NADINE», «NADINE».

Antes de salir del túnel, mi cabeza ya rodaba sin parar. Interpreté que ese grafiti encerraba un mensaje.

¿Y si Nadine Basset había huido de Argentina para refugiarse en Besalú?

¿Y si la Sirena no la había sacado tan barata como pensábamos?

¿Y si el Egipcio la empezaba a acorralar otra vez?

¿Y si dejaba a un costado mi novela deseada, imaginada y planeada, y retomaba el personaje de Cornelia Villalba?

Esa noche, cuando volví a Barcelona, todas mis preguntas tenían una única respuesta: «Sí».

Al día siguiente, me compré un cuaderno con una ilustración preciosa en la portada: una niña de trenzas y pecas que sostiene un cartel que dice: «Soy feminista». A mano, empecé a delinear esta novela entre tapas y sangrías.

La ciudad me tomó por completo y, en cada calle, en cada esquina, en cada edificio, las escenas de *La Sirena* aparecían como si me hubieran estado esperando. Como ocurrió con ese papel amarillento tirado en la vereda del Paseo de Gracia, que tanto me llamó la atención. Era una hoja arrancada de un libro, que alguien había descartado.

En un costado, en bastardilla, había una frase del *Ulises* de James Joyce: «¿Qué es un fantasma? —preguntó Stephen—. Un hombre que se ha desvanecido hasta ser impalpable, por muerte, por ausencia, por cambio de costumbres». Guardé el papel entre las hojas de mi cuaderno nuevo y seguí caminando con una sonrisa dibujada en mi rostro. Ahí mismo, supe cómo iba a usar esa frase o, mejor dicho, cómo la Sirena la usaría.

Besalú es una belleza, una perla. Nunca me voy a arrepentir de haberla encontrado. Y Barcelona, ¿qué decir que no se haya dicho de esa ciudad que convierte cada paseo en un acto de magia?

Todos los personajes de *La Sirena* son producto de mi imaginación, aunque reconozco que el aire catalán me ha inspirado como ningún otro. Las modificaciones de algunos detalles geográficos o de costumbres, tanto de Besalú como de Barcelona, han sido hechas en función de la historia y en honor a la ficción.